ルポ新大久保

移民最前線都市を歩く

室橋裕和

角川文庫
23986

はじめに　僕が新大久保に引っ越した理由

「コリアンタウンと聞いていたんだけど……」

新大久保(しんおおくぼ)を歩くほどに、そんな思いが湧いてくる。

確かに韓国の店は多い。レストラン、化粧品やアイドルグッズ、雑貨……どこも日本人の女の子たちでいっぱいだ。韓流(はんりゅう)ブームの熱気があふれている。

しかしその賑(にぎ)わいから少し離れると、空気がいくらか変わるのだ。自転車で行きかうのはベトナム人だろうか、ミャンマー人だろうか。浅黒く彫りの深い顔立ちはどうもネパール人のようだ。中国語も聞こえてくる。イスラム教徒の好む真っ白で裾(すそ)の長い服を着こんだおじさんもいる。スパイスを売る食材店の前では、アフリカ系の人とインド系の人が、なにやら日本語で値段交渉をしている。どう見たって単なるコリアンタウンではない。でも、面白いと思った。ごちゃごちゃな様子に惹(ひ)かれて、ひまさえあれば新大久保にやってきて、歩き回った。

というのも、このカオスな多国籍タウンはどこか、僕が10年ほど暮らしたタイに似ていたからだ。雑然としていて、ゆるやかで、のびやかな活気がある。それは新大久保に住み、働く、さまざまな国から来た外国人たちがつくっているものだろう。まるで東南アジアか南アジアの下町なのだ。懐かしいな、と感じた。

同時にまた、次から次に謎も浮かんでくる。

どうしてこれほど、いろいろな国の人が集まってくる街になったんだろう。

それはいつからなのか、どんなきっかけがあったのか。

外国人たちはどんな仕事をしていて、どんな思いを持って、この街で生きているのだろう。

ついでに言うと、どこでおいしい本場の料理が食べられるのか。

そしてなにより、この多国籍化を地元の日本人はどう感じているのだろうか。交流や、あるいは軋轢(あつれき)はあるのだろうか……。

これはもう、実際に暮らしてみるしかないなと思った。たぶん新大久保は、日本で最も人種の混在が進んだ街だ。ここはいまや日本で300万人近くにまで膨れ上がった「移民」たちの社会と、日本人社会との、コミュニケーションの最前線なのだ。融和も対立も、きっと日本でいちばんよく見えてくる。そこでいったいなにが起きているのか、生活者として、外国人たちを隣人として体感したい。

そんなことを考えて、僕は新大久保に引っ越してみた。

目次

新大久保MAP
本書に登場するおもな施設、店
※白抜き表記の店はすでに閉店
(2023年12月現在)
西早稲田駅
戸山高校
東京都立戸山公園
(大久保地区)
早稲田大学
西早稲田キャンパス
大久保3丁目
明治通り
新宿区立中央図書館
新宿コズミックスポーツセンター
シヴァ寺院
東京メトロ副都心線
東京都立戸山公園
(箱根山地区)
箱根山
大久保2丁目
ユニタス日本語学校東京校
ハリマ・ハラルフード
(現グリーンバングラ・ハラルフード)
ヘオちゃん
(ベトナム)
エイビイシイ保育園
大久保郵便局
東戸山小学校
カマルのステーキ
大久保図書館
新宿年金事務所
戸山2丁目
大久保通り
島村印店
コープ
お母山
大久保通り
ニハマル弁当
ここ・から広場
ニュー・ムスタング(ネパール)
(現ムスタング タカリ)
サントク
大久保1丁目
東新宿駅
小泉八雲記念公園
大久保小学校
新宿7丁目
若松河田駅
相鉄フレッサイン 東新宿駅前
ベトナム・アオザイ
東新宿駅
抜弁天通り
都営大江戸線
明治通り
歌舞伎町2丁目
専福寺
新宿6丁目
法善寺
新宿三丁目駅

N
0
100m
百人町3丁目
高田馬場駅
保善高校
山手線・埼京線・湘南新宿ライン
西武新宿線
桜美林大学
新宿キャンパス
JCHO東京山手
メディカルセンター
東京
グローブ座
海城中学校・高校
百人町2丁目
戸山小学校
東中野駅
バミ・オーイシ（ベトナム）
サライ・ケバブ（現エフェリフ・ケバブ）
ヒンドゥー廟
リンカーズ・ハラルマート
茶和益田屋
ミラマート
ロイヤルガーデン
業務スーパー 新宿大久保店
ドン・キホーテ
海羽（中国物産）
『ネパリ・サマチャー』編集部
文化通り
華僑服務社（中華食材）
新宿八百屋
ジャンナット・ハラルフード
住宅展示場（旧ロッテ工場）
ナショナルマート
夫婦木神社
イスラム横丁
サルシーナ
ベトナムフォー
ビンタン・バリ（インドネシア）
みちゃん
興福楼（台湾・福建）
京和商店
ナスコ
皆中稲荷神社
バーベキュー・チキン
アリランホットドッグ
MICスーパー（ハラル）
ソウル市場
淀橋教会
一番街
グローバルトラストネットワークス
スタジオM
日本福音ルーテル 東京教会
百人町1丁目
新大久保駅
大久保駅
イケメン通り
アジア屋台村
アンビカショップ
エッグコーヒー
ラトバレ（ネパール）
在日韓国人福祉会
Shisha Tokyo
JBハラルフード
東京媽祖廟
西大久保公園
ムット（南インド）
ルン・ルアン（タイ）
中央・総武線
ワンチャコ（ペルー）
ドン・キホーテ 新宿店
文化センター・アリラン
北新宿1丁目
韓国広場
職安通り
歌舞伎町一丁目
韓流エリア
都営大江戸線
大久保公園
西新宿7丁目
しんじゅく多文化共生プラザ（ハイジア11階）
健康プラザハイジア
西武新宿駅
西新宿中学校
新宿西口駅
新宿駅
東急歌舞伎町タワー

第1章 単なるコリアンタウンではない、多民族混在の街

引っ越し初日の洗礼

頭にヒジャブをかぶったイスラム教徒のおばちゃんが、ベランダで洗濯物を干している。自転車で連れ立って、おしゃべりしながら走っていく女の子たちはベトナム人のようだ。階下からはなにやら香辛料のスパイシーな香りが漂う。どこからか聞こえてくるのは、ネパールのものだろうか、民族調の音楽だ。

僕の部屋のテラスには、そんな営みが届いてくる。この街で新生活がはじまるのだ。

引っ越しで出た大量の燃えるごみを両手に、マンションの階下に降りる。不動産屋に教えられたごみ捨て場は確か……とうろうろしていると、不意に声をかけられた。

「シツレイシマス」

東欧か、ロシアか、中央アジアか。そんな顔立ちの若い男女だった。やはり手にはごみ袋を持っている。

「アナタ、アタラシイ?」

「は、はい」

「ゴミ、ココ。モエル、モエナイ、ミナオナジ」

「どうも、ありがとうございます」

「ワタシタチ、ヨンカイ。アナタハ?」

「サンカイです」

「ヨロシクネー」

そう笑ってふたりは大久保通りのほうに歩いていった。

2月の朝である。誰もが白い息を吐きながら、少し急ぎ足で、この狭い路地を大久保通りへと向かっていく。通りに出たら、右に折れてJR新大久保駅に向かう人と、左に曲がって地下鉄の東新宿（ひがししんじゅく）駅を目指す人とで流れが分かれる。人波のほとんどが若い外国人だった。勤め人も、学生もいるのだろう。日本人は、ごみ捨て場を掃除しているお爺（じい）さんを見るくらいだった。

僕は部屋に戻り、積み重ねられた段ボールと格闘することにした。引っ越し屋が手際よく運んできた家具や服や日用品や食器の山を、がらんどうの部屋に配置していく。少しずつ巣ができあがっていくうちに、ほしくなってきたものがある。新しいテーブルとかソファー、キッチンカウンターあたりがあるといいなあと思ったのだ。

そういえば大久保通りには中古の家具屋があったはずだ。ダウンを引っかけ、朝の商店街を歩いて行くと、記憶の通り確かにリサイクルショップがあった。しかし、ペットショップを挟んで2軒が並んでおり、片方には簡体字が、もう片方にはハングルの看板が掲げられている。中華系と韓国系が競合しているのであった。

両方を見比べてみた結果、中華系のほうに、部屋のサイズに合いそうなキッチンカウンターが置いてあった。店内は冷蔵庫やら電子レンジなどが所狭しと並び、テーブルや戸棚、ロッカー、イス、ガス台などがテトリスのごときあやういバランスでみっしりと詰まっていた。そのスキ間で、店主らしきおじさんと黒人のアニキが日本語で話している。向こうは洗濯機を探しているらしい。ふたりのやりとりに口を挟んでいるのは、日本人のおばあちゃんだった。こちらは客というわけではなく、世間話に来ているようだ。その間にも、収納棚を売りに来る中国人の女の子が来店する。引っ越すのか、あるいは帰国するのだろうか。

ようやく順番が回ってきた。ものすごい寝ぐせの髪の店主は、ニトリの中古らしきキッチンカウンターを適当にメジャーで測ると、「これ1万6000円だけど……1万5000、いや、1万3000でいいや」と、アバウトにディスカウントしてくれた。代金を払うと、配達するので名前と住所、電話番号を書くように言われる。手渡されたのはチラシの裏っかわであった。僕の住所を見た店主は、

「あ、近いね。午後には持ってけるよ。2時くらいね」

きわめてイイカゲンな口約束にやや不安を覚えたが、配送料は無料だという。

しかし、ようやく電話がかかってきたのは3時過ぎであった。また荷物整理の手を休めて階下に降りてみると、先ほどの店主とは違う30歳くらいの中国人が、大きな荷車にキッチンカウンターを載せて待っていた。

「すみません、うち3階なんです。けっこう大きいけど、上げられますかね？」が、彼は日本語をほとんど解さないのであった……。差し出された翻訳アプリを見れば、【人が足りない。一緒に運ぶ】とか表示されている。申し訳なさそうな控えめな笑顔で、にこにこしている。なんだか面白くなってきた。

ナゾの中国人とふたり、えっちらおっちらキッチンカウンターを運ぶ。狭い廊下や曲がり角では思いっきりぶつけてしまうが、彼に気にする様子はまったくない。この程度で怒るやつはきっと、この街に住んではいけないのだろう。

これまた狭い玄関口から苦心して大きな荷物を運び入れると、お互いにこの寒い中、汗をぬぐって笑いあった。

受け取りのサインのついでに、わずかに知っている中国語を書いてみる。出身を聞いた【您是哪里人（ニンシーナーリレン）？】のだ。

「青島（チンタオ）」

日本に来て9年になるが、日本語はさっぱりわからない。店長は中国人で、客も中国人が多いから、ぜんぜん覚えない。学校にも行ったけど忘れた……。そんなことを次々に書き連ねる。

なぜ僕は日本にいながら中国人と筆談をしているのか、そのよくわからないシチュエーションが面白かった。

あらかた部屋を片付けた夜。

せっかくの引っ越し初日だ。お祝いに、飲みにでも行くか。

夜の大久保通りには、いくつもの飲み屋やレストランがネオンを瞬かせていた。やはり韓国料理がいちばん目立つが、ネパール料理もあれば、タイ料理もある。それに台湾、中華……日本の居酒屋や焼鳥屋もちらほらあるのだけれど、存在感は薄い。アジアの匂いが濃密だった。行きかうのも、東南アジアや南アジアの顔立ちをした若者ばかりで、日本語があまり聞こえない。

あちこち探索したくはあったが、朝から続いた力仕事で疲れていた。近場にしよう。ビルの地下に佇(たたず)むベトナム料理屋にした。

入ってみると、いきなり温度と湿度が上がったような気がした。食材やベトナムのビール「333(バーバーバー)」のケースが乱雑に置かれた店内では、ベトナムの若者たちが騒々しく飲んでいる。テレビではベトナムのドラマが流れている。壁に貼られたベトナム語のポスターは、国際送金のものだろうか。店員の女の子はこの真冬にショートパンツとTシャツ姿で、「いらっしゃいませ」の声もとくになく、スマホになにやら話しかけながらメニューを持ってきた。まかないを食べている店員もいる。明らかに空気が緩んでいるのだ。あのだらしないが暮らしやすい、東南アジアのゆるやかさだと思った。

メニューを見れば日本語ベトナム語併記だ。壁にもあちこちメニューがある。スペシャルっぽいものがベトナム語で殴り書きされていたのでググってみたら「ヤギ鍋(なべ)はじめました」だった。一人鍋はちょっときついなあ、と思って、チャージョー（揚げ春巻き）と、バインセオ（ベトナム風のお好み焼き）を頼んだ。ベトナム語の喧噪（けんそう）の中、生ビールを一気に飲み干す。動いた後のビールは身体に染み渡る。気持ちがほぐれると、ベトナムの路上居酒屋ビアホイにいるような気分になってくる。異国の言葉の響きが心地よい。

今日一日で、いったい何か国の人と会っただろう。なかなかに刺激的な初日だと思った。これから、この新大久保が、僕の街になるのだ。

山手線の高架を挟んで、世界が変わる

じっくり歩いてみると、新大久保は想像以上にごちゃごちゃだった。どう見たって単なるコリアンタウンではない。

確かに新大久保の駅から大久保通りを東に進めば、そこは一般的にイメージされる韓流（はんりゅう）世界。イケメンアイドルのポスターが躍り、韓国のレストランやスイーツの店が並び、ハットグ（韓国式のアメリカンドッグ）の屋台に女子が群れなす。化粧品やら雑貨やら、僕にはなにがなんだかさっぱりわからないが、みんな夢中なんである。人気らし

いレストランは開店前から行列ができ、韓国女子の髪形やメイクを真似た若い子で週末は大混雑になる。一大観光地なのであった。

しかしその日本人女子の渦の中に、よく見れば東南アジア、南アジアの顔が交じる。上下真っ白のゆったりとした民族衣装を着たムスリムの人も見る。サリー姿のおばちゃんがいる。近所のセブン-イレブンのイートインでは、彫りの深いインド系のおじさんたちがよく雑談している。

大久保通りから離れて、南北に延びる細い路地に入っていくと、アジアの匂いはさらに濃くなる。こちらは大久保通りの喧噪とはまったく別世界のような住宅街が広がっているのだけれど、そこに建てこむ小さなアパート群に住んでいるのは、かなりの部分が東南アジアやインド系の人々であるようなのだ。僕もそんな住宅地の一角にあるマンションに部屋を借りたが、路地を歩いていても日本語があまり聞こえてこない。

韓流女子はこちらまでは入り込んでこないが、代わりに民泊やらゲストハウスがけっこうあるようで、キャリーケースをがらがら引いた、やはりアジア系の観光客や、でかいリュックを背負った欧米のバックパッカーとすれちがう。やたらに顔ぶれが多彩なのである。

そんな街を歩くうちに、気がついたことがある。この地域のいわゆる「コリアンタウン」は、そう広い範囲ではないのだ。東京メトロの東新宿駅から、JR山手(やまのて)線・新大久保駅までの、大久保通り約700メートルとその周辺。このエリアに「韓流」は密集し

食材店、レストラン、美容室、送金会社、スマホショップ、モスク……狭い一角に外国人が暮らすために必要な「インフラ」が密集する

ている。

で、山手線の高架をくぐって西側に行くと、世界がずいぶんと変わるのだ。こちらに韓国の匂いは少ない。代わりに、「韓流側」では少数だった、東南アジアや南アジアの人々が目立つようになる。同じ大久保通りでも、こちらに並んでいるのはネパール人やバングラデシュ人の経営する雑貨屋や、ぜんぜん日本語表記のないあやしげな中華料理屋、ハラル食材店、国際送金の店、外国人向けの不動産屋……そこに広がっているのは、アジアの人たちの「生活の街」だった。なんだ、観光地よりもこっちのほうが面白いじゃないか。

東南アジア、南アジアの人々の「生活の街」

食材店に入ってみる。ネパール人らしき人たちがたむろしていて誰が店員だかもわからないが、とりあえず「いらっさいませー」とのんびりした日本語がかけられる。まず目を奪われるのは、ずらりと並ぶスパイスやハーブ。豆やインド産の米も何種類とある。冷凍庫にはマトンやらヤギやらがカチコチになっている。ネパールのウイスキーやインドのシャンプー、石鹸（せっけん）など生活用品も多い。

値段を見てみると、どれもけっこう安いのだ。10センチ四方ほどの袋に詰められた生のコショウが白いのも黒いのも200円。カシューナッツがキロ800円かよ。思わず手に取る。中東や南アジアで定番のデーツ（なつめやし）も種類豊富だ。それに、軒先の段ボールに山積みにされた野菜も気になる。にんじん、じゃがいも、ニンニク、レッドオニオン、おくら……産地などの表記はいっさいないし品質もどうだかわからないが、地域のスーパーマーケット「三徳」よりぜんぜん安い。

「あなた。これいいよ、ワタシこれ好き。インドのスナックね。新しく売ることにしたよ」

こんな雑然とした食材店が新大久保にはいくつもあり、外国人の生活を支えている

あっ。いきなり話しかけられて、思わず声が出た。これインドを旅行したときによく見たやつだ。米を揚げてスパイスをまぶしただけのシンプルなものだけど、後引くんだ。どんな田舎の雑貨屋にだって売っていたと思い出す。こんなものまで置いてあるのか。

「その棚のスナック１コ２００円だけど、３つ買うと５００円ね」

確かに「buy three 500yen」と殴り書きされている。こういうのに僕は弱い。それに、表記が日本語ではないのが楽しい。なんだか海外を旅しているような気になってくる。わくわくして、ついほかにもあれやこれやと買ってしまう。けっこうな量になったが、

「えーと２１２０……２０００円でいいや」

ざっくりと値下げしてくれる。嬉しい。いつの間にか、日本のコンビニやスーパーマーケットにはないやりとりをしていることにも気がつかされる。昔の商店街みたいだな、と思った。

ネパールの方ですか、と声をかけようとしたとき、賑やかな男女がなだれこんできた。若いな。留学生だろうか。ベトナム人のようだ。そういえば店の奥には、米粉からつくった乾麺が何種類も置かれていた。鶏出汁のきいたフォーが思い浮かぶ。ベトナム人のソウルフードだろう。それにピンクのパッケージがかわいらしい袋麺「ハオハオ」をたくさん買い込んでいる。かのエースコックが生産していて、ベトナム・ナンバー1のインスタント麺だと聞いたことがある。店主はたぶんネパール人だが、この街のニーズをちゃあんと知っているのだ。

「これはなんですか。甘いか。太るか」

ひとりの女の子が、なにかお菓子を持ってしきりに店主に話しかけている。たどたどしい日本語だった。店主のほうは日本人とほとんど変わらない流暢な日本語で、あれこれと説明をしている。「スリーパケット、ファイブハンドレッド」「ノーノー、フィックスプライス」ときどき英語も交じる。いつの間にか値引き交渉になっていたようだ。いったいどこの国なのかわからなくなってくるけれど、ここはそういう街なのだ。

大久保通りと、そこから南北に走るたくさんの狭い路地。そのどこに行っても、こんな光景があった。日本という「外国」で暮らす、いろいろな国からやってきた人々の姿。

日本に急増しているという外国人。そのひとりひとりの顔が、この街ではよく見える。

東から西へ、大久保通りの探検を終えて自宅に戻る道すがら、古びた弁当屋を見つけた。看板を見上げる。

「ニハマル弁当……」

狭い店内に積まれているのは、ハンバーグ、チキンカツ、鶏唐揚げ、さば塩焼きなど日本の弁当屋ではおなじみのラインナップ。で、値段がどれも格安、290円なのだ。きっとその昔は、280円だったに違いない。だから「ニハマル」なのだ。10円値上がりしたいまでも十分に安いが、だからなのかお客は全員が若い外国人だった。もう夜11時を回っているが、アルバイト帰りなのか浅黒い肌の若者たちが、290円の弁当と、なんと40円からある副菜を買っていく。ここは彼らのライフラインなのかもしれない……なんて思っていたら、ぽんと肩を叩かれた。振り返ってみれば、リサイクルショップのあの青島人だった。

「ここ、やすい」

そう笑ってショウガ焼き弁当をレジに持っていく。僕も彼らに交じって、酒のアテになりそうなものをいくつか買い込んだ。

職安通りのベトナム人ガールズバー

職安通りのドン・キホーテ新宿店は、歌舞伎町店と並んで外国人観光客に人気だ。それに、近隣に住んでいるらしい外国人の姿も多い。店員も中国人やベトナム人で、日本人スタッフをむしろあまり見ない。

近所に住む僕にとっても重要なライフラインである。掃除用具だとか、ちょっとした衣類、薬まで、いろいろ揃うのはありがたい。ちゃあんとポイントカードもつくった。それに買い物をしなくたって面白いのだ。店頭のでっかい水槽で飼われているウツボや、パーティーグッズや化粧品やお菓子に夢中になっているアジア系観光客を見るのはなかなか楽しい。彼らにいまどんな日本みやげが人気なのか、リサーチできたりもする。

この日もぜんぜん用はないのだけれど仕事帰りにドンキをパトロールし、ぼちぼち帰るべえかと職安通りを歩いていたのだ。あやしげな看板が目に留まった。

「ベトナム……アオザイ？　カフェバー？」

民族衣装アオザイに身を包んだ美女のイラスト。なぜかシーシャ（中近東で広く嗜まれている水たばこ）の絵も添えられている。明らかにいかがわしい空気を醸し出しているのだが、気になった。

看板のわきから延びる階段で、２階に上がってみる。雑居ビルのようだ。居酒屋、スナック、カラオケ、たぶんエッチなマッサージ。さらに奥に進んでみる。住居なのか店舗なのか、あるいは会社なのか判然としない部屋のドアが、薄暗い廊下に静かに並ぶ。そのひとつに、また同じ「ベトナム・アオザイ」の看板。実に入りづらい。ボッタクリ臭も漂う。しかし思い切ってドアを開けてみた。

「失礼しまーす……」

人の気配がない。大きなソファーがふたつ。それとスツールが３つ。ドリンクでもつくるのか、小さなカウンター。正面のモニターに映し出されているのは、ベトナムのカラオケだろうか。誰もいないのかな……と思った瞬間だった。カウンターの下から、ぬうっと黒い影が立ち上がったのだ。

「うわっ！」

お互いにびっくりして、声を上げる。女性だった。スマホを手にして、黒いアオザイをまとっている。

「お、お客さん⁉」

よかった。日本語だ。動揺しつつもハイ客なんですと返せば、彼女はとろけるような笑顔をくれたのだ。

「良かったあ～。今日はもう誰も来てくれないと思ってたよ」

腕を取って、ソファーに導かれる。若い。20代前半だろうか。それに黒目がちで、主張の強そうな厚い唇が印象的な、ズバリ僕好みの美人であったのだ。

「なに飲む？ ここはじめてだっけ」

「いやその前に、ここなんのお店？」

「ベトナムのお店だよ。お酒もあるし、シーシャもあるよ。でもねでもね、もうちょっとしたらガールズバーにしたいんだ。いまギョウセイショシ？ に頼んでキョカシンセイしてるとこ。いいでしょアオザイガールズバー。日本人の男の人アオザイ好きだよね。流行ると思うんだ。どう思う？」

まくしたてられる。勢いに押されて、頷く。彼女はまたにんまりと顔全体で笑うと、薄暗い店が一気に東南アジアの湿度を帯びたような気がした。

アオザイとは身体のラインがぴったりと浮かび上がり、深いスリットからわき腹もちらりとのぞくベトナムの民族衣装だ。嫌いな日本男児がいるだろうか。そんな姿で接客する、ベトナム女性のガールズバー。確かに面白いかもしれない。いや危険だ。近所にそんなもんあったら通いかねないじゃないか……なんてぶつぶつ言っていると、彼女は注文したシーシャとウーロン茶を運んできた。それから遠慮がちに、

「私もドリンクいいですか？」

と尋ねてくる。こういう席ではいっさいケチらずばんばんおごる。それが正しい遊び方であることを、僕は長い東南アジアでの暮らしで学んでいる。もちろん、と告げると、

彼女はうきうきとした様子でグラスにビールを注いで戻ってきた。

「かんぱーい。あれ、名前なんだっけ」

「ムロ」

「私はトゥイです。はじめまして。よろしくね」

　ベトナム北部ハノイ近郊の出身だという彼女は、聞いてみればまだ24歳だった。しかしその若さですでに、日本で会社を立ち上げ、この店を経営しているというから驚いた。社長なんである。

「ベトナムで高校出て、それからすぐに日本に来ちゃった。だからもう6年になるんだな」

　懐かしそうに話す。シーシャを吹かすと、店内に甘い香りが散る。ミントとアップルをミックスしたフレーバーが好きなのだ、と話す。シーシャはたばこの葉に乗せたさまざまな香りや味を楽しむ嗜好品だ。

「アジアの中でいちばん発展している国。すごい国。それが日本のイメージだよ。ベトナムはまだまだ貧しい人も多いし、遅れているし、子供の頃から外国に行きたいね、大きくなったら日本で働きたいねーって友達とも話してたんだ」

　だから学生の頃から日本語を学びはじめた。そして高校卒業と同時に、新宿にある日本語学校へと留学をする。

「2013年1月9日。よく覚えてるよ。はじめて日本に来た日。寒くて寒くてねえ」

幸運だったのは彼女の両親が家具を扱う会社を経営していたこと。ベトナムではきっと、裕福なほうに入るのだろう。1年半、語学学校で日本語を学ぶと、やはり学費を出してもらって、日本経済大学へと進学するのだ。

「留学生には多いんだよ、このコース。まず日本語学校でしょ。そこで勉強して、アルバイトもして日本語覚えて、専門学校か大学に入るの。でね、日本の会社に就職する。そうすればベトナムで働くよりも、ずっとたくさん稼げるし。あ、ドリンクおかわりいいですか？」

もちろん、と答え、僕もぼこぼこぼこ、とシーシャを吹かす。さっきまで寒空の職安通りを歩いていたとは思えない展開が楽しい。彼女はその職安通りから大久保通りに向かって路地を入った、すぐ近くの大久保1丁目にマンションを借りているらしい。

「うちもすぐそばだよ。大久保2丁目」

「そしたら毎日遊びに来てよ！　お店あんまりお客さん来なくてタイヘン。今日もムロさんのほか、ふたりだけ」

肩を落とすが、無理もない。ややダークな雰囲気すら漂う雑居ビルの、奥地なのである。普通は足を踏み入れるのをためらう。なぜここで店を開こうと思ったのか。

「私ずっと、日本に来たときからずーっと新大久保なんだもん。ここはなんでもあるでしょ。日本のものも、ベトナムのものも。ベトナム人もたくさん住んでいて、友達もここにいっぱいいるし。ほかにもいろんな国の人がいる街だから、きっと日本人も外国人も来てくれる。ビジネスやるには新大久保しかないって思ってた」

そんな新大久保で、いざ出店しようと思ったとき、手持ちの資金と空き物件とを考えたら、ここしかなかったのだという。

「でもさ、なんでガールズバーやりたいの？」

「やっぱりね、自分が……」

そこへ、すらりとした、今度は純白のアオザイが現れた。

「あーっ、チャンちゃん！」

目のくりっとしたショートカット美人だった。

「うちのスタッフのチャンです。かわいいでしょ」

アルバイトの彼女と、ふたりで店を回しているのだという。

「トゥイさんがフェイスブックでスタッフ募集してたから、応募したんです」

と来日2年ほどとは思えない、上手な日本語を話す。チャンちゃんもやはりハノイ近郊の出身だ。愛嬌たっぷりに笑い、僕の相手をする合間に酒をつくり、シーシャのセッティングをし、洗い物をして、また席に飛んで戻ってきては乾杯をする。そのばたばたぶりが見ていて楽しい。

やがてビール数杯であっさり酔っぱらったチャンちゃんは、カラオケでひとり熱唱をはじめた。中島みゆきの「糸」だった。うまい。しっとりとした情感がこもっている。サビの部分はとりわけ静かな熱を帯び、僕を見つめて歌うのだ。また絶対にこの店に来るのだと、おじさんはいとも簡単に籠絡された。

「こういう歌、ベトナム人好きだよ。言葉はわからなくても、気持ちが通じる。わかる」

トゥイさんが言う。それからアオザイ美女ふたりが披露したベトナムの歌は、確かに昔のポップスのような、どこか演歌のような、懐かしい歌謡曲の風情だった。

留学生の街、新大久保

日本で暮らすベトナム人というと、技能実習生が思い浮かぶ。製造業や農業、漁業などに従事し、ときに日本人から手ひどい搾取や差別を受けているかわいそうな人たち……そんなイメージがある。これは日本側にもベトナム側にも大きな問題があり、ひと口で言えるような話ではないのだが、それはさておき東京に、新大久保には彼ら実習生は少ない。実習生たちが働いているのは、工場や農地、漁港などのある地方だ。都内に暮らしているベトナム人には留学生が多い。

とくに新宿区は、新大久保から高田馬場にかけての一帯に、日本語学校や、外国人を受け入れている専門学校が密集する。一説によれば、そのルーツは1935年（昭和10

年）にさかのぼるという。新大久保に近い歌舞伎町に「国際学友会」という施設がつくられ、留学生の受け入れをはじめたのだ（後に北新宿に移転。日本学生支援機構・東京日本語教育センターとなる）。

さらに１９８３年（昭和58年）には、かの中曽根康弘首相が「21世紀には10万人の留学生を受け入れる国にする」とブチ上げた。彼ら留学生が日本で学んだ後に、母国との強いパイプになり、グローバル化しつつある社会の先導役になる……そんなことを期待したらしい。フランスはじめ欧米諸国を見習っての政策だったが、これを受けて新大久保周辺には日本語学校が急増する。国際学友会という先達があったからだ。「留学生受入れ10万人計画」は２００３年に実現するが、これをきっかけに新大久保周辺には外国人対象の学校や、彼らが暮らす寮がどんどん増えていったらしい。

いまではすっかり学生の街だ。最も賑わうのは夕方だろう。授業を終えて、アルバイトへと向かう若い留学生たちでごった返す。その顔ぶれは多彩だ。中国、東南アジア、南アジア、アフリカ……ある者は居酒屋へ、ある者はコンビニへ。ホテルの清掃員だとか、スーパーマーケット、ファストフード店の店員など、都内で出会う外国人の労働者は、かなりの部分が彼ら留学生なのだ。

そんな留学生の中でも、ベトナム人が集まってくるカフェが新大久保にはある。西大久保公園の正門がある狭い通りを、少し北に歩くと見えてくるカラフルな建物。レンガ調の壁に、紅白の看板、色とりどりの椅子とテーブル。この寒い時期でも、週末になれば外の席にまでたくさんのベトナム人があふれ、賑やかなのだ。気になっていた。この日は平日の夕方だったが、それでもベトナムの若者たちで店は7割がた埋まっている。見たところ店員もベトナム人のようだ。外国人がどうのというよりも、その若々しさにアウェー感を覚えてしまう。

おじさんがお邪魔することにやや申し訳なさを感じつつも入ってみれば、そこはなんだか高校か大学の部室のようだった。屈託なくしゃべっている女子のグループ、スマホに夢中になっている男子たち、それに奥のテーブルではギターを弾いて歌っている4人組。思い思いにこの場所で時間を過ごしている。誰もがきっと、母国ではほとんど着たことがなかっただろう厚手の服をまとっているが、けっこうおしゃれだ。それもこの寒い異国での楽しみのひとつに違いない。

日本人の店ではなかなか見られない満面の笑みの店員が、そっと運んできてくれたのは、店名にもなっている「エッグコーヒー」だ。カップの下の部分にはブラックコーヒー、その上にはふちまであふれそうに盛られた泡が載っかり、二層になっている。そして泡の上に描かれた、かわいらしいラテアート。だからずいぶんと時間がかかっていたのか。ラテアートが完成するまで根気よく待つのも店のスタイルのようだ。で、この泡は卵黄と練乳とが混ぜられているとかで、卵の風味がほんのりと甘い。ブラックコーヒーと少しずつ溶け合わせて、味の変化を楽しむのだ。

ハノイ名物のこのコーヒー、日本ではこちらの店がはじめて出したのだという。そのコーヒーを少しずつ舐めるように飲みながら、おしゃべりをし、テレビで流れているベトナムの番組に見入り、ヒマワリの種をぽりぽりかじって、またギターをかきならし、声を張り上げて歌う。

そんなひとりに、話しかけてみた。

「ほとんど毎日、ここに来ているんです。この店に来れば、誰か友達がいるから」

そう笑うのはチャン・トゥン・ドゥックさん、27歳。革ジャンの似合うイケメンであった。日本に来て3年、日本語はまだたどたどしいけれど、なんとかこちらに伝えようとする熱意がこもる。

「ハノイのそばの、ハイフォン出身です。子供の頃から、日本の漫画を見て育ったんです。とくに『NARUTO』が好きだった。だからいつか、日本の文化に触れてみたかった」

なんて優等生的なことを言いつつ、「でも『ワンピース』は長すぎるよ。早く話をまとめたほうがいい」と苦言も呈する。

日本語学校を出てから、専門学校や大学に入るというコースはトゥイさんと一緒だ。それから大塚にある外国人専門の不動産屋に就職を果たしたのだという。

「僕のほかにも、何人か外国人のスタッフがいるんです。中国人とかネパール人とか」

これだけ外国人が増えた日本社会でも、まだまだ誰もが住む場所には苦労しているのだという。外国人に部屋を貸してくれる物件は限られるのだ。それに契約時には、日本人だって面倒なあれやこれやの書類の束との格闘が待っているわけだが、これらはすべて日本語だ。日本に来て、さあ住む部屋を探そうという外国人にとっては、いきなりの高いハードルなのである。そこで、外国人専門に住居を斡旋（あっせん）するビジネスが成立するというわけだ。

彼はその職場のある大塚から、仕事が終わると山手線で新大久保までやってきて、仲間たちと会い、ひとしきり話す。本当に毎日、まさに日課なのだという。

「ここは日本語学校で知り合った友達に連れてきてもらって知ったんです。こんなに同じ世代のベトナム人が集まっている場所があるなんて、知らなかった」

若いベトナム人たちのたまり場「エッグコーヒー」

チャンさんの仲間たちの立場はさまざまだ。あいつはまだ日本語学校に通ってる。あの子はホテルに就職した。こいつは親戚（しんせき）がやってるベトナムレストランで働いてるんだ。向こうの彼はこれから居酒屋で夜勤だって。それとあのギターを弾いてるやつは、日本で起業を考えてるって言ってる。

「みんな、家族のようなんだ。きょうだいのようなんだ」

ラテアートがかわいいエッグコーヒー。少しずつ混ぜながら飲む

この国で暮らしていれば、きっと母国にはないストレスがあるだろう。コンビニや居酒屋で黙々と働いているベトナム人たちを見ていれば、それはなんとなく察しがつく。一日の終わりにはくたびれ果てているかもしれない。だけど、ここに来れば見知った顔がいて、その日の出来事やぐちを語り合い、馬鹿な話をして、歌うことができる。学校や仕事で使っている言葉ではなく、故郷の言葉で。

話題はさまざまだ。「外国人留学生は週に28時間しかアルバイトできないから、生活が苦しい」なんて話はもう誰もが飽き飽きした定番だ。もっと割のいいバイトはないか、ビザ（在留資格）が更新できるだろうか、帰国したあいつは元気でやってるか、バイト先のコンビニで日本人客に偉そうに怒られて頭に来た、そんなことより今度はみんなで休みを合わせて富士山に行こうぜ、そういえばあいつとあいつが付き合ってるらしいよ……。

そんなかまびすしい声が、夕暮れの「エッグコーヒー」には満ちている。

いまの毎日への不満や怒り、日本社会への親しみと反発。それでも、その中から、外国生活の楽しさを見つけようと、将来をつかもうと躍起になっている。むせかえるほどに、青春なのである。

ひとしきり「エッグコーヒー」で騒いだチャンさんは、自宅のある西日暮里に帰っていく。

「駅から10分も歩くと、安い物件が多いんです。新宿と違って」

日暮里近辺もアジア系外国人が増加している印象があるけれど、新大久保からはけっこう遠い。それでもここに通う。毎日、西日暮里から大塚に出勤し、仕事終わりに新大久保に来て、それから西日暮里に戻る。山手線を、行ったり来たり。

食事は決まって外食だ。牛丼屋ばかりなのだという。

「学生のときは『すき家』でアルバイトしてて、その頃からよく食べてた。深夜のワンオペはつらかったけど」

ときどきはカフェに集まる仲間たちとクラブに行くこともある。渋谷にはベトナム人に人気の店があるそうなのだ。それと新大久保には、ベトナム人をターゲットにしたカラオケ屋、カラオケを備えたレストランが増えつつある。

「たぶん4、5軒はあるんじゃないかなあ」

とはいえ、スマホをスピーカーとスクリーンにつなぎ、ユーチューブでベトナムの歌のカラオケバージョンを流すという即席のものだ。でも、これが大人気なのだという。チャンさんの毎日は、けっこう充実しているのだ。「搾取されるかわいそうなベトナム人」というイメージは、彼らにはあてはまらない。しんどい肉体労働に従事する技能実習生とは違う〝日本〟を留学生たちは見ているようだった。

「いまの暮らしで困ることはほとんどない。楽しい」

そう目を輝かせる。誇張ではないように思った。家族と離れているのはちょっと寂しいけれど、フェイスブックで連絡はしてるから、まあ大丈夫。独身で彼女もいない代わりに、友達がたくさんいる……異国での自由を、身体いっぱいで楽しんでいる。新大久保は、彼らのように都内各所で生活しているベトナム人たちの集合場所でもあるのだ。

住民の40％が外国人

意外なことなのだけど、新大久保の北側と東側には広大な公園がある。四季折々の花を見るのはなかなか楽しく、夏は子供たちがはしゃぐ池があり、秋は紅葉に彩られ、水辺には水鳥も遊ぶ。戸山公園だ。春にはそこらでカエルがゲコゲコ鳴いているほどに、自然豊かなのである。このあたりは江戸時代、尾張徳川家の藩邸が広がっていたが、そこに造成された「戸山荘」という庭園が下地となっているらしい。僕は毎日、新大久保の自宅を出て、この戸山公園を歩いて横断し、早稲田にある事務所まで通っている。

公園の東側、その中央には、ちょっとした丘というか高台があり、木々に覆われて、散策する人も多いのだけど、この小さな盛り上がりが実は「山手線内で最も高い山」なんである。標高わずか、44・6メートル。「戸山荘」が整備されたときに築かれた人工の山だ。当時は「玉円峰」と呼ばれていたと公園の公式サイトにはある。いまは「箱根山」という名で親しまれている。この山手線内最高峰を見事極めると、公園事務所で登頂証明書を発行してもらえるというのは知る人ぞ知る話である。

で、その山麓を巡る駅伝大会が地域ではずっと催されてきた。2019年3月10日にも開かれたが、この年で10年目。いかにも手づくりの温かなイベントといった様子で、参加者も小中学生のグループや、趣味の仲間たち、地元の友達同士とゆるい感じだ。周辺住民も集まって賑やかになった頃、我らが新宿区長・吉住健一さんも挨拶に登壇し、和やかにレースがはじまった。

初春の空の下、戸山公園を駆けていく老若男女。とってもさわやかなのである。そして、その選手たちには、異国の顔ぶれも交じる。新大久保にある日本語学校の学生たちも参加しているのだ。聞いてみれば、アメリカやスウェーデン、スイスなど欧米諸国からやってきた人々もいるそうだ。ひときわ元気だったのは、中国人とベトナム人の混成チーム。その一員、大きな丸メガネがかわいらしい女子、グエン・ゴック・ウェン・ヴィーさんは、そもそも駅伝という競技すら知らなかったというが、

「声援をもらって走るのは本当に気持ちよかった」と笑う。

この駅伝は、区内の一部だけで行われている、ささやかな大会だ。注目を集めているわけでもないし、マスコミの取材もない（僕はもしかしたらマスコミのはしくれかもしれないが）。そんな地域の小さな催しにも、外国人が顔を出し、お客さんたちもなにがどうとも思わず沿道から拍手を送る。新大久保はもう、そんな街でもあるようなのだ。

大会の実行委員の方も、いまさらなにを言っているんだ、という口調だ。

「今日は小学生も多かったけど、あの子たちもいつも外国人に接しているからね。このあたりの小学校の中には、児童の半分以上が外国人やハーフというところもあるし。日本語がまだあまりわからない子に言葉や勉強を教えたり、遊ぶ仲間に入れたり、そういうのが身についてる地域だから」

確かに暮らしの中に外国人は多い。とくに僕の住んでいる大久保2丁目はもはや、日本人を圧している感すらある。東南アジアと南アジア、それに韓国や中国の人々が行きかい、日本語がむしろあまり聞こえない。

新宿区の資料に当たってみると、僕の住んでいる大久保2丁目には８０７１人が住んでいるが、うち日本人が５４３０人、外国人が２６４１人。実に人口の32・７％が外国

人なのである。2丁目から大久保通りを挟んだ南側の大久保1丁目、ガールズバー志望のトゥイさんが住んでいるあたりになると、人口4114人中、日本人2469人、外国人1645人。なんと40%が外国人であった。そりゃあ異国の言葉だらけのはずだ。新宿区34万6643人のうち外国人3万8352人(外国人率11・1%)、日本全体となると人口およそ1億2600万人のうち、外国人283万人(外国人率2・2%)だ。大久保界隈がいかに突出した外国人エリアであるかがよくわかる。

※出典「新宿区の統計」2020年7月1日現在、法務省「在留外国人統計」2019年6月末現在

若きベトナム人起業家

その中でも、やはりひときわ元気で目立つのは、ベトナム人であるように思った。それもトゥイさんやチャンさんのような、若いベトナム人が「一大勢力」をなしている。いまや新大久保のあちこちにあるベトナムレストランは彼らの格好のたまり場だ。文化通りの有名店「ベトナムフォー」のあたりは、ランチどきになると若いベトナム人で賑わう。僕の家のそばにある「ヘオちゃん」でも、夜はよく彼らが集まって飲み会をして

いる。酔っぱらって大騒ぎしている姿も見るし、路地裏でいちゃついている男女もベトナム人だったりする。この街を歩いていて感じる「若さ」をつくっているのは、彼らなのだ。

「新大久保にベトナム人が増えはじめたのは、2016年頃じゃないかなあ」

そう話すのは「エッグコーヒー」のオーナー、ズオン・アン・ドゥックさん。31歳と、やっぱり若いのだ。それなのに、すでに日本で会社を立ち上げた社長でもあり、子供が生まれたばかりの幸せな家庭を守るパパでもある。彼もまた大久保1丁目に住んでいて、

「近所の保育園に申し込んだんですよ、早めに手続きしたほうがいいって聞いて」

なんて言う。

来日して6年になる。中部ハティン省で大学を出てから、日本に留学。やはり彼も、外国への憧れ（あこが）が強かったのだそうだ。

僕も何度か訪れたベトナムは、まさに高度経済成長期といった活気に満ちあふれ、次々にビルが建ち街路が新しくなり、「発展の槌音（つちおと）」とやらが本当に聞こえてくるような気がしたものだ。僕からすると日本よりもベトナムのほうが将来的な可能性がありそうに見えるのだが、そこで暮らしている若者にとってはそうでもないらしい。将来よりも、いまなのだと思う。いま豊かになりたい、稼ぎたい。そんな若者が国中にあふれているベトナムは、世界的な「労働力の輸出国」となっている。

「はじめはオーストラリアか、韓国を考えてたんです。でも、オーストラリアは費用が

高くて。ビザの手続きや学校の授業料、渡航費などではじめに業者に払うお金が日本円で200万円くらいかかる。日本は70万円くらい」

この額は誰もが、親に出してもらうか、借金をして払い込むことになる。その時点で家族の重い期待か、あるいは借金が留学生にはのしかかるのだ。ドゥックさんは家族の支援を受けたというが、負担の少ない日本を選んだ。その頃、韓国の留学ビザがやや厳しくなっていたこともあり、日本の地を踏んだのだ。

それからはトゥイさんや、ほかの留学生たちが目指すのと同じコースに乗って、日本語学校から専門学校、大学へと進学していく。言うまでもなく、優秀な日本語能力と学力、それに実家の資金力が求められることになる。

その頃ドゥックさんが住んでいたのは高田馬場だ。中野にある専門学校に通いやすかったからだ。高田馬場から新大久保は山手線でひと駅だから、ベトナムの食材を買ったりベトナムのレストランで食事をしたりするためによく来ていたという。そうして学生時代の数年間、新大久保を見続けて過ごしてきたわけだが、2016年頃から同胞がやけに目立つようになってきたという。

ドゥックさんと同じような理由で、日本にやってくる留学生が急増していたのだ。彼らの労働力に期待して、日本政府がベトナム人の留学生や技能実習生に対してビザの審査をいくらか緩め、入国しやすくしたことも背景にある。

一方でベトナム側では「海外雄飛」を、是非はともかく奨励してきた。在外ベトナム

「エッグコーヒー」のスタッフたち。左が経営者のズオン・アン・ドゥックさん

人からの送金が、GDP（国内総生産）の6%を占めるまでになっていたからだ。だから学ぶことよりアルバイトして国に送金することに躍起な留学生も多い。

両国の思惑によって、若いベトナム人が続々と日本にやってくるようになったわけだが、東京都内では、彼らを吸い寄せたのが新大久保だった。

コリアンタウンというベースがあり、外国人に慣れている街だということ。だからほかの地域よりアパートも借りやすいし、商売もしやすい。日本語学校や専門学校が多い。巨大ターミナルである新宿から至近で便利だ……そんな理由で、さまざまな外国人が集まってくるようになる。ベトナムの食材店やレストランも増え、それを目当てに新大久保に住んでいないベトナム人も訪れる場所になっていく。

「どんどん若いベトナム人が多くなってきたんです。僕たちの暮らしに必要なものも揃うようになったし、これは面白いと思って」ドゥックさんは新大久保に引っ越してくるのだ。

そして専門学校を卒業し、即起業。このフットワークの軽さはなんだろうと思う。学校を出ていきなり会社を興したり、学生社長になったりする日本人も珍しくはない時代だけれど、ここはドゥックさんにとっては外国なのだ。言葉の壁もあれば法律の壁もある。日本人なら資本金1円から会社を設立できるが、外国人の場合は原則として500万円以上の投資が必要とされている。それでも、すでに日本で起業しているセンパイたちにアドバイスをもらい、貯めたアルバイト代と親からの援助で、半年ほどかかったが会社を立ち上げた。その理由は、

「ベトナム人の若い人たちが気軽に集まれる場所をつくりたかったから」

だった。レストランよりも、もう少し気安い、安くて誰でも出入りできる気軽なカフェ。仲間同士で肩寄せあって、くだらないことでもなんでも話し合える場所。そう考えてドゥックさんは「エッグコーヒー」を開いた。2017年4月の頃だった。

目論見（もくろみ）は見事に当たった。ベトナム人の「インフラ」でもあるフェイスブックでの情報拡散が進んだこともあり、店はあっという間に人気になったのだ。いまでは夕方や週末はベトナム人で鈴なりだ。ベトナムに興味を持つ日本人もよくやってきて、ちょっと

した国際交流の場にもなっている。

「土曜日はベトナム語を勉強している日本人が集まって、語学教室みたいになってたんですが、最近は混みすぎちゃってあまりやれてないんです」

その繁盛ぶりを見てか、家賃がどかんと上がり、店舗契約を続けられるか、いったん閉めようかと思った時期もあったそうだ。それでもなんとか店を開け続け、仲間たちの居場所を維持している。

だけどドゥックさんのバイタリティに驚くのは、それからだった。

「今度は新大久保でレストランやろうと思って」

なんて言ってたのだが、あっさりとオープンしてしまうのだ。それもベトナムレストランではなく、韓国レストランなのである。

「新大久保で本当に成功しようと思ったら韓国料理でしょう。ベトナム人も、ベトナムの店も増えているけど、この街でいちばん流行(はや)っているのは韓国だから」

そう言ってのける。故郷の味を提供したい思いもあるのかもしれないが、それよりもビジネスなのだ。新しい店舗は、新大久保で最も賑(にぎ)わう「イケメン通り」に出した。職安通りのドン・キホーテと、大久保通りを結ぶ狭い道だが、韓国のレストラン、アイドルショップ、占い、化粧品、雑貨などなど店がひしめく激戦区。なんでまたイケメンなのかといえば、このあたりの店員の韓国人のお兄さんがみんなカッコよかったから……なんて言われているが、キャイキャイはしゃぐ日本人女子で大混雑するイケメン通りに進出したドゥックさんの新店「Gogiちゃん」は、このとき大流行していたチーズタッカルビを前面に打ち出し、なかなか好評のようだ。店のスタッフはベトナム人、韓国人とごちゃ混ぜだが、みんな日本語でコミュニケーションを取って、日本人女子を出迎える。このミックス感が、新大久保なのだろうと思う。

若さあふれる外国人、老いていく日本人

外国人の闊達（かったつ）な若さと、エネルギーとを感じる新大久保だが、人口の過半数は変わらず日本人だ。なのに、その存在感が薄いことが気になった。昔から住んでいる住民は、この異様なまでの国際化をどう思っているのだろうか。僕が引っ越してきたときも、町内会への加盟のお知らせがポストに入ってはいたけれど、不動産屋は「いまじゃあまり機能してないかもしれないですね」なんて言っていた。

4月の下旬になると、新大久保駅のすぐ西側にある皆中稲荷（かいちゅういなり）神社で小さなお祭りが開かれた。つつじ祭りだ。境内には屋台が並んでいるのだが、そのラインナップがタイ料理であり、ケバブや台湾料理であるのがいかにも新大久保だ。タイ人の屋台のおばちゃんなんて、浴衣（ゆかた）姿で日本人の子供たちに日本語で声をかけ、マンゴージュースやパッタ

イ（タイ風の米麺焼きそば）を売っている。けっこう人気だ。ほかにも金魚すくいだとか、フリーマーケットもあって、服や食器を売る日本人もいる。近所の氏神のちょっとしたお祭りも、多国籍なのだ。

そんな新大久保を、細かな路地まで毎日歩いてみると気がつかされるのは、日本人の高齢者の多さだ。日向ぼっこしているおじいちゃん、シルバーカーを押してゆっくりと路地を歩くおばあちゃん。大久保通りに残る昔からある古い商店も、たいていお年寄りが店番をしている。戸山公園に隣接したマンモス団地、戸山ハイツもやはり高齢者ばかりが住む「限界集落」なのだという。この人たちはおそらく、街の多国籍化とはかかわらずに暮らしている。ベトナムのカフェやネパールのレストランにやってくるとも思えない。地域の祭りをのぞいてみるくらいのもので、ふだんは静かに暮らしているのではないか……。もしかしたらこの街も、日本全体と同様に、少子高齢化の真っ只中にあるのかもしれない。先住民たちは、急増する外国人のことを、いったいどう感じているのだろうか。

第2章 外国人コミュニティを支える商売人たち

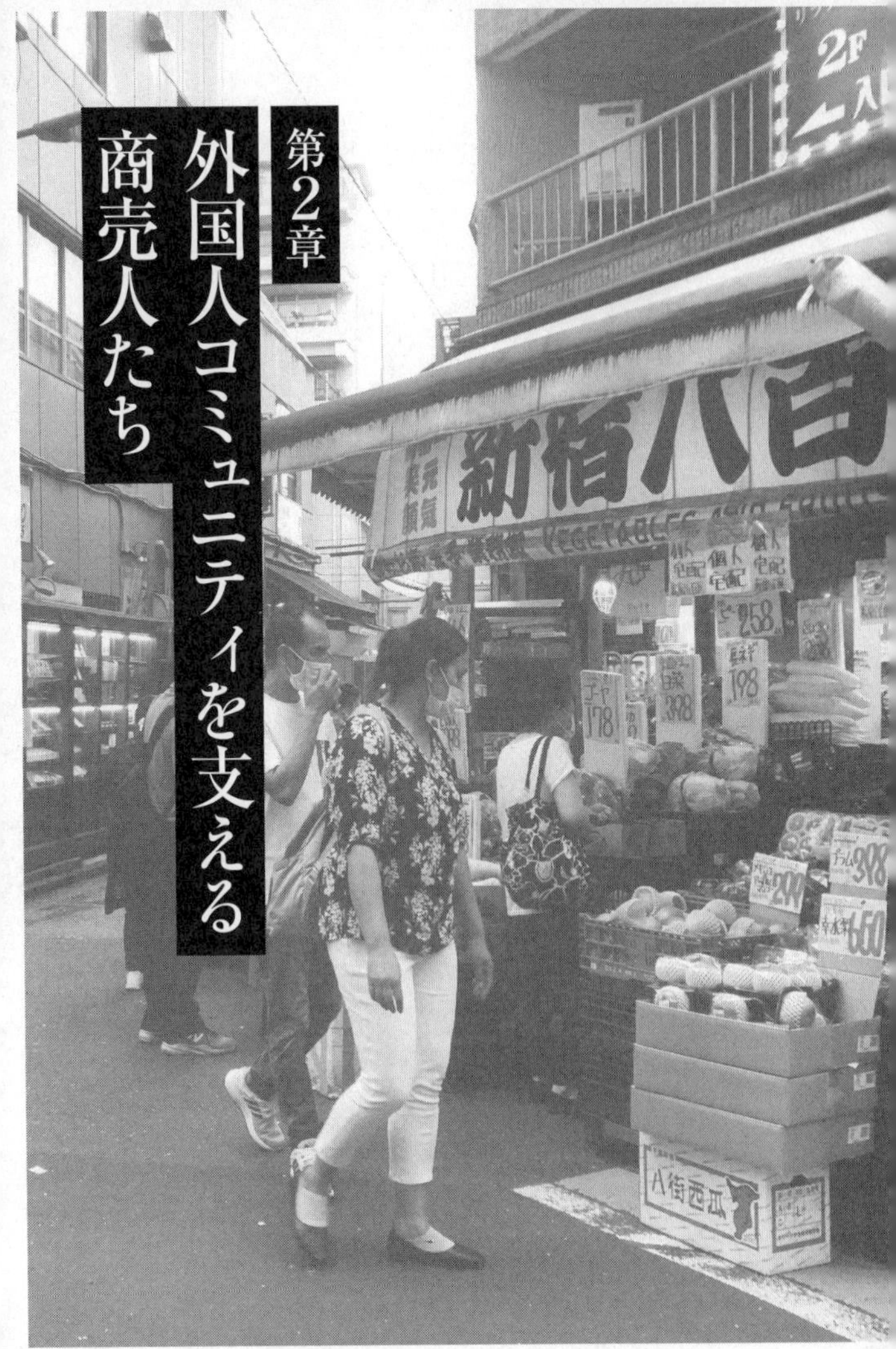

多国籍タウン新大久保の中心地、「イスラム横丁」

新大久保の駅頭は常に混み合う。韓流女子の待ち合わせスポットとなっている上に、在住外国人も急増しているし、民泊やゲストハウスも多いため大きなキャリーケースやスーツケースを運ぶ旅行者も行きかう。加えて、駅が改良工事をしているのだ。その大混雑に押し出されるように横断歩道を渡り、マツキヨの角を曲がると、世界はだいぶ変わる。

なにやらエスニックな食材店や雑貨屋が立ち並ぶ。スパイスの乾いた香り。ケバブ屋の軒先ではトルコ人らしきアニキが民族衣装姿で、通りかかる人たちに「おいしいよー」「どうですかあ」なんて声をかけている。隣接したレストランにしてハラル食材店「ナスコ」の人だかりは、店頭でかぐわしい匂いを立てている焼き鳥目当てだ。特製スパイスをまぶしてじっくり焼き上げたでっかいバーベキュー・チキンは1本たったの100円。僕も列に並び、イスラム教徒独特の白い帽子をかぶったヒゲもじゃのおじさんから1本買った。

スパイスのピリッとした味つけがたまらないチキンを食べながら、あたりを見渡す。

多種多様なスパイスが揃う「ジャンナット・ハラルフード」

日本じゃないよなあ、といつも思う。南アジアや中近東の人々が目立つ。真っ白いイスラムの服を着たおじさんたちが世間話を交わし、中古スマホを売る店にはアラブ風やアフリカ風の人たちがたむろして、お互いに日本語でやりあっている。

界隈の中心となっている「ナスコ」の社長はインド南部出身のイスラム教徒だ。20年以上前に新大久保に進出し、ハラル食材店とレストランをつくったこと。さらにミャンマー系イスラム教徒の人々がこのビルの上階にモスクをつくったこともあり、少しずつイスラム教徒が集まる街になっていった。いまでは「イスラム横丁」なんて呼ばれている。

とはいえ、「ナスコ」の正面にはベトナム人留学生のたまり場「ベトナムフォー」があり、その斜向かいにはネパール人に人気の飲み屋「モモ」があり、中華系の美容室だのミャンマー食材店だのも点在する。パチンコ屋の換金窓口でほくほく顔なのはネパール人だろうか。「餃子の王将」から出てくる東南アジア系の男たち、バーベキュー・チキンにかぶりついている日本人の高校生たち。どこの国なのかさっぱりわからないごちゃ混ぜ感こそが、イスラム横丁であり新大久保なのだ。

そのイスラム横丁でも、とくに賑わうハラル食材店が「ジャンナット・ハラルフード」だ。店主のバングラデシュ人、ライハン・カビール・ブイヤンさんが、首都ダッカ近郊のナラヤンガンジを出て、留学するため日本にやってきたのは2002年のこと。

「叔父がやはり日本に留学して、そのまま就職していたんです。そのつてで」

日本語学校から専門学校を経て、旅行会社で働いたのち、2007年に新大久保へと乗り込んできた。この街ならハラル食材店が成り立つと考えたのだ。

「いまほどではないけれど、それでも当時からイスラム教徒が暮らしてたんですよ。バングラデシュのほか、パキスタン、インドが多かったかな。それにネパール人も増えてきてましたよね。彼らはムスリムじゃないけど、使う肉や米、スパイスなど食べるものは共通している」

そんなマーケットの土台となってきたのが「ナスコ」で、それから数軒が近所にやってきて、「ジャンナット・ハラルフード」は5番目だったという。

「あの頃は、ここまで賑やかじゃなかったよね。うちの店もいまの場所の裏手にあったし、『ナスコ』も奥のほうだった。いま『ナスコ』があるところがファミリーマートで、その前の八百屋さんは本屋だったし、隣がメガネ屋で……」

懐かしそうに話す。それからほんの数年で、同じようなハラル食材店やレストランがどんどん増えてくる。それを目当てに買い物に来る外国人が多くなり、今度は送金会社が現れる。外国人向けに中古スマホを売る店や、ビザのアレンジをする行政書士の事務所までも進出してくる。

「なんでもあるんですよ。外国人にとって、とくにムスリムにとっては便利な街なんです。食材を買うついでにいろいろできる。それにここ、駅からすぐそばでしょ。それが楽だよね」

ハラルの食材店やレストランは、国際化が進んだいまの時代、首都圏のあちこちにある。それでも、駅に近い場所で、何軒もの食材店が軒を並べているのは「新大久保だけ。ほかにはない」のだという。

「うちにないものは隣にあるかもしれない。そっちになければまた違う店も見てみる。そういうことができる。八百屋も魚屋もあるし、一か所で全部揃うんだよね」

日本の昔の商店街のようなのだ。そんな機能がさらに人を呼び、イスラム・南アジア系の外国人同士が待ち合わせたり、食事をする場所にもなっていく。短期間でエスニック商店街として最適化してきたわけだが「イスラム横丁」と呼ばれるようになったきっかけは、

「もしかしたら、タモリさんかもしれない」

なんて言うのだ。かのNHKが誇る紀行バラエティ番組『ブラタモリ』では、２０１０年に新大久保を取り上げている。

「私も出たんですよ！　タモリさんが店に来てくれたんですが、緊張しちゃって」

その番組の中で、このあたりを「イスラム横丁」と名づけたのではないか。それから「イスラム横丁」という地名が定着していったのではないか……とライハンさんは推測する。ただ、問題の回はＤＶＤ化も書籍化もされておらず、ウェブなどでの再放送もないため、確認は難しい。実際のところは違うのだという説もある。２００９年に日経新聞の記者が新大久保を取材し、連載記事を掲載したが、その中で「イスラム横丁」と紹介したことがきっかけだとも言われる。

いずれにせよ「イスラム横丁」と呼ばれるようになって10年ほどというのは間違いないようだ。いまでは周辺も含めると20軒ほどのハラル食材店やレストランが並び、グーグルマップにだって、しっかり「イスラム横丁」と記載されている。

その中心的な店として「ジャンナット・ハラルフード」はずっと営業を続けてきた。ひっきりなしにお客が出入りする店に入ってみると、天井まで商品がびっしりと詰め込まれ、壮観だ。多種多様な米、豆、調味料、油、インスタント麺、お菓子、冷凍の肉や魚……お茶はインドのほかスリランカ、ネパール、パキスタン、バングラデシュと揃うそうだ。およそ２０００品目という商品の洪水にめまいがしそうな南アジア・ワンダーランドなのだが、いちばんの売りはなんといってもスパイスだ。

「うちはスパイスの専門店だからね」

シナモンやカルダモン、クローブ、ベイリーフ、それにフェヌグリークなんて聞いたこともないようなものまで、生のものや粉末など多種多様なスパイスが並ぶ。いちばんよく出るのはクミンで、「1日50パックは売れるかな」という。

お客の顔ぶれもまた多彩だ。南アジアだけでなく、アフリカ系や欧米人も目にする。

「日本人もたくさん来るよ。レストランやってる人もいるけど、そうじゃない普通の人がむしろ多いかな」

南アジアの食文化に興味を持つ日本人にとっては、有名な存在なんである。そんな店を忙しく切り盛りするライハンさんが、毎日いつもお祈りに訪れるというモスクにお邪魔してみた。「ナスコ」の4階だ。絨毯（じゅうたん）が敷かれた大部屋で、20〜30人はゆうに入れるだろう。壁際にはイスラム教関連の書籍を収めた本棚と、礼拝の時間を示す時計、それにイスラム暦のカレンダー。きわめてシンプルだ。時間でなくてもちょこちょこと誰かがやってきて、祈りを捧（ささ）げたり、ひととき静かに休んだりする。階下からはスパイスの香りと、外国語の話し声が届く。雑居ビルの中にあるこの一室を結節点として、新大久保のイスラム・コミュニティが広がっている。

24時間、外国人客で賑わう「新宿八百屋」

イスラム横丁の一角に、僕が足しげく通う店がある。「新宿八百屋」だ。「ナスコ」とは狭い路地を挟んで向かいあっており、こちらは周辺のアジア・ムスリム系とは一線を画す、まさしく古き良きニッポンの八百屋。季節の野菜や果物が山と盛られ、日本語のポップが躍る。今日は白菜が安い。それに大根もネギも、近所のスーパーマーケットよりだいぶお得じゃないか。僕はカゴを取って狭い店内を巡回し、あれやこれやと買い込んでいく。

新大久保にもスーパーマーケットはいろいろあるし、外国人たちが「グロッサリーストア」と呼んでいるアジア系の雑貨店にも野菜やフルーツなどが売られ、しかも安いので侮れない。それでも僕はこの店で食材の大半を買っている。というのもここ、24時間営業なのである。真っ暗に静まり返った深夜のイスラム横丁に、煌々(こうこう)と灯(あか)りをともす八百屋というのはやや不気味ではあるのだが、生活リズムがきわめて不規則な僕にとっては重要なインフラだ。

そしてこの店は、いつ来てもお客のほとんどが近隣住みの外国人なのだ。彼らがわい

イスラム横丁の中心をなす２大ショップ、「新宿八百屋」と「ナスコ」。街の大事なインフラだ

わい野菜を買い、果物を見定めている様子は、まるで東南アジアかインドあたりの生鮮市場のよう。懐かしいアジアの匂いが嬉(うれ)しい。日本の野菜に交じって、彼らが好む南国産も売られているのも楽しい。ドリアンやマンゴーやココナッツ、韓国ではチャメと呼ばれるマクワウリなど、カラフルなフルーツも並ぶし、インド系の料理に欠かせないレッドオニオンもあれば、紫キャベツのポップには「ケバブの付け合わせに！」なんて日本語で書かれている。新大久保で繁盛しているだけあって、やはりタダの八百屋ではない。

　そんな「新宿八百屋」に足を運ぶとよく、専務である荒巻秀俊(あらまきひでとし)さんが忙しく立ち働いている姿を見る。商品を検品し、重そうな段ボールをきびきび運ぶ様子は、いかにも商店街のおじさんといった感じだ。

「2008年に開店したときは、まさかこんなに外国人のお客さんばかりになるとは思ってもいなかったよね」

そう言って笑う。駅から近いし、飲食店は数え切れないほどあり、住宅街も広がる。ここならうまくいくかもしれないと出店したが、これほどの「国際化」は想像だにしていなかった。当時、新大久保はすでにコリアンタウンとして発展してはいたものの、韓国系のレストランなどをターゲットとして想定していたわけではなく、東南アジアの人々やイスラム教徒もちらほらとはいたが、お客としては考えてもいなかったらしい。

きっかけのひとつは、2011年だった。あの東日本大震災だ。これはこの先、新大久保で出会うさまざまな人から聞くことになるのだけれど、福島第一原発の事故を見て放射能を恐れた外国人がいっせいに帰国した時期があったのだ。とりわけ留学生だ。この頃、外国人留学生といえば中国人と韓国人が大部分を占めていたが、彼らでもっていた日本語学校や専門学校、大学が悲鳴を上げた。新大久保でも、商売をしている人はともかく、留学生がずいぶんと減ったらしい。

そこで日本政府は、中国人や韓国人の穴埋めとして、東南アジアや南アジアに目を向けるようになる。とくに海外志向の強いベトナム人やネパール人を対象にビザの要件を緩和した。日本語学校でもずいぶんと現地で「営業」をしたようだ。これを機に、いままでなじみのあまりなかった国々の若者が、日本全国に増えはじめるのだ。

「新宿八百屋」にも、ちらほらとそんな顔が現れるようになる。やがて「ナスコ」が場所を変えてお隣のビルにリニューアルオープン。ハラル食材店とレストラン、モスクも備えた小さなビルは、イスラム教徒が集まってくる場所になっていった。

「スパイスを買いに来た人が、ついでにうちに寄って野菜も買っていく。この一角であれこれまとめて買えるから便利なんでしょうね」

こうして増えていく外国人のニーズに合わせて、商品は少しずつ変化していく。

「果物や空心菜なんかも増やしたけど、コリアンダーとかバジルなど香りの強いもの、ニンニクやショウガあたりはたくさん仕入れてますよね。それとじゃがいも、人参（にんじん）、玉ねぎ」

日本人でもカレーや肉じゃがに使うこの「基本セット」は、どの国でも定番の野菜のようで需要が大きい。だから店の表の大箱にいつも大量に積まれており、みんなばんばん買っていく。肉類も売られているが、煮込みに使うような骨付き肉やスジ、内臓などが多く、スーパーマーケットの食肉コーナーとはこれまた少し違う。

いろいろと試行錯誤しながら、お客の求める商品を増やしていったというが、その値段がとにかく安い。しかも野菜はどれも大ぶりだ。

「店として生き延びようとする中で、とにかく安く提供しよう、求められるものを仕入れようと考えているだけですよ」

と言うが、このお店に外国人が集まってくるのは値段や品揃えだけではないように思う。昔懐かしい商店街の匂いがするのだ。スーパーマーケットのようにきれいにパックされて照明ばっちりで売っているわけではない。段ボールにそのまま野菜を盛り、ダイナミックに並べている。乱雑と映るかもしれない。外国人の客たちはその野菜を実際に手に取り、なかなか真剣なまなざしで見比べ、ときにこんこんと叩いて詰まり具合を確認して買っていく。こうした行為は日本人的にはNGかもしれないが「新宿八百屋」では「まあ仕方ないかな」と、ある程度は黙認している。それがアジア流の買い方だからだ。実際に触らないと、いいものかどうかわからないだろう、というのが彼らの主張だし、東南アジアでも中東でも、生鮮市場ではそれが当たり前だ。

「果物はあまり触られると夕方には悪くなっちゃう。処分しなくちゃならないこともあるから、困るんだけどね(笑)」

そんなおおらかさもあってか、お客はいつしか外国人が中心になった。あまりきっちりせず、おおざっぱでざっくりした配置や接客のほうが、彼らは落ち着くようだと気がついたそうだ。

そして外国人たちは、店員にばんばん話しかけてくるのだという。

「これはなんに使うのか、どうしてこんなに高いんだ、あの野菜はいつ入荷するのか……ちょっとした疑問でもなんでも、思ったらすぐ聞いてきますね」

コミュニケーションはどこの国の誰が相手だろうと、日本語だ。たいていの外国人客は観光客ではなく、留学生や勤め人、商売人といった生活者なわけで、カタコトながらも日本語は話せる。中には日本人より日本語が達者な人だっている。むしろ、日本語は少しわかるけど、英語はぜんぜんわかりません、なんて人も珍しくはない。第一、ここは日本なのだ。

「どれだけ外国人のお客さんが増えようと、ここは日本の八百屋なんです。それはもう、ずっと変わらないスタンスです」

結果として、お客と店員がわいわいやりあい、常連たちと挨拶を交わし、商品がごちゃごちゃと並ぶ、昔ながらの八百屋となった。

「スーパーマーケットが増える前、1960年代頃はこんな小売店ばかりだったよね」

と荒巻さんは言うが、それが外国人には喜ばれたのだ。僕からすれば、ここはなじみ深いアジアの市場だ。みずみずしい野菜がカットなどされずに並び、肉や魚が生々しいにおいもそのままに売られ、呼び子の声と買い物客との値段交渉で騒々しい、あの温かみのあるアジアの市場なのだ。

やがて夜8時閉店だったはずの店は、24時間営業へと変わっていく。閉店間際にも次々とお客が来るし、もっと遅くまでやってほしい、もっと早くから開けてほしいという声が寄せられていた。ここは世間の一般的な時計とはずいぶん異なる生活をする人の多い街だ。レストランを閉めてから仕込みのために食材を買い込みに来る人、夜勤帰りの外国人、歌舞伎町でのお勤めを終えたお姉さん……。

「だったらもう、ずっと開けてるか、と」

こうしてコンビニエントかつ外国人フレンドリーな八百屋として認知されるようになった。毎日2100人ほどのお客が訪れるが、そのうち8割が外国人だという。

日本の八百屋で働く、ベトナム人のアルバイトたち

そんな「新宿八百屋」を切り盛りするのは、荒巻さんたち日本人だけではない。スタッフにはたくさんの外国人もいる。彼らの仕事ぶりはなかなかに気持ちがいい。バーコードや値札のない商品ばかりだし、野菜などは仕入れ値によって毎日のように価格が変わるのに、その数字をきちんと暗記して次々とレジに打ち込み、手際よくビニール袋に詰め込んでくれる。商品には彼らが母国で見たこともない野菜や果物もあるわけだが、写真を撮って覚えるのだそうだ。

「時代によって移り変わりがあるけど、いまはベトナム人とネパール人が中心ですね」

その数、なんと29人。たくさんの留学生をアルバイトとして雇っているけれど、その理由は「28時間問題」だった。留学生に許可された働ける時間は1週間に28時間のみ。この制限があるため、ひとり当たりの勤務時間が少なくなるわけだから、人数を増やさざるを得ない。もっと働かせてあげたいが、ときどき入管などからのチェックも入る。

どこの国の誰を雇っているのか、学校はどこか、28時間制限は守っているのか。日本の社会に外国人が増えるほどに、締め付けは厳しくなる。

それでも彼らは「新宿八百屋」でいきいきと働いている。日本人のスタッフやお客と冗談を言い合い、鼻歌混じりに野菜の箱をどかどか運ぶ。「休憩いただきまーす」なんて軽やかに店の奥に入っていく。そんな様子を、僕は客としていつも見ている。

「あの子たち、ずうっと喋(しゃべ)っているからうるさくてうるさくて」

と言いながらも、荒巻さんは楽しそうだ。お客ともそうであるように、アルバイトともやりとりはすべて日本語だ。

「はじめに雇うときに言ってあるんです。日本語でしか接しないよ、って。それでもがんばれば日本語は上達するし、収入にもなるからと」

慣れない異国で、ベトナム人もネパール人も学校に通いながら、「新宿八百屋」でアルバイトをこなす。荒巻さんには、その姿は同年代の日本人の若者よりもだいぶ貪欲(どんよく)に映る。

「学校で勉強して、その上で働いて、生活費を稼いでいかなきゃならないでしょう。一生懸命ですよ。仲間同士で一緒に住んで、助け合ってね。厳しい生活の中から家族に送金する子もいる。とにかく真面目だと思いますよ」

そのひたむきさは、いまの日本人には欠けてしまったものなのかもしれない、あるいはもう日本人には必要なくなってしまったものなのかもしれない。そんなことも荒巻さんは言う。

そしてどうしても気にかかるのは、彼らの将来だ。学校を出たら、みんなどうするのか。留学生までも労働力として期待しているからどんどん入国させているのに、28時間制限で縛り、いろいろな業界で働かせて、卒業したらそれまでよ、というのはあまりにも無責任に思った。だから「新宿八百屋」では、アルバイトの中から希望者を正社員として採用している。会社の中枢への登用も考えているそうだ。

「ベトナム人の社員もいるけれど、まだ若いのに結婚していてね。ベトナムから奥さんと子供を呼んで、日本で子育てしてますよ。子供に日本でしっかり教育を受けさせて、蓄えをつくって、やがて国に帰るんだと、そう言ってます」

苦労をしているのに、いや、だからこそか、新大久保の若い外国人は前向きだ。どこか足元ばかりを見てしまう僕のような日本人より、だいぶガッツがある。

「もしかしたら、日本人も昔はああだったかもしれないよね」

地方から上京してきて、必死に働き、お金に余裕はなくても結婚をして家族を養い、明日を見て生きる。半世紀ほど前の日本人と、いまの新大久保のベトナム人やネパール人が重なる。そのエネルギーをもらいに、僕はイスラム横丁に、「新宿八百屋」に今日も出向く。

新大久保もラマダンの季節

2019年5月。すっかり暖かくなった頃、新大久保ではラマダンがはじまっていた。イスラム暦における9月だ。この月は、太陽が出ている日中、イスラム教徒はいっさいの飲食を断つ。大切な習慣とはいえ、きつくはないんだろうか。近所にある「ハリマ・ハラルフード」に買い物に行ったついでに、店主に聞いてみると、

「小さい頃から当たり前にやってることだからね。慣れてるよ」

と涼しい顔だ。彼はバングラデシュ人である。毎日毎日、深夜12時まで店を開けているのだ。お客がいないときは丹念に店内や軒先を掃除している。日本に来てまだ6年だというが、やはり彼も日本語学校から専門学校経由で、この店で働いている。ちょっとスパイスのことでも聞こうものなら、

「やっぱターメリックはさあ、香りも大事だけど、どれだけいい色が出るかだよ。これ見て。インドから輸入してるやつなんだけど……」

とウンチクが止まらない。かと思ったら、なにやら店をのぞき込んでいる若いカップルに声をかけ、

「留学生？　ベトナム？　ハオハオあるよ。フォーもある」

なんて呼び込んでいる。まだ新大久保に来たばかりの留学生なのだろう。この店も以前はハラルフードと南アジア系の食材しか売っていなかったはずが、いつの間にかベトナムのものも扱うようになっていた。よくよく見ればしっかりベトナムの国旗も飾ってある。大事な顧客なのである。軒先の段ボールに積まれたじゃがいもやニンニクやりんごなどは、日本人のおばあちゃんものぞき込んでいる。

ラマダンの期間、新大久保にあるこうしたムスリム系の食材店や個々人のお宅では、日が暮れて飲食が許される時間になると「イフタール」が催されていた。その日の断食後はじめての食事のことで、このときは友人知人が互いを訪問しあい、いつもより少し豪華な食事をとる。ムスリムの連帯を確かめる大切な習慣だ。

イスラム横丁の「ナスコ」のレストランには、ラマダン中は長期休業すると貼り紙が出た。その代わりというわけではないのだろうけど、食材店のほうは「Ramadan Special Offer」なんてポップが躍り、米やスパイスのセールをやっている。ラマダンは新大久保の歳時記を語る上で欠かせない行事なんである。

トゥイさんのベトナムフェスティバル挑戦

そして5月はまた、フェスの季節でもある。アジア好きの日本人、日本住みのアジア人にとっては浮き立つ季節といえる。舞台は新大久保から、新宿と明治神宮を挟んで南に広がる代々木公園だ。ゴールデンウィークのカンボジアフェスティバルにはじまり、タイフェスティバル、ラオスフェスティバル、さらにカリブ・中南米フェスティバルと、週末ごとに怒濤のごとくうち続くのだ。各国の料理や雑貨のブースが並び、現地からやってくるアーティストのステージが開かれ、たいへんな賑わいとなる。とくにタイフェスは30万人を集客する、もはや日本を代表するビッグイベントにまで成長した。

こうしたフェスには在住外国人もたくさん集まってくるが、彼らの視点から見ると、国際送金だとか、就職支援のブースが気になるようだ。それに、日本にもいくつかあるタイ寺院やラオス寺院などから、それぞれの国の僧侶もやってきて、フェスの来客たちを祝福し、生活の悩みやぐちを聞く窓口を開く。日本で暮らす外国人にとっても、こうしたフェスは大事なイベントだし、同郷の仲間が集まるいい機会でもある。そして、ビジネスチャンスでもあるようだ。

「でねでね、私もベトナムフェスに出店することになったから絶対に来てねムロさん」

久々のアオザイバーで、トゥイさんが甘えてくる。今日はいつものセクシーブラックアオザイではなく、初夏らしい水色のワンピースだ。

「よくブース取れたね。それに出店するのけっこう高いって聞いたけど……」

「28万円」

まじで⁉　思わず声が大きくなった。フランス人だというお客が振り返る。腹の立つことに若いイケメンで、チャンちゃんがいつもより1オクターブ高い声で接客しているのがさっきから気になっていた。「バケモノガタリ」がどうとか日本語で盛り上がっている。アニメの話らしい。

「私がいるでしょ」

「はい」

僕の視線に目ざとく気づいたトゥイさんにたしなめられる。あの若いのはともかく、この店にも最近はそこそこお客が入っているので、ほっとする。あれから何人か出版関係のおじさんたちを連れてきたが、彼らが僕に内緒でアオザイ娘目当てにこっそり通っているのもいくらかは店の売り上げに貢献しているのかもしれない。以前のようにガラガラではなく、少し活気が出てきた。アルバイトも増員しており、シーシャをセッティングしドリンクをつくるベトナム人の若い男の子がキッチンで働いている。

「大久保駅のそばにベトナム人が行くカラオケがあるんだけど、その店と半分ずつ出し合ったの。絶対モト取ってやるんだから」

コブシを突き上げる。

「で、なに出すの。ベトナム料理？」

「タピオカ」

今度は絶句してしまった。このあたりが商機に敏(さと)いベトナム人であろう。いまや新大久保は、チーズタッカルビのブームが一瞬で去り、ハットグという韓国風のアメリカンドッグ、それにタピオカドリンクが大流行していた。どこもかしこもハットグとタピオカの店ばかりなんである。ついこの前まで中国東北料理だった店が、いつの間にかタピオカ屋になっていて、行列をつくっていたりするのだ。

「いま儲(もう)けるならタピオカでしょう。ベンキョーしてみたら、つくるの簡単だし、ゲンカ安いし」

それでか。キッチンには大量の段ボールが積まれていたが、よく見てみればタピオカの原料となるキャッサバの粉だった。

トゥイさんはふっふっふと自信たっぷりに笑い、「うまくいったらゴハンおごってあげる」なんて言う。

その言葉を楽しみに、代々木に行ってみた。6月8日、ベトナムよりもきついんじゃないかという暑さだった。原宿(はらじゅく)駅からほんの10分ほどの距離なのに、強烈な日差しと湿気で、もう汗みずくだ。彼女にＬＩＮＥで連絡してブースを確かめ、大群衆をかきわけて行ってみると、一心不乱に次から次へとタピオカを茹でている真っ最中。この炎天下に熱湯と格闘しているのだ。さぞ暑かろう。見慣れないTシャツとホットパンツ姿に、すっぴんというのをからかいたくはあったが、注文が殺到しており、とにかく慌ただしそうだ。軽口でも叩いたらきっと怒りだす。お互い目線だけで挨拶を交わして、それからはフェス会場を見て回った。

後日……アオザイバーに行ってみると、田舎の中学生みたいなオカッパ娘のアオザイ姿があった。新顔だという。「ハンです」と自己紹介をするが、あとはほとんど日本語がわからない。来日間もないのだろうか。翻訳アプリを使いながら事情聴取をしてみれば、埼玉の上尾からはるばる来たのだという。

「遠いでしょ？」

「でも、センパイの紹介で」

なんて小鳥のようにつぶやく。新宿にも東京にもまったく不慣れな様子なのに、こんな子ひとり店番に残してトゥイさんは晩ごはんに行ってしまったらしい。かわいそうに。しばらくして戻ってきたトゥイさんは僕の顔を認めると駆け寄ってきて、がっくりうなだれた。

「フェス、儲からなかったよー」

高いブース料と原材料費、それに日本語学校時代の友達に手伝ってもらったお礼なども含めると、赤字に終わったのだという。

「高すぎるんだよ、出店料が。あれじゃ誰も利益出ないよ。お店の宣伝と、楽しみも兼ねてやってるレストランとかはいいけどさ」

さんざんだったようだ。はりきって買い込んだ材料もけっこう余っており「しばらくはこの店でもタピオカを売ります」と宣言する。さらに昼間も店を開け、タピオカカフェとしても営業しようと言い出す。

「でもフェスはいろんな人が来て面白かったよ。来年はバインミー出そうかなあ。ねえ、いけると思う？」

新大久保や高田馬場ではすっかり定着したベトナム風サンドイッチを、今度はやるらしい。呆(あき)れたバイタリティなのであった。

ベトナム語フリーペーパーを出す韓国人、朴さん

ベトナムフェスティバルでは気になるブースもあった。「東京ベトナム協会」である。両国の交流や、日本で暮らすベトナム人の生活支援などを幅広く行っているそうだが、その軒先にベトナム語のフリーペーパーが置かれているのだ。『Ja-Vi Times』というタイトルには見覚えがある。新大久保のベトナムレストラ

ンのいくつかでは、店頭にこのフリペのラックが設置されているのだ。気になっていた。ちょうど責任者らしい男性がいるので話を伺ってみると、なんと韓国人なのであった。

「日本でベトナム人向けのフリーペーパーを発行している韓国人？」

なんだか混乱してしまう。そういえばこの前は「日本で韓国料理屋を経営するベトナム人」にも会った。なんとも新大久保らしいのだ。

『Ja-Vi Times（ジャヴィ・タイムズ）』の発行人、朴相範（パクサンボム）さんが日本に来たのは1997年のことだ。いまほどの規模ではないが、新大久保にコリアンタウン、エスニックタウンが形成されていた時代、大久保通りや職安通りを歩くと目についたのが、韓国系のフリーペーパーだったそうだ。

「ハングルで、日本のニュースや生活情報が読める。日本に来たばかりの頃は本当に助けられましたよ。いろいろな種類のフリーペーパーがあってね。全部集めて、くまなく読んでいたもんです」

この気持ち、僕にはすごくわかるのだ。僕がかつて住んでいたタイでも、たくさんの日本語フリーペーパーがあって、在住日本人には重宝されていた。首都バンコクのイベントやグルメ情報を集めたタウン誌、日本とタイのニュースを扱うもの、現地に進出している日系企業情報に特化したものもあれば、女性向け、ファミリー向けといろいろな種類があったものだ。日本食材を扱うスーパーマーケットだとか、バンコクにもある紀伊國屋書店、日系の古本屋や、それぞれの広告主となっている和食レストランなどで手に入る。朴さんと同じように、やっぱり僕もフリーペーパーを丹念に集めて、タイ生活の参考にしていた。暮らしに役立つ情報のほかに、求人とかサークル仲間募集とか売ります買いますといった掲示板的なページもあって、在タイ日本人コミュニティには欠かせない存在だった。タイだってもちろんネット社会ではあるのだけれど、買い物のついでにさっと持ち帰れる紙媒体の需要も高かったのだ。

同じように、日本で暮らす外国人も、それぞれの母国語のメディアを必要としているわけだ。朴さんは留学生の頃、そんな韓国語フリペに助けられたという思いが強かった。それからおよそ20年、いまや日本語も日本人とまったく変わらない流暢さで、自らの会社を運営するまでになった彼は、今度は自分がメディアを発行して、新しく日本にやってくる人たちの助けになりたい……と考えるのはよくわかるのだけど、なんでまたベトナム語なんだろうか。

「日本の大学を卒業してから、韓国には戻らず日本の商社に入ったんですが、その仕事でベトナムに駐在したことがきっかけです」

韓国人ではあるが、日系企業の駐在員としてハノイで暮らした体験が、朴さんの人生を大きく変えた。すっかりベトナムに惚れこんでしまったのだ。

「はじめはね、時間を守らないとか、なにをするにもルーズだとか、いらいらすることも多かったんですよ」

しかし、あの怒濤のようなバイクの洪水と灼熱の中、苦手だった現地の料理を積極的に食べ、言葉がわかるようになってくると、次第に東南アジアの水が合ってくる。

「習うより慣れろ。日本で教えてもらった言葉です。ベトナムでも同じですよね」

ベトナム人従業員たちとも打ち解け、毎週のように実家に招かれたり結婚式に誘われたりと、いつしか家族同然のような関係になってくる。仕事も順調だった。しかし駐在員には任期というものがある。帰任指令を受けて、朴さんは日本に戻るのだ。

「正直、帰ってきたくはなかった。ベトナムの居心地の良さがやっとわかってきたところだったから」

そこで朴さんは、思い切って会社を辞めた。日本とベトナムを結ぶビジネスを、韓国人である自分ができないか。舞台として選んだのは青春を過ごした新大久保だ。ベトナムから帰ってきてみれば、この街はいつの間にか、単なるコリアンタウンではなく、多種多様な人種が暮らす国際都市に変貌（へんぼう）していた。ベトナム人はそんな新大久保でも一大勢力となっている。ここなら、うまくやれるかもしれない……。

朴さんは新大久保を拠点に会社を立ち上げた。ベトナムとの貿易、そして『ジャヴィ・タイムズ』の発行がおもな業務だ。2018年1月に創刊号が発行され、新大久保や高田馬場など新宿区一帯に点在するベトナム料理レストランに配布された。それから1年あまり、あの「エッグコーヒー」もしっかり口説いたようで、広告主になっている。

ベトナム人コミュニティに食い込んでいるのだ。

加えて朴さんは、日本とベトナムとの文化・人材交流を目的として「東京ベトナム協会」を立ち上げる。その代表が韓国人なのである。朴さんは新大久保の多様さを象徴するような人物と言えるのだ。

「でも若い読者はスマホだけでしょ。紙だけじゃなくてオンライン版もつくらないと」

いま日本にどんどん増えている若いベトナム人を取り込んで、協会を拡大させていく。それが朴さんの野望だ。

街のあちこちで見かける「エスニック・メディア」

新大久保を歩いていると、『ジャヴィ・タイムズ』のような外国語メディアをよく見かける。韓国語だったら、新宿韓国商人連合会が発行する『ハント』や、ソウルに本社を持つ『ソウルジャーナル』などがあるし、中国語のものは新大久保駅のそばの一大中華食材店「華僑服務社」の入口にどっさり置かれている。フィリピンの『ピノイ・ガゼット』は本格的な新聞だ。日本語と中国語で書かれた『台湾新聞』のある号では、在日台湾人と在日ベトナム人やミャンマー人との交流についての記事が載せられていた。ほかにもラテンアメリカ系も発行されていると聞く。オンラインではさらに多国籍のものがあるらしい。

いわゆる「エスニック・メディア」と呼ばれるものだ。僕もバンコクでは、現地在住の日本人と、旅行にやってくる日本人に向けた雑誌をつくり、その仕事で労働許可証とビザをいただき生活していた。異国で暮らす外国人にとっては大切な存在だが、新大久保ではそんなエスニック・メディアが手に入りやすい。

書いてある言葉はよくわからないが眺めてみると、なにやら日本の政治関連の記事のほか、マイナンバーがどうとか、消費税アップ関連など、生活に密接した記事も多いようだ。経営を支える広告がこれまた面白い。レストランが目立つが、アルバイトや社員募集、日本の国内旅行や母国への航空券などを斡旋する会社、ウェブサイト制作、ビザサポート、日本語学校、輸出入代行、部屋の賃貸、さらには大使館からの在外投票の呼びかけ……彼らの日本での暮らしが見えてくる。

こうしたエスニック・メディアはおそらく、現れては消え、また違う媒体が登場し、すぐに潰れてまた別のフリペが……と栄枯盛衰を繰り返してきたと思うのだ。バンコクの日本語メディアもまったく同様で、意気揚々と参入してきては敗れ去り撤退するフリペをたくさん見てきたものだ。なかなかに競争の厳しい業界なのである。

そんなエスニック・メディアでも、創刊21年という老舗が新大久保にはある。ネパール語新聞『ネパリ・サマチャー』だ。

全8面、月2回発行の紙面を見てみれば、なかなかに充実している。日本の政局の話題から、オリンピックに関するニュース、入管法やビザについての解説、新大久保の駅の工事が進んでいるという話もあれば、世界最高齢の日本人男性が113歳で亡くなったというトピックまでさまざまだ。もちろんネパール本国の政治の動きや事件事故もカバーするし、オピニオン欄を見れば、「日本で生きるためには日本人のような〝ガマン〟が必要だ」とか、「ネパール人留学生が日本企業への就職でつまずく理由」なんて厳しい論説が躍る。まさに正しく、新聞なのである。

編集長は在日ネパール人社会の「お父さん」

『ネパリ・サマチャー』編集部は、新大久保駅の近くにある。駅から大久保通りを渡って左に折れ、「華僑服務社」と中華系のネットカフェを通り過ぎた小さな路地だ。百人町米店を過ぎれば、すぐに静かな、そして狭い住宅密集地となるが、アパートや戸建てが建てこむ一角に、ネパールの国旗が掲げられているのだ。

このオフィスにいつも詰め、編集業務にあたっているのは、ティラク・マッラさん。『ネパリ・サマチャー』編集長にして、新大久保のネパール人社会では「お父さん」のような人なのである。柔和でやさしい笑顔と、訥々（とつとつ）とした話し方には、なんだか安心させられる。

創刊は1999年。

「はじめはね、A4の紙一枚だけだったんですよ」

古いバックナンバーを引っ張り出してきて、マッラさんは笑った。創刊号の発行部数はわずか500部。ファックスで一枚一枚、購読者に送ったという。日本に住むネパール人が少なかった時代だ。そしてまだインターネット黎明期である。いまのように簡単に世界の出来事がわかる時代じゃなかったのだ。あの頃、国際ニュースを知ろうと思ったらBBCやCNNといった番組か、英字新聞くらいしかなかったかもしれない。

そこでマッラさんはカトマンズにいる仲間たちと協力して、ネパールの最新情報を盛り込んだ新聞を発行したのだ。日本の生活情報も加えて提供したところ、大いに喜ばれた。

「この頃はね、新大久保じゃなくて品川区にいたの。西小山にネパール人が多くてね」

近隣の戸越銀座や、大田区・蒲田など、当時は都内南部のほうに小さいながらもネパールコミュニティがあったのだそうだ。その中心地のひとつである西小山で、マッラさんはネパール料理レストランを経営しながら新聞の発行を続けた。しかもその頃は、広告もほとんど入っていなかったから、赤字経営なのだ。レストランの売り上げでなんとか支えていたものの、二足の草鞋を履く慌ただしい日々が続いた。レストランの閉店後に毎日、記事を書き、カトマンズとやりとりし、編集作業に追われる。

ネパール人に慕われるジャーナリスト、ティラク・マッラさん。僕もたびたび仕事の相談をさせてもらっている

加えて創刊以来ずっとネックとなっていたことがある。20年前の日本では、ネパール語のフォント（書体データ）を持つ印刷所がなかなか見つからなかったのだ。だからADSLがようやくはじまったばかりのブロードバンド創成期、原稿のデータをカトマンズにネットで送り、向こうで印刷していた。そして刷り上がった『ネパリ・サマチャー』を、今度は大阪まで空輸する。というのも、ネパールとの直行便はこのときロイヤルネパール航空のカトマンズ〜大阪路線だけだったからだ。で、大阪から東京に宅配便で運んだ。地球を巡る旅の果てに『ネパリ・サマチャー』は読者に届けられたのだ。この輸送費も大問題だった。

「続ければ続けるほど赤字がかさむでしょう。もうやめようよ、よくがんばったよって仲間たちからはよく言われたんだけどね」

でも、やめられなかったのだ。マッラさんはネパールでも、記者、編集者として活動していた。それも教師をしながら、新聞に寄稿し、雑誌制作に関わってきたのだという。この仕事はきついことも多いけれど、やはり独特の魔力のようなものがある。自分の主義主張を世の中に広く問える面白さがある。読者からの反応があれば快感だし、自分の名前が印刷物やウェブサイトに載っているというのは嬉しいものだ。僕も同業のはしくれだから、なんとなくマッラさんの気持ちはわかる。書きたいのだ。

その気持ちひとつで続けていくうちに、広告が少しずつ入ってくるようになる。食材店、レストラン、民族衣装であるサリーのお店、旅行会社……購読者も増えていく。すると広告効果が上がる。年間契約しようという広告主も出てくるし、あの新聞に広告を打てばお客が集まると評判にもなる。情報量が増えれば読者も同じように増える。広告収入と販売収入で、ようやく『ネパリ・サマチャー』は回りだすのだ。

フォントの問題も解決する。同時並行的に続けていたレストランの常連の日本人に、なにげなく話しかけてみたら、印刷会社の社長だったのだ。頼んでみれば、快く相談に乗ってくれた。その会社のデザイナーと一緒にネパール語フォントと格闘し、うまく出力できるようになった。少しずつ経営が安定していき、やがて上向いていった。そしてマッラさんはひとつの大きな決断を下す。新大久保へ移転してきたのだ。2006年のことだった。

「その頃は、いまみたいにいろんな外国人はそこまでたくさんはいませんよ。韓国人ばかりのコリアンタウンでね。それでも、新大久保は絶対にこの先、ネパール人が増える、ほかの外国人もどんどん多くなっていくはずだって思ってたね」

そう断言する。根拠はいくつもあった。

「まず新大久保の駅は山手線の駅だってことが大きいんです。環状線ってね、外国人にとってはわかりやすいんです。そして新宿駅のひとつ隣で便利でしょう、どこに行くにも。韓国人がもうたくさん住んでいたから、外国人でも入れるアパートとかオフィスも多かった。外国人だからといってびっくりされることもない」

そんな理由から新大久保に越してきた『ネパリ・サマチャー』編集部を追うように、それなら俺も私もと、ネパール人たちがついてきたのだ。品川・大田から、コミュニティが新大久保にも分散し、やがて肥大していく。食材店やネパールレストランも、ぽつりぽつりと現れる。それにネパールや韓国だけでなく、ほかの国の人々も、だんだんと新大久保の街を歩くようになっていくのだ。

マッラさんの確信の通りだったが、この流れを加速させる出来事が2011年に起こった。東日本大震災だ。「新宿八百屋」の荒巻さんも言っていたが、やはりこのときを境に新大久保の外国人住民に変化が起きる。帰国する中国人と韓国人が目立つようになり、そこを埋めるようにベトナム人、ネパール人が増えていった。マッラさんもそれを感じていたそうだ。

「震災の後から、ネパール人を受け入れる学校がすごく増えたんです」

東南アジア、南アジア系の人々に対し、留学ビザが下りやすくなったのだ。そして新宿区は日本語学校が乱立する地域だ。留学生たちはしぜんと外国人の多い新大久保に集まってくるようになる。人が増えれば店も増え、店がさらに人を呼ぶ。震災後の10年足らずで、新大久保は一気に多国籍化していった……のではないかというのが、マッラさんの推測である。

ともかく国際化の激しいこの街で、いまやネパール人は一大勢力なんである。食材店やレストランは20軒以上もあるだろうか。独特のネパール文字の看板と、三角形をふたつ重ねたネパール国旗は、新大久保の街のあちこちで見る。サリーやパンジャビードレスという民族衣装のおばちゃんが、「新宿八百屋」のビニール袋をぶら下げて歩いていたりもする。

その中心人物のひとりがマッラさんだ。

「商店街にも参加してるんですよ」

と言う。

『ネパリ・サマチャー』も1万5000部を発行するまでになった。紙媒体だけでは厳しい時代なのでウェブ版も整備した。

「いずれは日本語に翻訳して、日本人にも広く読んでもらいたいよね」

第3章 新大久保には神さまがたくさん

住宅街の中にある、超ミニ神社

なかなかに楽しい新大久保ライフなのだが、ちょっと困ることがいくつかある。和食の店が少ないのだ。アジア暮らしが長いとはいえ僕だって日本人なわけで、ときにはおいしい刺身で一杯やりたいなあとか思うのである。そんなとき新大久保は選択肢に乏しい。日本の店もあるにはあるのだけれど、韓国やネパールやベトナムやタイなどのアジア勢に呑まれて、数が少ないのだ。中華料理じゃザリガニを出す店が、ネパールレストランはいまや少数民族タカリ族に特化した店まであるというのに……。

そう思って街を歩いてみると、大久保通りやイスラム横丁やイケメン通りは、多種多様な言語の看板で埋め尽くされ、どこの国だかわからない多文化曼荼羅地帯となっている。「日本」はあまり見当たらない。そこで南北の路地に入ってみれば、がらりと変わって無個性無国籍な住宅街である。狭い道に小さな家やアパートが密集する様子は日本らしいといえなくもないが、和の文化らしいものが少ないな……と思っていたら、小さな神社を発見した。

いや、これは本当に神社なのだろうか。老朽化したアパートの隣、谷間のような狭い

住宅街にまさに溶け込んだかのような夫婦木神社。小さくても地域の大事な氏神だ

空間にかろうじて鳥居が立っている。隣接するやはり古い社務所らしき建物には「巫女さん募集　未経験者大歓迎！」なんて貼り紙があるし、やはり神社なのだろう。

「夫婦木神社」と札が掲げられた鳥居に一礼して、くぐってみる。だが絵馬掛所と稲荷大明神のノボリがあって、そこでもうドン詰まりなのである。しかし左手に階段が延びている。踊り場には水が張られたバケツがあって、これがどうも手水舎代わりのようだ。いちおう日本のしきたりに則り両手と口とを清めて2階に上ってみると、意外にもたくさんの人々が集まり、神事の真っ最中であった。

畳二間に、40人くらいだろうか。皆さん日本人である。ご夫婦連れだろうか、若い男女が多いことに、ちょっと驚いた。

新大久保の日本人は高齢者が目立つように感じていたからだ。参拝者は神主らしき袴姿の方のお清めを受け、順番に神前に玉串を捧げた。紛れ込んでしまった僕も皆さんにならってお参りをし、切麻という紙を切り抜いてつくった人形をいただいた。これに穢れや邪気を移し、祓ってもらうのだ。

今日は6月30日。ちょうど夏越の大祓だった。半年に一度、神社で行う厄落とし、清めの行事だ。半年間の俗なる生活で心身にたまった悪いモノを祓い清める神事である。ちょうど梅雨どき、蒸し暑さや衛生面に気をつけ、体調を管理しようという意味もあるのだろう。新大久保でもそんな日本の伝統が守られ、続けられているのだ。

「今年は多かったね。60人くらい、いらしたんじゃないかな」

柔和な笑顔で、禰宜の林宏さんは言う。

「縁結びと子宝でずいぶん有名になりましてね。近所の方だけじゃなくて、遠方から来る方もいるんです」

それでカップルばかりだったのか。おじさんひとりで現れた僕は、もしかしたら異様な存在だったかもしれない。とくに宣伝しているわけでもないのだが、SNSでなぜか「子宝に恵まれる神社」として知られるようになり、都心の超ミニ神社という珍しさもあって、観光がてらやってくる人がけっこういるそうなのだ。そしてお参りしたら本当に子供を授かったと、お礼に再訪する人もいれば、感謝の手紙を送ってくる人もいる。

「この前は35歳の年の差カップルが来てね。結婚して10年たつけど子供ができない、もう別れようかってところでうちに参ったんです。それからすぐにお子さんを授かったそうです」

どうも霊験あらたかな神社らしい。

外国人もときどき顔を出す。住民ではなく、観光客のようだという。

「御朱印帳を持ってくる外国人もいるし、友達へのおみやげだってお札をたくさん買っていく外国人もいますね」

インバウンド産業の急伸は新大久保にも大きな影響をもたらしている。ゲストハウスがやたらと多いのだ。民泊もかなりあるようだ。僕のマンションでもモグリで部屋を貸している人がいるのか「民泊禁止」「No Airbnb」なんて貼り紙がある。外国人観光客も本来は隣の新宿に泊まりたいのだが、もはや飽和状態となっており、周辺に宿を求める動きが広がっているのだ。この流れの中で、かつて新大久保にたくさんあった連れ込み宿が、どんどんゲストハウスに鞍替えしていった。いまではキャリーケースを引く中国人観光客と、リュック姿の欧米人バックパッカーもまた、新大久保の景色のひとつになっている。彼らもこの夫婦木神社に立ち寄るのだろう。

それにしても気になるのは、このたたずまいだ。参道もなければ境内もない、あまりにも狭い。いったいどんないきさつで建てられたのか。

「もともとは、皆中稲荷神社なんですよ。新大久保の駅前の」

4月末にはつつじ祭りを行っていた、あの神社だ。大久保通りに面しており、

3年（天文（てんぶん）2年）創建の由緒ある神社で、戦後間もないベビーブームのときはずいぶん賑（にぎ）わったという。

「当時は神前結婚式が全盛でしょう。教会じゃなくて。だから神社で式を挙げる人もたくさんいたし、式場やホテルに神職や巫女を派遣するにも忙しくて、とにかくてんてこ舞いだったらしいんですね」

そのため連絡事務所をつくる必要があったことがひとつ。加えて皆中稲荷神社の分社のような形で新しく神社を建てようという話も重なった。とりあえずの仮住まいと思って、新大久保の住宅街の一角を押さえ、ごく普通の住居に鳥居だけが建つというスタイルで創建された。昭和30年代後半のことらしい。しかしそのまま使われ続け、やがてバブル崩壊もあって建て替えも難しくなり、いまに至っているそうだ。現在も皆中稲荷神社とは「親子関係にある」という。

小さな神社ではあっても、「村の鎮守府」としての役割を担い続けており、地域の氏子たちとともに月次祭（つきなみのまつり）や新嘗祭（にいなめさい）を執り行っている。遠くから来た人にはなるべく話しかけるようにしているという。

「神社に来る人は、なにか気持ちを抱えているわけじゃないですか。不安や悩みや、それに希望も。だから時間があれば上がってもらって、お茶くらい出すようにはしてるんです。不妊に悩んでいるご夫婦に、医学的にはなにもできないですよ。でも話を聞くことで、心の安定につながるかもしれない。それが身体の調子を整えるかもしれないし、夫婦関係も良くなるかもしれない」

神社本来の機能は、きっとそういうことだろうと思うのだ。この場にやってきて、話したり祈ったりというプロセスを経て、心を落ち着かせる。なにかを信じるというよりも、気持ちを整理するための場所なのだ。

新大久保でも異色の存在、台湾媽祖廟

神社だけではない。新大久保はまた、宗教のるつぼでもあるのだ。

イスラム横丁の「ナスコ」上階にあるモスクが象徴的だろう。大久保通りには皆中稲荷神社のほかに江戸時代に創建されたという全龍寺（ぜんりゅう）があるし、街のあちこちには大小さまざまな教会も見かける。これは大半が韓国系だ。

そして新大久保駅から大久保駅に進み、南口から小滝橋（おたきばし）通りに延びる狭い路地にもまた、神がおわすのである。ここもまたケバブ屋やタイ料理屋や果てはペルー料理屋まであるカオスな通りなのだが、駅から少し歩くと、唐突にハデハデしい建物が見えてくる。赤と金ピカをベースに装飾も賑やかな4階建てで、両サイドの柱にはドラゴンが巻きついている。いろいろな文化がそれぞれフリーダムに看板を並べる新大久保でも、こちら

はとりわけ目立つ。知らない人はたいてい、足を止めて見上げる。いったいなんだろうと思うが、これは道教の廟なのである。「媽祖」という女神を祀った、台湾の廟、お寺なのだ。

入口の大きな香炉から漂う、線香の心地よい香りがまず歓迎してくれる。道教の信者でなくても、誰でも入っていいのだ。受付のまわりにはお供えだろうか、果物やお菓子などがきれいに盛りつけられている。受付のおばさんはなにやら中国語でランチの注文の電話をしているようだが、通話が終わると参拝の仕方を教えてくれた。

まずは入口の香炉に線香を供えるらしい。それから2階、3階、4階と、それぞれいらっしゃる神さまに対面し、祈りを捧げる。エレベーターもあるが階段で上っていくと、2階を守護するのは関帝、あの三国志で名高い武将・関羽が神格化されたものである。いかめしい表情と長いあごひげで、2階を睥睨している。おばさんにいただいたパンフを見るに、関帝さまはソロバンを発明したという伝説を持つ商業の神でもあるそうな。さらに関帝の左右を固める神々の中には、金運を司る武財神さまもおわすのである。明日をも知れぬフリーランス稼業の身としては、熱心に祈らせていただく。

続いて上がった3階には、桃色、金色、そして黒と、三色三体の媽祖さまが祀られている。この「東京媽祖廟」のいわばご本尊だろう。どれも豪華絢爛な衣装に身を包み、金銀宝石の頭飾りをかぶって、遠く台湾から来てこの新大久保を守っていらっしゃるのである。

この媽祖信仰というものは、およそ1000年前、宋（そう）の時代にその源流がある。福建（ふっけん）の官吏の娘として生まれた林黙娘（りんもうにゃん）という女の子がいた。小さい頃から人の病気を治したり、運命を言い当てたりするなどの神通力を持っていたという。しかしあるとき、林黙娘の父親が海で遭難してしまうという事故が起きた。嘆き悲しんだ彼女は旅に出て、やがて仙人に導かれ、媽祖という神になったのだ。それから媽祖さまは、海を守る神として信仰を集めるようになる……。

赤と金とに彩られた外観が目を引く台湾媽祖廟。新大久保でも異彩を放つ存在

こんな伝説が生まれたのは福建だ。そして福建からは17世紀以降、台湾への移民が急増する。彼らは船で台湾海峡を渡るとき、きっと海の女神である媽祖さまに、航海の無事を祈ったと思うのだ。だから台湾に根づいた福建の人々は、島の各地に媽祖廟をつくり、旅を導

いてくれた女神を祀った。媽祖さまは福建だけでなく、台湾にも広まっていくことになる。

福建はまた、華僑のふるさとのひとつでもある。やはり17～18世紀から、海外へと流れていく福建人が一気に増えていく。交易のために移り住んでいく人もいれば、欧米の植民地となった国々が、プランテーション開発で多くの労働力を求めたこともあった。おもに東南アジアだ。シンガポール、マレーシア、インドネシア、ベトナム……僕も慣れ親しんだ南洋の国々に、福建人は住みつき、働き、媽祖廟を立てて祈り、やがて成功を収めた。だから媽祖さまは、華僑の守り神でもあるし、旅する人々の、移民の神さまのようにも思うのだ。

そして日本もまた、華僑が根づいた国のひとつである。長崎のランタンフェスティバルでは媽祖行列が行われるし、横浜にも大きな媽祖廟がある。中華街の人たちの心の拠りどころだ。そして東京では、なぜかこの街なのである。

「どうして新大久保なのか、私にもよくわからないんですよね」

そう首をかしげるのは「東京媽祖廟」の代表、連昭恵さん。女優のような雰囲気をまとった美人で、緊張してしまう。

さぞかし歴史のある廟かと思ったのだが、意外や建てられたのは２０１３年。それも「媽祖さまのお告げで、新大久保に決まった」のだという。

「夢の中に媽祖さまが現れて、この土地にしましょうと。私たちが新大久保を選んだわけじゃないんです。天命ですね。はじめはね、なぜなの、どうしてって思いましたよ。でも、ここにやってきて、毎日を過ごしていくうちに、少しずつわかるようになってきました」

多国籍タウン新大久保といえど、台湾人はそう多くはない。中国・東北地方の人々はたくさんいるけれど、いま新大久保に住んだりビジネスをしている台湾や福建の人は少数だろう。しかしその昔、この界隈で台湾人が存在感を持っていた時代があったのだ。

高度経済成長期からバブルにかけての頃である。新大久保のすぐそばに広がる巨大歓楽街・歌舞伎町にはその頃、アジア系のクラブが乱立していた。韓国、タイ、フィリピン、そして台湾……無数の女性たちが海を渡り、夜の歌舞伎町で働いていたのだ。

彼女たちが暮らしたのが、新大久保だった。歌舞伎町から徒歩圏内で、家賃が手頃だったからだ。歌舞伎町の外国人ホステスたちのベッドタウン……80年代、90年代の新大久保は、そんな街でもあった。

しかし令和のいま、すっかり時代は変わった。外国人はホステスではなく留学生が中心だ。ビジネスを手がける外国人も増えた。ガールズバーをやるんだ、と意気込むベトナム人がいるのだ。そんな移り変わりの中で、この街で暮らした台湾人たちも年を取り、亡くなる人もいれば、帰国する人も増えてきた。いまあえて新大久保に住もうとやってくる台湾人はあまりいない。日本には6万人あまりの台湾人が暮らしているが、もう新大久保に集住してはおらず、それぞれ仕事や家庭の都合で全国各地に分散している。新大久保の表舞台から台湾人は静かに去ろうとしている。それでも苦労をしてきた先人のため、その魂を慰めるために、媽祖さまはこの地を選んだのではないか……。そう連さんは考えている。

「それからこのあたりはもともと、成仏できていない霊が多いのです」

なんてこわいことも言う。人や動物やさまざまな霊が行き場を失いさまようタダならぬ瘴気を、深夜の大久保公園あたりでは感じなくもないが、そんな霊を鎮めることも媽祖さまはお考えになったのかもしれない。

　週末になるとたくさんの台湾人が東京媽祖廟を訪れる。新大久保在住でもなければ、夜の世界とも関わりのない、商売人や主婦やごく普通の勤め人だ。

「それと学業にご利益があるので、学生さんも来ますよ。とくに受験生。台湾人も日本人も、先生に連れられて合格祈願にやってきます」

　さらに近頃は、恋愛成就のために訪れる日本人女子が増えているのだそうな。2階におわす「月下老人」は運命の赤い糸を持っていると言われる縁結びの神。本場・台北の迪化街に祀られた月下老人のところにも、やっぱり日本人女子が大挙するというから、こちらもその流れで有名になったのだろう。なかなかのパワースポットでもあるようだ。

　それにマレーシアやシンガポールの華僑もやってくるという。きっと祖先が福建人なのだろう。またベトナム人やタイ人の仏教徒がお参りに来たりもする。彼らが目指すのは媽祖さまの上階、4階だ。ここには観音さまを中心に薬師如来などの仏が祀られている。東南アジアの仏教とはいろいろと違うけれど、とりあえず仏と対面してひとときを過ごせば、気持ちは落ち着く。異国での暮らしで積もった心の澱（おり）も不安も、きっといくらかは晴れていく。この廟もやはり多国籍な人々が行きかう、新大久保らしい場所なのだった。

連さんがつくりあげた、台湾人たちの安息地

連さんが日本に来たのは1991年だ。国費留学生だというから、相当に優秀なのだろう。本人は謙遜（けんそん）するが、

「日本政府から奨学金をいただいて勉強していたから、お寺をつくったのは日本への恩返しの意味もあるんです」

と語る。いったんは台湾に帰国するが、そのときにはじめて媽祖さまの夢を見たのだという。

「媽祖さまは夢の中で言うんです。あなたはこれから日本に戻って、ビジネスで成功しますって。その財産で私の仕事を手伝い、お寺を建てて、たくさんの人たちを助けてくださいって」

無理だと思った。できるわけがない。しかし、それは正夢だったのだ。日本に舞い戻った連さんは証券会社に就職、10年ほど働いた後に独立を果たす。ソフト開発の会社を立ち上げると、一気に時流に乗って、大企業へと成長していくのだ。

「寝る間もないような状態だったけど、あれも人生の風景のひとつでしたね」

本当にビジネスで大成功を収めた連さんは、会社の経営を人に譲り、お告げに従って媽祖さまのために生きる道を選んだ。私財を投じて新大久保に東京媽祖廟（びょう）を建て、訪れる人たちを毎日迎え入れる。

とくに旧暦の1日と15日は活動日として法事を営んでおり、いつも30人くらいの人々がやってくる。僕も連さんに誘われ、お邪魔してみた。日曜の昼下がり。媽祖さまのいらっしゃる3階に上がってみると、集まっているのは全員が女性なんである。こういう集まりにマメに顔を出すのが女性ばかりというのは日本も台湾もだいたい同じなのだろう。経本を読みながら、ひととき祈って過ごした。

法事の後はみんなで食事をいただくのも、やはりどの国も共通だ。

「今日は精進料理なんです」

と教えてくれたのは埼玉から来たという方。

「ほら、遠慮しちゃだめ」

連さんや皆さんが持ちよったという料理は、カブと卵と厚揚げの煮物、豆苗（とうみょう）の炒（いた）め物、しめじの卵とじ……どれもやさしい味つけだ。台北の街角を思い出す。みんなでテーブ

東京媽祖廟に集まってくる台湾の皆さん。右端が連さん

ルを囲み、世間話に花が咲く。

この日の参加者でただひとり近所に住んでいるという張さんというおばあちゃんは、聞いてみれば我が家のすぐそば、明治通り沿いであった。最近はどのスーパーがお得かという地元話で盛り上がる。

「いつも自転車でここまで来てるのよ。脳梗塞やっちゃってから、あちこち身体だめなんだけど、それでもね」

ここに来れば誰かがいる。心を落ち着けて媽祖さまと対面できる。友達たちと国の言葉で話して、ともに料理をつつけば、しぜんと笑顔になる。

「あなたもまた来なさいよ。声かけてね」

張さんにそんなことを言われ、あまった料理をおみやげにしていただいた。

東京媽祖廟はこの通りでさらに敷地を

拡げる予定だ。新大久保のアジア世界を旅するように暮らす僕にとっても、守り神のような存在だ。

ルーテル教会のロック牧師

我が家のある狭い路地をたどって、大久保通りまで出る。左手はセブン-イレブンで、隣の「ハリマ・ハラルフード」と並んで僕のライフラインのひとつだ。右手には交番があり、その手前の韓国料理店も「UFOチキン」目当ての女子が行列をなす。いったいどんなトリかと思ったが、韓国風にコチュジャンに漬け込んで揚げたヤンニョムチキンやフライドチキンを、チーズフォンデュに絡めて食べる料理なんだそうな。中性脂肪値で引っかかっているおじさんは聞いただけで胃がもたれてくるが、若い女子には人気なのだという。中央部のチーズを囲むように円形にぐるりと配されたチキンからUFOと名づけられ、誰もが写真を撮ってSNSにアップする。

そんな女子たちのさんざめきをやりすごして、横断歩道を渡ると、レンガ造りの立派な教会が見えてくる。天を衝くような塔と、その上に掲げられた十字架が目を引く。高々と茂るモミの木はキリスト教の象徴のひとつだが、その足元には、毎週日曜の礼拝

新大久保の誇るカリスマ牧師、関野さんのゴッドブレスを聴きにたくさんの人がルーテル教会を訪れる

のテーマが掲げられているのだ。だが見てみると、「ギンギラギンにさりげなく」なんて書いてある。

ほかの日もだいぶおかしい。

「キリスト打率一割」「逃げまくりチャンピオン」「神の国もまたしんどいのよ」

なんだこりゃ。教会とはとうてい思えぬ、前衛的かつ挑発的な文言にアゼンとする。だが目を引く。なんだろう、と思わせる。韓流女子たちは見てもいないだろうけれど、毎日この通りを行き来する住民はよく知っている。この日本福音ルーテル東京教会が実にロックだということを。

「神の愛とか、世界の平和とか言ったって、いまの時代は誰にも刺さらない。ただ聖書を掲げているだけじゃ、人はやってこないでしょう」

ルーテル教会の主任牧師、関野和寛（せきのかずひろ）さんは言う。問題の礼拝テーマを掲げた張本人である。人をぐっと引きつける笑顔と、自信に満ちた話し方。そしてイケメンであった。関野さんがゴッドブレスを授ける日曜礼拝には、おおぜいの女性信徒が集まるのである。これをカリスマと言うのであろうか。新大久保の名物牧師として、14年をこの街で過ごしてきた。

「宇宙人から追われているって駆け込んでくる人、腹減ったからなにか食わせてくれって人、救いを求めに来る風俗嬢、刑務所上がり、スポーツ選手が隠し子を連れて許しを請いに来たり、本当にいろんな人が現れますよ」

いかにも楽しそうに笑う。ここは巨大歓楽街・歌舞伎町の後背地であり、雑多な多国籍タウンなのだ。そこでルーテル教会は扉を開け放ち、どんな人をも受け止めている。

「ある種、人間のリアルが見える場所だし、良くいえば『誰もがいられる聖なる場』でしょうか」

ルーテル教会では関野さんの提案で「牧師カフェ」という取り組みも行っている。毎週水曜日のお昼、教会をカフェとして広く開放するのだ。おいしいコーヒーだけでなく、新宿区の福祉作業所で手づくりされたパンも格安で販売（売り上げは区の福祉に提供）、さらにジャズやオルガンなどの小さなコンサートを開いたり、絵画の展覧会を催したり。地域の人々にどんどん来てもらおうというわけだ。

「はじめはスタバみたいなおしゃれな空間になるかなあ、って思ったんですが（笑）。

行き場のない人もけっこう来るんですよね」

周辺に住む日本人の住民や「関野ファン」のおばちゃんたちに交じり、人生を見失ったような人、行くあてのない人も紛れ込んでくる。

「こういう人たちに来てもらって、出会わないと、私が聖職者をやっている意味がない」

毎週水曜日、ルーテル教会では「牧師カフェ」を開いており、信者でなくても迎え入れてくれる

とりわけ染みたのが、近くから来たというおばあちゃんの言葉だった。

「私はね、病院と役所しか行く場所がないの。こういうところがあると本当に嬉（うれ）しい。そう言ってくれたんです。切実な声だと思った。この街はいま、外国人の若さに食われているでしょう。そこから取り残されている老人も多いんです」

新大久保で暮らすうちに年を取って、ひとりきりになり、話し相手もいない。気がつけばまわりは外国人ばかりになっていた。そこで孤独感をにじませているお年寄りの存在。この街を歩いていていつも感じることだった。韓国や東南アジアの店に隠れるように、実は老人ホームやデイケアなどもちらほらある街なのだ。そこを牧師カフェは救い上げているようにも思った。

場所柄、外国人も次々とやってくる。普通に礼拝に来る人が大半だが、やっぱり印象に残るのは困った面々だ。

「住み込みの寮を追われて困っているって黒人が荷物を置きたいっていうからOKしたら、いつの間にか勝手に住民票をここに移していたり。朝の6時に扉をがんがん叩く音がするから出てみたら、自称ハワイ生まれの中国人って女性が金を貸してくれって言ってきたり。ビザを取りたいからここで働かせてくれって人。まあみんな、たくましいですよ(笑)。彼らとぶつかって、あがくことが、自分の成長にもつながると思ってます」

牧師は新大久保からメジャーリーグを目指す

ルーテル東京教会ができたのは1912年のことだ。当初は小石川を拠点としていたが、1923年に新大久保に移転。それから100年近く、街の移り変わりを見続けてきた。戦時中は新宿一帯も激しい空爆を受けてほとんどサラ地となったが、この教会の塔だけは焼け残り、4キロほど離れた中野からもよく見えたという。

関野さんは神学校を卒業後、この教会で働いているが、なんとロックバンド「牧師ROCKS」のメンバーでもある。メンバー全員が現役のキリスト教会の牧師で、関野さんはベースとボーカルのほか作詞作曲も担当。アルバムだって出している。

「実は今日もライブでね。坊さんのバンド、神主たちのバンドと一緒にやるんです。いいでしょ」

それだけではない。世界各地の教会やキリスト教系の国際会議などを訪ね歩いた記録を執筆し、書籍として出版。そのタイトルも『すべての壁をぶっ壊せ！　Rock'n牧師の丸ごと世界一周』『神の祝福をあなたに。歌舞伎町の裏からゴッドブレス！』（ともに日本キリスト教団出版局）と、いかしているのだ。

痛快である。しかし教会の世界はだいぶお堅そうでもある。聖職者としてアリなのだろうか。

「反対はね、いろいろありますよ。でも、だったら誰が人を呼んでくるのか。バンドやってれば、ローブ着てギター担いでる姿を身近に感じて、キリスト教に興味を持ってくれる人もいる。いまの日本のキリスト教は世間からあまりにも遠い。扉を閉め切っている教会だってある。それじゃ意味がないでしょう」

それは教会だけでもない。日本ではお寺も閉鎖的なところが多い。僕がタイから帰国して、あらためて日本の社会を見渡してみて、驚いたことのひとつだ。東南アジアではお寺も教会も、誰もが自由に入り、くつろげる場所だった。仏教徒やキリスト教徒でなくても、ひととき心や身体を休められた。旅していて、あるいは取材の最中、疲れるとよく寺に入って休憩したものだ。それに地域のコミュニティでもあり、学校でもあり、ときに市場ですらあった。だから日本の一部の宗教施設が、不特定の来訪者を固く拒んでいるのが僕にとっては異様に見えた。宗教とは誰をも受け入れるものであるはずだ。

だけど新大久保では、台湾の媽祖廟も、このルーテル教会も、夫婦木神社や皆中稲荷神社も、宗教や国籍にかかわらず人々を出迎える。ルーテル教会のミサにも、さまざまな人がやってくる。日本人もいるし、外国人はアジア、欧米、アフリカと多彩だ。ここを「マイ教会」としている外国人がたくさんいるのだ。アメリカ人の牧師もいるし、関野さんも英語でミサを執り行えるほど語学が堪能なんである。「故郷を思い出す」と涙する外国人もいるのだという。祖国を離れて異国で暮らす人々にとっての、ここは拠りどころなのだ。

しかしそんな新大久保から、関野さんは旅立とうとしている。

「日本は飽きたんです。牧師が外に出ることを理解してくれない人もいるしね。もっと広いキャパシティの中でやってみたくて」

2020年の春、アメリカの教会に渡るのだという。なんだかキリスト教界の、メジャーリーグ挑戦のようなわくわく感を覚える。日本の異郷、新大久保で鍛え上げられたロック牧師は、きっとメジャーでも活躍するだろう。

ナゾのヒンドゥー廟を発見！

それにしても、新大久保は宗教のるつぼでもあるよなあ、と思いながら、僕はいつものように街を歩いていた。この街のちょっとした変化や発見が面白くなってきて、ヒマさえあればうろうろするようになっていたのだ。

大久保駅の北口から横断歩道を渡り、ドラッグストア「ココカラファイン」と、ベトナム居酒屋の間の狭い路地を入る。すぐ右には、おそらくこのあたりでいちばん人気のケバブ屋「サライ」がある。この店のトルコ人の兄ちゃんはとにかく元気で、客に日本語で冗談ばかり飛ばしている。テイクアウト専門で、肉がみっしり、ソースたっぷり、キャベツがどっさりパンに挟みこまれている。日本人、外国人で行列ができることもあるのだ。

その奥には、これまた人気のバインミー屋がある。ベトナム風のサンドイッチだ。植民地時代の名残りで、使うのはフランスパン。これを温めて切り、断面に鶏(とり)などのレバーペーストを塗る。挟みこむ具はお好みだが、肉やハム、タマゴのほか、欠かせないのは人参(にんじん)と大根の甘酢漬け。それにパクチーだ。最後にベトナムの魚醤(ぎょしょう)ヌクマムをふりかける。ベトナム人のソウルフードのひとつでもあり、ここ新大久保でもあちこちで食べられるが、この路地にある「バミ・オーイシ」は、とりわけ若い留学生がよく群がっている。ボリュームがすごいんである。

　中東サンドとベトナムサンド、どちらにするべきかいつも迷ってしまうのだが、その奥はまだ未探検だったことに気がついた。この先、どうなってたっけ。

「バミ・オーイシ」の並びの「和風ヘルス寺子屋」も非常に気にはなるが、その先だ。アパート、ラブホ、小さなホルモン屋、鍵屋(かぎや)……そこに、あやしげな物件を発見したのである。

　物置のような、きわめて狭いスペースだった。誰もおらず鍵がかかっているのだけど、ガラス戸だから中が見える。電気は落とされ暗いものの、よく目を凝らすと、闇の中にひっそりと、インドの神さまらしき像が佇(たたず)んでいるのである。

「ヒンドゥー教だろうか……」

　神像の足元にはなにやら祭壇らしきもの。あちこちに貼られたハデなポスターに描かれているのは、商売の神ガネーシャや、創造や破壊を司(つかさど)るシヴァ神。やはりインドやネパールで広く信仰されているヒンドゥー教のものだろう。しかし、4畳半もないようなこの狭さはどうだ。すぐ目の前を中央線の高架が走り、電車が通過するたびに轟音が響く。神を安置する場所とも思えない。

ふしぎに思って、暗がりの中をスマホのライトで探る僕の姿は明らかに不審者であったろうが、その甲斐あって神さまのそばに「Shiva Mandir Tokyo」という表記と、電話番号とを発見した。マンディールとは確か、インドでいうお寺だった気がする。シヴァ神の寺院という意味だろうか。電話をかけてみたが応答はなく、留守番電話につながった。

いったいここは、なんなのか。そもそも誰がつくったのか。疑問は尽きないが、それ以上に笑いが込み上げてくる。新大久保とは、ただ歩いているだけで、こんな面白そうなものが見つかってしまう街なのである。歩けば歩くほど、未知が転がっている。それも、とっても無造作に転がっているのだ。

ここも絶対に解き明かそう。何度も来ていればそのうち、関係者と会えるかもしれない。街からもらった楽しい宿題である。

第4章 この街に人生を賭ける外国人たち

新大久保を覆いつくすタピオカブーム

新大久保の住民は、休日になると少し気が滅入る。大久保通りがごった返すからだ。狭い歩道は日本人の韓流女子で埋め尽くされ、まともに歩けなくなる。彼女たちは楽しいだろうけれど、住んでいるほうはなかなかたいへんだ。「そういえば今日は日曜日か」と思えば、駅に行くのもためらうようになる。車いすの住民が雑踏に揉まれ、難儀しているのを見ることもある。

祝日が重なり3連休にでもなれば、ほとんど満員電車状態になる。都内近郊だけでなく、地方からも女子が大挙するからだ。新大久保はすでに、日本全国から注目される観光地となっている。とくに中高生にとっては憧れの街でもあるようだ。新大久保を韓国語で言ったときの響きから「しのくぼ」なんて呼ばれているとも聞いた。とうとう同名のガイドブックまで発売され、街の書店でも韓流アイドル本と一緒に売られている。

7月に入り、長い梅雨が続いていた。じめじめとした重い蒸し暑さにも負けず、中高生たちは呆れるほどの元気さで大久保通りやイケメン通りを行き来しているわけだが、彼女たちの目的のひとつがタピオカだった。

流行に目ざとい商売人たちが、かねて新大久保でもタピオカドリンクの店を展開させてはいたのだが、このところさらに店舗が増えている。駅のそばの中国・東北料理の店もタピオカ屋と化してしまった。留学生に交じって、葱爆羊肉（羊肉とネギの炒め物）で白飯をかっこむのが好きだったのに、いまや面影すらない。チーズタッカルビの店があっという間にタピオカ屋に模様替えしていたりもする。台湾の有名店が乗り込んできたと思ったら、もうインスタで話題になったのか行列ができている。どこもかしこも、タピオカ片手にスマホで写真を撮っている女子でみっしりだ。韓流に加えてタピオカとあって、新大久保はなんだか竹下通りのような様相を呈してきたのであった。

時流を逃すまいと、ちょっと前にはトゥイさんがベトフェスに出店したし、さらに「エッグコーヒー」のドゥックさんまでもがタピオカ屋をはじめたというわさを聞いた。イケメン通りでチャリをこいでどこぞに向かう彼を見つけたので聞いてみると、

「ドンキの近く。いまんとこ、そこそこお客さん入ってるかな」

なんてサラリと言ってのけるのである。そりゃあ、いまなら儲かるでしょうよ。誰だってそう思う。でも、ゲームじゃないんである。店舗を探して契約し、スタッフを雇い、機材を揃え、許可を取って開店まで持っていくのは、やっぱりたいへんな労力が必要なわけで、それを異国でこなしてしまうエネルギーはどうなっているのだろうかと思う。

しかもドゥックさんは、「エッグコーヒー」の支店を池袋にも出した。これでカフェ2軒と韓国料理屋、タピオカ屋の4店舗を回す経営者となったわけだ。一足飛びに大き

くなっていく頼もしさ。僕も雇ってもらおうかな……。

ガールズバー、トゥイさんの野望

職安通りを歩いていると、いつもの「ベトナム・アオザイ」の看板が変わっていた。「カフェバー・アオザイ」となっているではないか。念願の営業許可が下りたのだろうか。見上げてみると、やはり「カフェバー・アオザイ」の電飾がビルの外壁に瞬き、センスは悪いがとりあえず目は引く。これで、あやしげな雑居ビルの闇の奥という不利なロケーションを少しでも挽回(ばんかい)できるだろうか。

「あーっ、お久しぶりねー」

トゥイさんが顔じゅうの笑顔で出迎えてくれる。いつも思うが、南国の花のような艶(あで)やかな笑みなのだ。久しぶりといっても2週間ほどのごぶさたなのだが、その間にバーとしての許可を見事に取得したようだ。店内には新大久保のいくつかのベトナム料理店から、日本風の花輪が届いていた。

「これでやあっと、ちゃんとバーになったよ。それでね、ここからここまで、こーんな感じで」

若きママ、トゥイさん。バックはベトナム語の歌の歌詞だというが日本語がややおかしいのはご愛敬

狭い店内を黒アオザイで小走りに駆け、

「長いカウンターを入れたいの。あとカーペットとか照明ももっとおしゃれにするでしょ」

あれやこれやと夢を語る。ここは彼女が日本で手に入れた城なのだ。誰だかまた知らない新顔のバイトと一緒に、祝杯を挙げる。

「もっく、はい、ばー、ぞー！」

ベトナム語で「1、2、3、カンパイ！」である。最後の「ゾー」はハノイ方言で、南部のホーチミンでは「ヨー」となる。そのあたり女子の出身地によって使い分けると盛り上がるというものである。僕はこの店でたびたびベトナム語を教わり、こうした基礎編に加えて「あなたはとてもチャーミングです」「彼氏はいますか」といった応用編も学んでいるのだが、それよりも気になることがあった。どうして、ガールズバーをやろうと思ったのだろうか。いつだったか、聞きそびれていたままだった。

「自分にはなにができる？　それ考えるでしょう。なんだったら仕事になるか。そしたら私、お客さん相手にすることだと思ったよ」

達者な日本語で、ぺらぺらとまくしたててくる。もう大学で経営を学んでいるときから、起業したくてうずうずしていたのだという。

「勉強意味ないよ、はやく自分でビジネス挑戦したいって思ってた。ZARA知ってる？　あそこでバイトしながら、ずっと考えてた。経験もないのにね。そういうベトナム人、多いよ」

馬鹿ねえ、とつけ加える。それでもとにかく動きたい、先走って止まらない。そんなベトナム人の若いパワーは、この街で暮らしていると実感する。

トゥイさんはベトナムにいた頃から「よくしゃべる」と評判だった。日本に来てからも、同級生や日本人のバイト仲間からも、客商売が合ってると言われていた。確かに来日6年にしてはけっこうな日本語のレベルだと思うが、それは生来のおしゃべり、高コミュニケーション能力というスキルならではだろう。LINEも漢字とかわいいスタンプが交ざって送られてくる。なるほど接客業ならうってつけかもしれない。

親に無心し起業するお金を借りた彼女は、まずこのビルにスペースを確保した。

「場所は新大久保しか考えてなかったよ。住んでるのもここだしね。ベトナム人も集まってくるし、店をやってるベトナム人も多いし」

そんな新大久保で彼女の日課となっているのは、街歩きだ。とにかくいろんな店がある。どんな料理を出しているのか、なにが売りなのか、どうやって稼いでいるのか、自分なりの視点でチェックするのだという。

「日本食も韓国料理もカフェもタイ料理も、いろんな店あって楽しいよね。ベトナムの店は全部行ったと思うよ」

そこでベトナム人とみるとすぐ友達になって、一緒にベトナムフェスティバルに出店するほど仲良くなるのはいかにも彼女らしいが、新大久保探検をしながら見つけたシーシャバーが気になった。僕もときどき行って、シーシャを吸いながらぼーっとする店だ。ベトナムではあまり流行（はや）っていないというが、甘いフレーバーとゆったりした店の空気が気に入った。その場でトルコ人の社長に頼み込んで、アルバイト志願をしたのだという。

「私もシーシャの店やりたいってお願いしてね。仕入れからフレーバーのつくりかたまで、バイトしながらいろいろ教わったよ。先生だよ」

トルコ人のシーシャ屋に弟子入りするベトナム人。ここにもまた、新大久保らしい人間関係があったのだ。こうしてとにもかくにも、まずはシーシャバーとしてオープンしたというわけだ。

「でもねえ、あんまりお客さん来なくて」

無理もない立地である。そこでベトナム人や日本人のさまざまな知り合いに声をかけ、僕のようなこわいもの見たさの一見もやってくるようになり、なんとか少しずつ街に定着しつつあったとき、

「トゥイちゃん、ガールズバーいけるんじゃない?」

と日本人の常連に勧められるのだ。

「えっ、ガールズバー? なにそれ知らない。だからね、どんな店だろうって調べてみたの。オトコのお酒の相手かあ、って」

日本はもちろん、ベトナムでも経験のない水商売。でも、やれそうな気がした。それに、上野・湯島ではすでにベトナム人ガールズバーが3軒もできていて、ずいぶん繁盛していると聞いている。それなら新大久保では私がやろう。そのために奮闘して、ようやくバーとしてリニューアルできたというわけだ。

でも、店を開けていればいやな客も来るだろう。とくに日本人は、なぜだか上から目線のおじさんが多い。僕もアルバイトのチャンちゃんに執拗なセクハラをする日本人のジジイに腹を立てたこともある。心配になるが、

「私、誰でもOKだよ。どんな人とでも楽しくやれる」

なんて自信たっぷりに笑うのだ。

奢ったビールで心地よく酔ったのか、トゥイさんは「まずこの店をしっかり安定させます」と言った。そして、

「次は大阪に進出します！」

と宣言したのだ。

「それから日本のあちこちに、『ベトナム・アオザイ』の名前を広めるの！」

ぞー！　また乾杯して気勢を上げる。なんだか大阪弁で話している彼女が見えるようだった。

ミャンマー人が営む、日本風の焼き肉屋

ランチどき、イケメン通りを震源地とする韓流（はんりゅう）エリアに入り込んでしまうと、見動きが取れなくなる。観光客の女子が平日でも行列をなし、混み合っているからだ。料金もやはり観光地価格だし、うっかり入店してしまうとまるで世界の違う女子たちに囲まれ、おじさんとしては身の置きどころがない。

そこで地元民がゆっくりランチを取ろうと思ったら、韓流の賑（にぎ）わいの中心から少し離れて、東京メトロ東新宿駅あたりまで行くのが望ましい。このあたりまで来ると、同じ韓国料理でも値段は少し安いし、ほかにも中華、タイ、台湾、ネパールなど店も豊富だ。すき家や松のややサイゼリヤなんかの全国チェーンも並ぶ。

僕がよく行くのは定食を出している「おかやま」だ。夜は焼き肉屋である。といっても、このあたりに山ほど密集する韓国系ではない。日本風の、それも昔ながらのしぶいたたずまいなのである。がらがらがら、と引き戸を開けると、店内はすでにサラリーマンでみっしりだった。

「はい唐揚げ一丁!」「日替わりね!」「牛ロース定食!」

威勢のいい声が狭い店内にこだまする。この時間帯は問答無用の相席だ。箸（はし）を持ちながら定食ではなく営業電話にかじりついているスーツ姿のおじさんの隣に座った。日替わりの手づくりハンバーグが気になって、注文した。「大盛り?」聞かれるがままに頷（うなず）くと、やがて運ばれてきたのはでっかいハンバーグが2個。それにサラダと小鉢、スープ、どかんと盛られた白米であった。一瞬、たじろぐ。体育会系の学生かよ、と思ったが、肉汁がじわりあふれるハンバーグに夢中になり、あっという間に完食してしまった。食後のコーヒーをいただけば、戦いのあとのような満足感に包まれる。やっぱ定食屋はこうじゃなくちゃいかん。男子大好き揚げモノ・肉モノメニューを豊富に揃え、安くてボリュームたっぷりで、近隣のサラリーマンや学生たちから絶大な支持を受けている、この「おかやま」だが、切り盛りしているのはミャンマー人なのである。

「新大久保はいろんな店あるでしょう。外国の店も、日本の店も。だからいろいろ工夫して考えないと、競争に負けちゃうよね」

世界遺産の仏塔群で有名な中部バガンから来たタン・ダー・リンさんは言う。ランチ

焼き肉「おかやま」のタン・ダー・リンさん。ご夫婦でがむしゃらに働き続けている

の大混乱が終わった3時過ぎだ。それでもときどきお客が現れるし、旦那さんのミン・ミン・ティンさんは休む間もなく厨房で働き続けている。

「お客さんが飽きないように、週に1回くらいは新しいメニューを入れてみて、注文が多ければレギュラーにしたり、冬場はカキとかすき焼きやってみたりね。ときどき牛骨を何日も煮込んで韓国のコムタンスープをつくったり、ミャンマーのチェッターヒン（チキンカレー）を出すこともありますよ」

それにテーブルの上には醤油や塩などと一緒に、なにやら赤い調味料のようなものも並ぶ。これ、僕の大好きなミャンマーのふりかけなのである。タン・ダー・リンさん手づくり、おふくろの味で、桜えびと、ニンニクや玉ねぎ、唐辛子などからつくられている。白い飯によく合うし、和風の唐揚げやショウガ焼きにも意外に調和する。

「ちょっと味を変えて、ごはんを楽しめるでしょう」

激戦区・新大久保で生き残るために創意工夫を重ねているわけだが、そもそもどうして、定食屋（&夜は日本風の焼き肉屋）なんだろうか。ミャンマー料理でもよかったのではないか。隣の高田馬場は「リトル・ヤンゴン」と呼ばれるほどミャンマー人が集住していてミャンマーレストランもたくさんあるけれど、新大久保にはない。

「私、ミャンマー料理あんまり上手じゃないから」

なんて笑うが、ミャンマー人をターゲットにすると、どうしても週末ばかりにお客が集中してしまうのだという。平日や昼間も来てくれるのは日本人だ。それに、

「ミャンマー料理の食材も、いまでは日本でいろいろ手に入るようになったよ。でもほとんどが冷凍ものでしょう。私はなるべく新鮮なものを食べてほしい。そしたら日本の料理だよね」

まさにおふくろ的な理由を話すタン・ダー・リンさんだが、来日したのは2000年のことだ。勉強が好きで大学まで進学したものの、当時の軍事政権は全国各地の大学を民主化運動の拠点と見なし封鎖。長らく高等教育が受けられない状態が続いていたのだ。それでも英語を学び、観光客のガイドをしてなんとか暮らしていたが、あるときお客のアメリカ人に「インターネット」なるものを教えてもらい、ひどく驚いたのだという。

20世紀末、世界的なインフラになりつつあったインターネットから、多くのミャンマー人は遮断されていた。自由も情報もまるでない国であることを改めて実感する。

幸運だったのはそのアメリカ人が日本で働く教師だったこと。頼み込んで、日本へとやってきた。学校に通いながらアルバイトしていたのは、立川(たちかわ)の焼き肉屋だった。その店で、同じように働いていたミン・ミン・ティンさんと出会うのだ。この店での長い経験から、ふたりは独立したら焼き肉屋をやろうと考えるようになる。

「勉強もしたかったけど、それよりも日本で生き抜くこと」

そう考えるようになったふたりは日本で結婚。けんめいに働き、資金を貯めると、念願だった会社を設立して起業。当時あった在日ミャンマー人向け情報誌などを参考に、予算に合う物件を探したところ、新大久保のこの場所が見つかった。

「大久保通りはめっちゃ高いでしょう家賃。でも、そこから路地に少し入るといくらか安いの」

すぐに開業できるという触れ込みだった居抜き物件をいざ借りてみると、あちこちガタがきており修理にまた大金が必要になった。ようやくオープンしたら煙の苦情が近隣から殺到する。また手直しにお金がかかる。なかなかお客もつかない。そこで格安でお腹いっぱい食べられるランチをはじめた。お客の声を聞いて、夕方4時まで続けるようになった。それから1時間だけ休んで、5時からすぐに夜の営業だ。従業員はミャンマー人留学生のアルバイトだけ。夫婦ふたりで店を回し続ける。社員を雇いたくても、外国人経営者の場合ある程度の規模の店でないと新規のビザが発給されない。だから自分で働く。昼も夜もずっと働く……。

そんなことを淡々と話すタン・ダー・リンさんのスマホが震えた。

「うん、帰ってきたのね。学校どうだった？　そう。お母さんもう少ししたら帰るから。待ってて」

日本語だった。ふたりの子供はこの国で、ほとんど日本人として育っている。ミャンマー語もわかるが、日本の小学校に通っていて、

「学校から戻ったら必ず電話するように、いつも言ってあるの」

と照れたように笑う。心配なのだ。だからタン・ダー・リンさんは5時になると、いったん夫に店をまかせて、山手線で大塚駅の近くにある自宅まで帰る。そして子供たちのために夕食をつくって、また新大久保に戻ってくるのだ。そして深夜12時まで、また働く。

「子供は和食だね。私は家ではミャンマー料理かな。どっちもつくる」

店のことと、子供のこと。いまはそれだけしか考えられないと、疲れた顔も見せる。

「髪の毛もカットに行きたいけど、時間ないなー」

ここは「ニンゲンセカイ」

日本の定食屋かと、焼き肉屋かと思って入ってみたら、異国のお母ちゃんが出迎えてくれるのである。僕なんかはどんなものを食べさせてくれるのかとわくわくしてしまうけれど、そうでない日本人もいる。はっきりとは言わないが「なんでガイジンが」と心ない言葉を浴びせられることもあったようだ。

「でもねえ。ここはニンゲンセカイだから仕方ないよ。どこに行っても、きっと同じ」

ニンゲンセカイ？　人間世界、だろうか。

「店の外に食材置いといたら盗まれちゃったことが何度かある。でもニンゲンセカイではよくあることだよね」

日本人でもミャンマー人でも、ナニ人でもない。人間たちはどこでも誰でも同じ。どんな国に行ったって、苦労はたぶんあまり変わらない。そんな達観なのだろうか。

そのニンゲンセカイで店を開き、誰でも温かく迎えておいしいものを食べてもらおうと、なにか足りないものはないかと気を配っているうちに、いつしかおかしな客もいなくなった。なじみのお客もたくさんできた。

「日本人はよく来てくれるようになったけど、この街は韓国人も、ネパール人やベトナム人も多いでしょう。でもお客さんには少ないね。もっと来てほしいけど」

気がかりなのは子供のことだ。

学校や塾などには、親も顔を出して、教師や保護者同士で話し合うこともたびたびだ。そんな場で、言葉の壁や文化の違いから、ちょっと悲しいこともあるようなのだ。例えば、具体的にどんなこと？　と聞いてみると、

「言えない。言いたくない。言っても、なにも変わらないから。でもねえ、ミャンマーにいたときも同じようなことはあった。私の父はインド系で、そのことでまわりからいろいろ言われたりもしたの。そういう思いしてるのは私だけじゃなくて、ミャンマーでも日本でもたくさんいるし、たぶんアメリカもそうだし、ニンゲンセカイはどこも同じでしょう。そう子供には教えてる」

あいまいに、言葉を選びながらも、なんとなくは伝わってきた。なにも言えずにいる僕をむしろ励ますように、

「仲のいい日本人のママ友もいるよ」

と笑う。

自分の勉学が中途半端に終わってしまったから、子供たちには大学まで行ってほしい。それまではがむしゃらに働くつもりだ。

「でもね、あなたたちが大学に入ったら、お母さんミャンマーに、バガンに帰るから。

ばいばいって言ってあるの」

そこからは、故郷のために生きたい。ミャンマーもようやく民主化が進み、いまではインターネットもできるし、少しずつ自由な世の中になろうとしている。それでもまだ立ち遅れている部分ばかりだ。

「同じ小学校3年生の教科書でもね。日本とミャンマーじゃぜんぜん厚みが違う。日本の子供のほうがずっとたくさんの知識を学べるの。それに街も日本のようにもっときれいにしたいし、日本での経験を活かして故郷をよくしたい」

それまでは、この新大久保で働き続けようと思っている。

店はもう7年目に入り、街にすっかり定着してきた。しかし店名の由来を知る人はあまりいない。「おかやま」とは、岡山ではないのだ。漢字で書くと「お母山」となる。お母さんの山なのである。

「お母さんの愛情って、山みたいでしょう。大きくて、高くて。そんな気持ちを感じられる店にしようって、お父さんとふたりで決めたの」

新大久保の母の味を求めに、今日のランチも「おかやま」は日本人でいっぱいだ。味やボリュームや値段もあるけれど、きっとみんなこういう定食屋が落ちつくのだと思う。いつ行っても元気なお母さんが出迎えてくれる、温かな店。サラリーマンや学生たちの胃袋と、それに気持ちとを、ミャンマーのお母さんが満たすのだ。

第5章 外国人が暮らすための「インフラ」とはなにか

外国人の生活に欠かせないものはなんでもある街

日本でも類を見ないほど多国籍集住地帯となってきた新大久保。暮らしていると、外国人に必要なインフラがなんなのか、ぼんやりと見えてくる。

まず最も目立つのは「食」だろう。多彩なレストランと食材店は、もう新大久保の名物のようになっている。僕の日常でもすでに欠かせない存在だ。「住」は大久保1丁目と百人町1丁目を中心に安いアパートからやや高めのマンションまで数多く、日本では外国人を受け入れる物件が際立って多いエリアだろう。

それに「衣」だってある。イスラム横丁のそばにはインド・ネパール系の民族衣装の店があって、サリーやらパンジャビードレスやら、バングルという腕輪なんかを売っていてきらびやかだ。ついでにいうとやはりイスラム横丁にある小さな用品店は、ジーンズでもシャツでも格安で、裾上げだって5分ほどで無料でやってくれる。日本人だろうと外国人だろうとサイズや色がどうとかフレンドリーに世話を焼いてくれるので、いつ行っても外国人客を見る。

それに着飾るという意味では、美容室も外国人コミュニティに欠かせない存在だ。どの国の女性も、細かなニュアンスを伝えて、自国の流行を取り入れつつカットしてもらいたいのだそうな。そのへんおじさんにはなかなかわからない感覚だが、確かに僕の暮らしていたバンコクにも日本人の美容師が何人もいたものだ。新大久保では中華系や韓国系の店が、百人町2丁目のあたりに点在している。

「ベトナム人がやってる美容室もあるんだよ。でもあんまりうまくないんだよね」

ガールズバーのトゥイさんはそう言う。ほかにも、マンションの一室でこっそり営業している店もあると聞く。

加えて生活インフラでは「心」だろうか。この街には日本の教会も韓国の教会もあるし、モスク、台湾の廟（びょう）、それに謎のヒンドゥー廟まである。宗教というと日本人は警戒するかもしれないが、世界の多くの人々にとっては日々の暮らしの規範であり、精神安定剤でもあり、寄り合い場だ。

さらに外国人社会で必要なものは「送金会社」だろう。日本で暮らす外国人はなにをしにこの国に来ているのかといえば、そのほとんどは「稼ぐため」である。日本への興味や関心はもちろんあるだろうけれど、まずは仕事をし、お金を貯めて、家族を守り、富むこと。その割り切り方に日本人はやや冷たさを覚えてしまうこともあるかもしれない。それだけ彼らは働くことに必死だ。とくに途上国の人々ほど、この傾向は強いように思う。だから勤め人でも起業した人でも、技能実習生やアルバイトの留学生もおおむね真面目な労働者だし、日本で稼いだお金は母国の家族のためにせっせと送金する。ネパールやフィリピンなどは、国外に住む人々からの送金が、GDPのかなりの部分を占めるまでになっているのだ。親戚を見渡せば誰かしら海外へ出稼ぎをしている人がいて、一族の家計を支え、また後に続いて国を飛び出す人々の先導役になったりもする。

出稼ぎ先と、故郷とを結ぶ窓口が、送金会社だ。いま新大久保では、この送金会社がコンビニよりもずっと多い。外国人たちには「リミッタンス」と呼ばれている。大久保通りの路面店もあれば、雑居ビルの一角で細々と営業しているところもあるし、食材店が送金屋を兼ねていることもある。新大久保駅から西側の街を注意深く見てみると、あちらこちらにリミッタンスの看板がかかっていることがわかる。競争が激しいのだ。だからいまでは、どの会社も特徴を打ち出して顧客を集めようとしている。

コンビニよりもはるかに多い送金会社

「うちは新大久保にたくさん住んでいる、ネパール人やバングラデシュ人に特化しています」

と語るのは、数ある送金会社のひとつ、Unimoni（ユニマニー）のスタッフ。ネパールやバングラデシュであれば、大手銀行だけでなく小さな地方銀行までもカバーし、格安の手数料で送金できるのだという。誰もが首都のカトマンズやダッカから出てきているわけじゃないのだ。地方銀行の口座しか持っていないという人だってたくさんいる。この会社なら、そんな小さな町や村の「おらが銀行」まで送金ができるというわけだ。

それに窓口にも、ネパール人とバングラデシュ人のスタッフがいる。彼らは大切なお金を預けに来た同国人のお客を迎え入れ、友人のように、母国の言葉でひととき雑談をする。そんな人たちが次々にやってくる。ここは社交場なのだと思った。単に送金をするだけなら、この会社だってオンラインサービスがある。そちらを使えばいい。でも、そうではないのだ。実際に窓口までやってきて、見知った相手と体温のあるやりとりを交わし、その信頼関係の中に、お金を託していく。

逆にユニマニーのスタッフたちが、新大久保の街に出ていくこともある。ネパール人やバングラデシュ人の集まる食堂に出入りし、声をかけ、ときに酒を酌み交わす。まずは信用を得て、人間関係をつくり、それから店に来てもらうというわけだ。地道な営業努力なんである。なんだか地方の信用金庫のようだ。

「一度信頼してもらえると、今度はお客さんが友だちや仕事仲間を連れてきてくれます。口コミやSNSで宣伝してくれることもあります。広告を出したりプロモーションを打ち出すよりも、新大久保ではまず人間関係なんです」

こうした送金業者が日本で急増したのは、２０１０年代のことだ。それまで海外送金という業務は、銀行にしか許可されていなかったのだ。競争がほとんどなかったため、一度の送金で3000円だの5000円だの高い手数料を取っていた上に、現地の口座に入金されるまでにも日数がかかっていた。緊急時のライフラインとしてはとても使えなかった。だから「地下送金」がはびこったのである（現在でも新大久保や歌舞伎町にはあるらしいが……）。

それが外国人の急増によって変化する。海外送金、すなわち「資金移動業」なるものが大きなビジネスになるとようやく気づいた日本は、2010年に「資金決済法」を施行。銀行以外の業者にも海外送金のライセンスが下りるようになったのだ。以降、送金会社が乱立し、どこも外国人客の取り込みにやっきとなり、手数料の低価格化やサービスの充実、特定の国への特化などでしのぎをけずっているというわけだ。春のアジア系フェスティバルでも送金会社のブースはひときわ目立ち、外国人を呼び込んでいたなあと思い出す。

こうした海外送金の市場規模は全世界でなんと70兆円。日本でも年間取扱高は9000億円にのぼるという。まさしく巨大産業なのだが、新大久保の小さな送金会社の窓口にやってくるのは食堂経営のネパールのおっちゃんや、バングラデシュの学生たちだ。その日の売り上げをそのまま入金して実家に送る人。母親の生活の足しにと、わずかなアルバイト代を握りしめてやってくる留学生。この街で暮らし、働き稼いだ大切なお金を、彼らはどんな思いで送り続けているのだろうか。

外国人コミュニティに欠かせない登場人物、行政書士

ユニマニーに勤めるネパール人から教えてもらった「いち押し」のレストランが、「ラトバレ」だ。新大久保にたくさんあるネパール料理レストランでいちばんおいしいのだという。

場所は新大久保駅のすぐ西、一番街だ。ここもタイ、台湾、ベトナム、韓国などなどさまざまなレストランが並ぶごちゃついたエリアで歩くのが楽しい。最近は中国からチェーン展開してきた麻辣湯（マーラータン）の店だとか、軒先にザリガニの生簀（いけす）を置いている店なんかも現れて、ますますカオス度を増している。その道のどんつきにある。

昼どきに行くと、隣のベトナム料理屋の娘さんが小さなブースを出し、近くの日本語学校の学生たちにバインミーやベトナム風のおこわやマンゴーなんかを売っていたりする。「どうですか、おいしいよ」と声をかけられ、一瞬そそられるが、ぐっと耐えて地下への階段を降りる。

扉を開けると、南アジアのどこかに紛れ込んだかのような空気に包まれる。お客に日本人は誰もいない。濃い顔をした若者たちでいっぱいだ。インドかネパールかはわから

ないが男女が軽妙にかけあう感じのポップスが流れ、スパイスの乾いた香りが漂う。

この店で僕が好きな料理はスクティだ。干した羊肉を香辛料で炒めたもので、歯ごたえたっぷり、かみしめるたびにマトンの旨みがにじむ。ビールがほしくなってくる。日本の居酒屋にあったら絶対に受けるだろうと思う。もうひとつ、チベット風の蒸し餃子モモもいける。かぶりつくと肉汁があふれる。ひき肉と玉ねぎ、ニンニクの詰まった餡がたまらない。トマトベースのスパイシーなたれにつけると、またいい。

日本人向けのアレンジをしてないのだという料理を食べながら、ティラク・マッラさんが編集長を務めるネパール語新聞『ネパリ・サマチャー』を眺める。この手のエスニック・メディアもまた、外国人コミュニティの重要なインフラだろう。ぜんぜん文字は読めないけれど、広告の内容くらいなら写真からなんとなくわかる。リミッタンス、グロッサリーストア、旅行関係、人材会社……そして行政書士だ。

『ネパリ・サマチャー』だけではない。新大久保の街にも行政書士の看板を掲げていると、必ず行政書士の広告が入っているのだ。新大久保の街にも行政書士の看板を掲げている事務所を見る。というのも行政書士は、外国人の在留資格に関する手続き、つまりビザの取得や更新、変更、家族の呼び寄せ、永住許可申請といった作業を行う存在だからだ。

これらの手続きについての書類はもちろん日本語だし煩雑で、なかなか外国人が個人でできるものではない。そこで、出入国管理に関する一定の研修を受けた行政書士が代行する。この仕事は弁護士でもできるというが、弁護士会よりも先に外国人の申請取次が認められたのが行政書士なのだという。ビザがなければ日本で合法的に暮らせないのだから、行政書士は外国人の生活にはまさに絶対必要な、ある意味で「衣食住」よりも、優先順位が先に来る存在なのかもしれない。外国人コミュニティでは欠くべかざる登場人物といえる。

ネパール人のビザと格闘する、レゲエ行政書士

この業界に参入したばかりの古市展宏（ふるいちのぶひろ）さんも、『ネパリ・サマチャー』に広告を出している行政書士のひとりだ。

「ネパール人からばんばん電話がかかってくるんですよ」

というから、なかなかの広告効果のようだ。誌面に広告を掲載するとフェイスブックのほうにも流してくれるので、それを見たネパール本国から問い合わせが入ったりもする。寄せられる相談はさまざまだ。

「ビザがもうすぐ切れるのだけど更新できるだろうか、という話がいちばん多いですかね。会社の登記を変更したい、ネパールレストランを開きたいのだけどどうすればいいのか、国から家族を呼びたい……」

ビザは外国人の生命線ともいえるものだ。観光などでの短期滞在の場合は、国によっては「ビザなし」で入国することもできるけれど、長期にわたって住んだり働いたりする場合には必ずビザと在留資格を取得しなくてはならない。それも、在留資格は日本に滞在する目的によって細かく分類されているのだ。「留学」や「技能実習」、起業した人なら「経営・管理」、レストランのコックは「技能」、語学教師なら「教育」、さらに「外交」やら「報道」やらと多岐にわたる。こうした資格で日本に滞在している外国人に呼び寄せられた配偶者は「家族滞在」だ。

留学生が就職すれば在留資格も変わる。それぞれ期限もあるのでその時期が来たら更新なり延長なりをする必要もある。家族を連れてくるにもあれやこれやとややこしい。そんな手続きを「取り次ぐ」のが行政書士なのである。この職業、在日外国人の爆発的な増加に従って注目されているのだとか。

「行政書士って、世間で思われてるほどには食えない仕事なんすよ。でも外国人に特化したら、もしかしたらいけるかも、と」

スルドい眼光ながら訥々（とつとつ）と話す古市さんの考えた通り、いまや外国人対応できる行政書士は日本各地で人手不足。セミナーを開けば志望者で満席になるほどだという。大きなマーケットなのだ。とはいえ古市さんは看板を掲げたばかり、大きな案件をばんばんこなしていくというよりは、「仕事になるのかならないのか、よくわからないけど、とにかく寄せられる相談ごとをひとつひとつ受けていく」と、手探りのところ。ギャラを取らない、取れないこともあるし、ときには困った案件もやってくる。

「いきなりネパールから電話かかってきて、いまから日本に行きたいんだけど、どうすればいいですか、なんて」

留学中に外国人同士で結婚したら相手のビザはどうなるんですか、といったなかなかややこしい話もある。勤めている会社がビザ更新の2か月前に倒産し、困り果てているネパール人に泣きつかれたりもした。ビザには学校や就労先などの裏書が必要だからだ。

それに、こうした依頼には「季節もの」もあるのだという。

「例えば6月は家族の呼び寄せが多いんすよ。日本語学校や専門学校を出て就職した外国人にも3か月の試用期間があるんですが、これを終えると納税・課税証明書を取得できます。この書類があれば母国の家族に配偶者ビザを発給できるんです」

4月から働きはじめた外国人が、家族を呼べるようになるのが6月というわけなのだ。こうしたさまざまな作業に決まって必須（ひっす）となっている書類がある。「理由書」だ。これは「なぜビザを更新したいのか」「なんのために国から子供を呼ぶのか」といった陳述の機会が与えられるもの、であるらしい。どれだけこの人物がビザの変更やら家族の呼び寄せを求めているのか、お代官さま聞いておくんなまし……という情状のアピール、とでも言うのだろうか。申請した理由を切々と訴える書類を同封すると、大岡（おおおか）裁きが期待できる、というわけなのだ。だからいかに適切な理由書を作成するか、というのも行政書士の腕の見せどころとなる。

こうして外国人ひとりひとりに寄り添って、ビザと格闘しているうちに、だんだん人生相談も寄せられるようになる。

「姪っ子が日本語学校を出るんだけど、就職どうしよう、とかね。こっちが人生どうしようって相談したいんだけど」

確かに古市さんにはなんとなく、この人なら親身になってくれるんじゃないか、と思わせる雰囲気がある。それに実際、法の世界に入る前から、外国人とは縁があった。

「もともとは音楽業界なんですよ。レゲエやってて、制作側だったこともあったんです。それで日本に住んでいるジャマイカ人とかアフリカの人たちとつきあいがあってね。そいつらもあれこれ相談してくるんです。寿司の出前を取ったんだけど、桶をどこに置いといたらいいんだ、なんて」

もちろんビザについての深刻な悩みも聞いていた。どうにか助けられないだろうかと、ずっと考えてはいたのだ。そこに来て2018年12月に入管法が改正、2019年4月に施行となり、日本はさらにたくさんの外国人を受け入れる体制を整えた。

「それを見て、いてもたってもいられなくなった」

と古市さんは言う。行政書士として活動をはじめると、まず新大久保にやってきたのだという。ここにはよく使っていたスタジオがあったのだ。ジャマイカ人や、音楽関係のいろいろな外国人が出入りする場所だった。その中にはネパール人たちもいた。彼らのつてで、マッラさんを紹介してもらい、『ネパリ・サマチャー』を知り、広告を出して、いま少しずつ在日ネパール人社会に認知されるようになってきた。「申請取次行政書士」の中でも、ネパール人に特化してメシを食っていこうと思っている。

「マッラさんの人柄ですよね。それに、マッラさんはなんか親父に似てるんですよ」

いかにもやさしいお父さんといった容貌の編集長が思い浮かぶ。「在日ネパール人の父」ともいえるマッラさんを頼ってたくさんのネパール人が新大久保にやってきたが、古市さんもそんな縁からこの街に通いつめ、よくイスラム横丁のネパール居酒屋「モモ」で酔っぱらい、ネパール人たちのぐちを聞く。

でも、人生を、仕事を変えてまで外国人をサポートしようと思ったのはどうしてだろうか。

「……わかんないっす。なりゆきっすよ」

照れくさそうに言った後に、こうつけ加えた。

「自分自身がヘンだから、多文化の中にいるほうが落ち着くんでしょうね。きっと」

外国人専門の家賃保証会社

大久保通りを西へ歩いていく。最近「ハリマ・ハラルフード」のトイメンに、あの

「肉のハナマサ」ができて、非常に助かっている。24時間営業なのである。「ハリマ」や、同じく24時間営業の「新宿八百屋」としては商売敵だろうけれど、生活者としては選択の幅が広がるのはありがたい。ここのハナマサ、ほかの店舗とはやや品揃えを異にし、東南アジア系の調味料とかフォーとか謎のハーブとか、地域住民に合わせたラインナップもあってなかなか楽しい。羊肉もやたらと大きなコーナーを占めている。韓国の夏の風物詩とも言われる果物チャメ（マクワウリ）もお目見えし、黄色い果皮が鮮やかだ。シャキシャキ感のあるメロンといった感じの風味なのだ。

そこからさらに進むとルーテル教会。関野さんの次の日曜礼拝のテーマを眺め、そのお隣は地域の外国人が愛する100円ショップ「Can★Do」だ。店頭には外貨自動両替機があって便利ではあるのだが、レートはいまいちだ。

やはり外国人もよく利用している銭湯「万年湯」を過ぎると、頭上にはめちゃくちゃ楽しそうに笑っている黒人のアニキ。実にインパクトのある看板を掲げているのは、株式会社GTN（グローバルトラストネットワークス）。ここもまた、新大久保を支えるインフラのひとつといえる企業なのである。

階段を上って2階にお邪魔すると、色とりどりの明るいパステルカラーがなんとも印象的だ。いくつかある窓口でなにやら相談をしているのは外国人、応対しているスタッフも外国人。中国、韓国、ベトナム、ミャンマー、インドネシア、ネパール……社員の実に70％以上、170人ほどが外国人なのである。

ＧＴＮのスタッフ。右からネパール、スペイン、ミャンマー、ベトナム、インドネシアと多彩だ

その業務の柱となっているのは、「外国人専門の家賃保証」だ。

部屋を借りようと思ったとき、この国は本当に面倒くさい。仲介する不動産屋を通し、あれこれ書類を用意し、敷金礼金といったお金を献上しなくてはならない。タイだったら物件と直接交渉してパスポートひとつで手続きできて家具も備えつけでその日から暮らせるんだぞ……とかぶつぶつ言いながら僕も新大久保に引っ越してきた。そのときに、日本で求められるのが保証人だ。なにかあったときのために、大家が家賃を取りっぱぐれないためのシステムなのだが、困るのは外国人である。部屋を借りようというのはこの国にやってきたばかりの人がまず多いはずだ。異国に来ていきなり保証人を立てろと言われても、当たり前だが頼める人がいない。

一方で大家からすれば、保証人なしで貸すのは不安だ。それに外国人の入居者とは言葉の壁もあるだろうと考える。トラブルも多いようだ。日本語で話し合いができるのだろうか。悪気はなくても生活音が大きいと聞く。ごみ出しのルールを守らない人もいるらしい。それなら外国人は避けて、できれば日本人に貸したい……。

だけどいま、この国はどんどん日本人が減っている。そこを埋めようと、国策として外国人を増やしている。僕たちの生活はもう、外国人がいないと回らなくなりつつある。コンビニ、居酒屋、工場、農業や漁業、それに介護……２８０万人を超えた外国人に頼って、どうにか社会が動いている。それなら、外国人対応できる家賃保証の会社があってもいいじゃないか。それがＧＴＮだ。

「部屋を探している外国人に応対し、生活する上での注意点を説明して、家賃保証まで総合的に行っています」

と語るのは取締役の董暁亮（トウシヨウリヨウ）さん。やってくる外国人は、新大久保支店の場合、３割ほどが韓国人、１割くらいが中国人、あとは何十という数えきれない国の人々だ。日本でも類を見ない人種混淆（こんこう）都市と化しているわけだけど、彼らに対応するためにスタッフもさまざまな言語を操る多国籍軍団なのだ。３つの言葉を話せることが採用の条件だという。

「それと、大家さんを対象にセミナーも開いています。騒音やごみの問題は本当に大丈夫なのか、家賃が保証されるのはわかったけれど退去時の原状回復についてはどうか、不安に感じていることを話し合い、説明していきます」

こうして、日本人の大家と、入居する外国人のマッチングを図っているのだ。

この家賃保証を軸に、携帯電話の手配やアルバイトの斡旋、さらには24時間多言語対応のサポートデスクまで備えて、外国人の暮らしと地域社会とを支えている。

こうしたサービスを売りだす会社が出てきたのは、新大久保の国際化ということもあるけれど、同時にやはり「街の高齢化」も背景にあるようだ。

大久保通りの南北に連なる路地を歩いていると密集する、たくさんの小さなアパート。小規模なものが本当にみっしりと連なる。もともと一軒家だったところが多いのだ。それが住民たちは日本社会のどこもそうであるように老い、子供たちは実家から独立していった。残されたのは広い一軒家に夫婦ふたり、あるいは単身世帯だ。そこでリフォームして、アパートに改装している物件がけっこうある。

加えて、地主、大家としての権利だけを持ちつつ、街を離れていった高齢者もまた、非常に多いのだという。観光地化を嫌い、外国人住民の増加に戸惑ったことが理由だ。もともと外国人が住んでいた新大久保とはいえ、コリアンタウンとして賑やかな観光地になっていったのは2000年代に入ってから、そして多国籍化は震災以降わずか10年の間に起きた現象だ。あまりの急激な変化に、ついていけない、ついていきたくない高齢者がいるのも無理はない。だから自宅を処分し、アパートに建てかえて、自分は離れた場所で暮らす……そんな大家がかなりいる。

しかし高齢化した大家に外国人の相手はなかなか難しい。だからGTNのような会社の需要が出てくるというわけだ。

こうして日本人住民が少しずつ減っていき、代わりに外国人住民が増えていく。それが新大久保の姿でもある。

日本人が「少数派」の会社

「2010年に新大久保支店を開いた当時は、韓国の方が多かったですね」

と董さんは言う。ほかにも中国人がいたが、お客ではこの2か国が圧倒的多数だったそうだ。それが一気に変わったのは、ネパールのマッラさんが言う通り、やはりあの東日本大震災。たくさんの韓国人が帰国したのだ。

加えて、2013年頃の竹島(たけしま)問題に端を発する日韓関係の悪化もあった。さらに韓国が経済成長を遂げ、留学でもビジネスでも日本ではなく欧米を目指す動きが広がったこともある。2010年代前半は、新大久保から韓国人が減少していった。そこを埋めるように、さまざまな国の人々が流入してくるようになる。コリアンタウンから、インターナショナルタウンへの変化だ。

「ネパール、ベトナムがやはり中心ですが、ほかにもインドネシア、フィリピン、ウズベキスタン……本当にいろんな人がやってきます。不動産もそうですが、日本語学校やほかの業界も、ひとつの国に頼るのではなく、いろいろな国から人を呼んで、リスクを分散させているように思います」

とGTN営業本部に勤める高見澤敏さんは言う。外国人コミュニティは国際情勢の動きひとつで揺れ動く。どこかの国で大きな問題が持ち上がって、その国の人々がいっせいに帰国となっても困らないように、例えば学校でもアパートでも多国籍化が進んだのでは、という見方だ。

こうして人種のるつぼとなっていった街に対応できるように、GTNでもスタッフの多国籍化を進めていく。いまや日本人スタッフは社内の「少数派」になってしまったわけだが、

「働きやすいですよ。文化の違いも意識することはないですね」

高見澤さんはそう言う。

「もし、『日本人の中に外国人がいる』のだったら、やりづらいかもしれないと思うんですよ。でも、うちは『外国人の中に日本人がいる』。この状態が少数派としてはいいんです」

と、なんだか楽しそうだ。

たくさんの日本人に囲まれて外国人がいたら、もしかしたらお互いに気を使いすぎてしまうかもしれない。でも外国人だらけの中に数少ない日本人がいるわけだ。それもまわりの人々は日本語を使っているというだけで、出身は世界各地である。つまり「主流派」のようなものがなく、気がねすることもない。なら自分も社内に入り乱れるさまざまな文化のひとつとして、自由に振る舞える……かつて僕がバンコクで働いていたときもそうだった気がする。日系の会社だったが社員はタイ人のほうがずっと多かったし、アメリカ人も中華系もいた。仏教徒もムスリムもいたしゲイもバイもいた。多様でそれぞれ好きなほうを向いている人間集団の中というのは、僕にとっては居心地がよかった。

そんな雑多さをまとめていくためにも、

「とにかくコミュニケーションをたくさん取ろうよ、というのは意識してますね」

董さんの言葉通り、社内イベントはハロウィンやクリスマスや豆まきなど盛りだくさんだ。部活動もさかんで、高見澤さんはアウトドア部なのだという。

「それに、例えばスタッフ各国の旧正月の過ごし方の特徴などを調べてまとめ、発表会をしたり。相手のことを知るため、社内の活性化のためです。ストレスなく仕事するには、なるべく同僚と話し合って、知ることが大事だと思うから」

そんな董さんの言葉はもしかしたら、新大久保全体に言えるかもしれないと思った。これだけの多文化都市でありながら、それぞれの人種が知り合い、通じ合う機会はまだまだ少ないし、お互いにばらばらだ。それでも別にいいのかもしれない。だけど、ここが自分の街だと愛着を持ち、発展させていくための原動力はたぶん、コミュニケーションなのだ。GTNは社内でそれを行い、時流に乗って業績を伸ばしている。新大久保にも街として、そういう取り組みはないのだろうか。

商店街の会議には4か国が参加

マンションの郵便ボックスをのぞくと、毎度のポスティングの山である。引っ越しや不用品処分のチラシがやたらどさどさあるのは、人の入れ替わりが激しい土地だということなのだろう。留学生が多い街なのだ。彼らは数年で入れ替わっていく。ほかにもピザやら寿司やらの宅配のチラシがあれこれと投げ込まれているが、この中にいろいろ面白いものが交じっていることがある。

あったあった。今日は厨房(ちゅうぼう)の調理アルバイト募集か。英語とベトナム語とで併記されている。中央に大きくどかんと1100Yenの文字が躍る。まず時給をアピールするあたり、わかっている。外国人のとくに留学生は、働きがいとか自己実現とかではなく、まずは待遇なのである。初心者OK、交通費支給、まかないアリといった文句も並ぶ。あとはビザサポートの会社。行政書士だろうか。それに英語と中国語と韓国語で書かれたキリスト教団体っぽいビラもあった。どのチラシも、いかにも新大久保で面白い。生活の中に、多文化が入り乱れている。

こうして商売や暮らしの必然に迫られて、日本人と外国人が、あるいは外国人同士が、交流したり生活の場を共有したりしていくことは、この街ではあちこちで起きている。それが新大久保の日常でもある。でも、もっと大きな相互理解の機会というか、イベントとか、そういうのはないのかなあ……とか思ってたのは実は僕だけだった。とっくに行われていたのだ。

いまや留学生や勤め人だけではなく、外国人の事業主がどんどん増えている。それならいっそ、もう商店街に入ってもらってはどうか……。

こうして発足したのが、新大久保商店街で行われている「インターナショナル事業者交流会」だ。現在のところ、日本、韓国、ネパール、ベトナムの事業者が参加しているので「4か国会議」とも呼ばれている。

「はじまったのは2017年の9月。それから2、3か月に一度ほど開催しています」

と、新大久保商店街振興組合の事務局長を務める武田一義（たけだかずよし）さんは言う。その目的は大きくふたつだ。

「ひとつは、やはり商店街なのだから、店が繁盛しなくちゃならない。そのためにはどうしたらいいのか、どうやったらお客さんが街に足を運んでくれるのか、それを商店街で考えていくこと。それともうひとつは地域の住民たちとの関係です。ここに住んでいる人たちに、この街で良かったと思ってもらえるためにはなにをしたらいいのか」

このふたつの柱を商店街と地域とで考えようと思ったとき、もう外国人は大きな存在感を持つようになっていた。なら、一緒にやってみようじゃないか。せっかく同じ街に住んで、商売しているのだ。それにいまや住民も半数近くが外国人なのである。彼らにも商店街に入ってもらうのは、もう自然の流れだったともいえるだろう。

日本のほかは、どうしてこの3つの国なのかといえば、やはり事業者が多いからだ。レストランを中心に、食材やその卸、不動産やIT関連など外国人経営の店はさまざまだが、やはり韓国が多く、次いでネパールとベトナムだ。この会議には、『ネパリ・サマチャー』のマッラさんも、「エッグコーヒー」のドゥックさんも参加している。もちろんここは日本なのだから、共通語は日本語だ。

「このところ話し合われているテーマは、『どうリピーターを増やしていくか』というものです。確かに新大久保には、たくさんのお客さんが来てくれる。とくにいまは若い女の子が本当に多いでしょう。そうやって流行に乗ってくる人たちに、また来てほしいんです」

観光地が抱える問題かもしれない。メディアやSNSで話題のうちはいい。たくさんのお客が来てくれる。でも彼女たちがハットグにかじりついてチーズをながーく伸ばしているところをインスタにアップして、それで終わりじゃ困るのだ。聞いてたよりいろんなものがある街で面白いね、韓国だけじゃなくてほかの国の店もあって……と、再訪して楽しんでほしい。そのためにはどんなしかけを打っていくか。

「例えば、参加している事業者でアンケートを行ってみたりね。以前とお客さんがどう変わったのか、変わっていないのか。リピーターが増えたのか減ったのか、その間にどんな取り組みをしたのか。面白そうなアイデアがあれば、ほかの事業者とも共有していく」

そんなテーマを、国籍を超えて考えていくのだ。日本でもきわめて珍しい商店街なのではないだろうか。マスコミにも「多文化社会になっていく日本の未来の縮図」と紹介されることも増えてきた。それでも、

「まだまだ手探りで、はじまったばかり」

なのだと武田さんは言う。インターナショナルを名乗るには、参加する国が少ないのだ。新大久保にはおよそ400の事業者があるが、そのうち商店街に加盟しているのは160ほど。このうち半数が日本人経営だ。韓国が40軒くらい。日本人は商店主の高齢化の問題があるし、外国人もなかなか増えない。

「外国人の事業主たちにも声はかけているんです。でも、商店街に入ったらどんなプラスがあるのかと聞かれると、はっきりこうだというメリットを答えられていない」

軒を並べているから、隣近所だからと商店街や町内会に入るのが当然だった時代は、日本でも過去のものになろうとしているのかもしれない。ましてや外国人は、まずなによりも具体的な数字や結果を求める傾向がある。のんびりしているように見える東南ア

ジアの人々もそんな一面を持っている。

とりわけベトナム人は、我が道を行くところがある。トゥイさんあたりが典型的だが、個の力でどんどん突っ走っていく若者が、新大久保には多いのだ。ネパール人は「ネパール人会」という事業者団体が、韓国人はこの街を中心に活動する「韓国商人連合会」という組織がそれぞれあって、日本側と連携している。しかし新大久保のベトナム人たちは、こうした連帯にあまり興味を示さない。留学生と、起業したばかりの若者が中心なので、そこまで考える余裕がないということも大きいようだ。それでもドゥックさんががんばって周囲のベトナム人を誘ってみてはいるのだが、あるときは参加しても次からは来なかったり、なかなか定着はしない。

確かにまだ手探りだ。それでもまずはお互いに顔を合わせ、コミュニケーションを取ろうと、武田さんたちは地道に会議を続けている。話し合いの後は決まって、懇親会となる。日本、韓国、ネパール、ベトナム、どこかの店に場所を移し、食事をともにする。そんな機会を通して、距離を近づけてほしい。そこが出発点なのだ。

「とくに韓国の人には期待してます。彼らはまずこの街に定住して商売をはじめた外国人です。相当な苦労もあったはずです。だから、いま新しく新大久保にやってくるベトナム人やネパール人の気持ちもわかると思うんです。韓国人が、新しい世代の外国人を手助けできるような仕組みも考えていきたいですね」

そう武田さんは言う。

新宿区が取り組む外国人支援

我が新宿区には「新宿生活スタートブック」なる無料の小冊子がある。転入してくる外国人に向けた、暮らしの情報ガイドのようなものだ。なかなか便利なのである。ごみの分別、基本的な交通ルールや生活音などのマナー、区役所での手続きについて、災害時の備え、外国人向けの相談窓口や日本語教室の案内などなど、多岐にわたっている。銭湯の入り方まで解説してあって、ちょっとした読み物としても面白い。日本語（ルビつき）、英語、中国語、韓国語、ネパール語、ベトナム語、ミャンマー語版がある。区役所などで配布しているほか、区のホームページでもダウンロードできる。

ほかにも、あの呪わしい国民健康保険の支払い通知も、封筒には8か国語が表記されている。外国人のちょっとしたボヤキのひとつに「役所からの書類が日本語だけでなんだかよくわからない」というのはよく聞くが、そんな声に対応したのだろう。ただ、同じ新宿区でも住民税の通知は日本語だけと、このあたりタテ割り行政というやつなのかなあと思ったりもする。

また外国語の広報紙「しんじゅくニュース」だとか、外国語版母子健康手帳、学校への入学案内なども多言語対応だし、さすがは新宿区なのである。34万6643人の住民のうち1割を超える3万8352人が外国人だけのことはある。

全国でも飛びぬけて外国人住民の比率が高い自治体なわけだが、これに対応するため2005年につくられたのが「しんじゅく多文化共生プラザ」だ。新大久保からは歩いてすぐ、歌舞伎町を睥睨するビル・ハイジアの中にある。

「プラザのサービスとしては、まず日本語教室が挙げられます。生活習慣やマナーを学ぶにも、お互いを知るにも、まず日本語がわからないと共生がはじまりません」

と語るのは所長の鍋島協太郎さん。新宿の多文化交流の現場を行政の立場から見守り続けており、新大久保の人々からも信頼されている存在だ。

「多文化共生に関わる仕事って、正解はないと思うんです。地域でなにが起きているのか、どんなことが必要なのかを考えて、手探りで進めていく。そこが面白さですよね」

プラザを設置する新宿区では、区内10か所で日本語教室を開催している。プラザの日本語教室は入門編から、いくらか話せる人向けの会話サロンまでさまざまなコースがある。無料の教室もあれば、有料のものでも1学期（約3か月）週2回で4000円とリーズナブルだ。プラザには日本語を学ぶためのさまざまな書籍や参考書などもあり、活用することもできる。それにボランティアで日本語を教える講師を通じて、地域の人々とつながる機会でもあるだろう。

またプラザには外国人向けの相談窓口も設置されている。英語、中国語、韓国語、タイ語、ミャンマー語、ネパール語を話す外国人スタッフがおり、日本語が不慣れな人でも生活の悩みを相談することができる。子供の保育園をどうすればいいのか、保険や税金について、あるいは結婚生活や仕事のことまで、あれこれと心配ごとが寄せられる。ここもやはり、外国人が暮らすための大切な「インフラ」のひとつといえるだろう。

それにプラザは区の「多文化共生連絡会」の事務局でもある。

「公・民を問わず多文化共生に関心のある人たちを結ぶハブのような存在でありたいんです」

連絡会の参加者の協力を得て多文化防災フェスタが開かれたり、『ネパリ・サマチャー』のスタッフが講演を行ったりもしたそうだ。あの4か国会議の創設にも関わってきたが、

「第1回と2回の会議は、プラザで行われたんですよ。あの会議のスタートに立ち会えたのは嬉しかったなあ。なにかを主催する、決めていく場に外国人が入ってくるって、おおげさかもしれないけれど、エポックメイキングな出来事だったように思うんです」

これだけたくさんの外国人が暮らす新宿区だが、日本人との間に目立った交流が生まれているわけではない。でも、そこから一歩踏み出すために、いろいろな人が動いている。4か国会議はその象徴でもある。

さらに、ここに来れば区や国で発行している多言語のパンフレットなどが手に入るし、交流イベントが行われていることもある。日本人と外国人を結ぶ貴重な場所であるのだ

区が発行している「新宿生活スタートブック」ほか、在住外国人向けのさまざまな冊子

が、プラザを知らない外国人もまた多い。

「新宿生活スタートブック」を見て「こんな便利な本があったなんてぜんぜん知らなかった、日本に来たばかりのときに読んでいたらずいぶん楽だったはず」と言う外国人もいた。

「そこはいま取り組んでいるところです。彼らの手の届くところに情報を置かなくてはと考えていますし、日本語学校だったり、それぞれの国のコミュニティなどにも情報提供するようにしています」

そう話す鍋島さんは、プラザに来てもう7年になるのだそうだ。

「楽しいですよね。外国人が、人が幸せに生きるための活動の一端を担っていると思っていますから。共生のためになにができるのか考えて、それを実現していく。やりがいがありますよね」

第6章
オールドカマーとニューカマー、ふたつの世代の韓国人たち

コリアンタウン化のきっかけは「ワールドカップ」と「ヨンさまブーム」

「コリアンタウン」。新大久保はよくそう言われる。確かにこの街の賑わいをつくっているのは韓国の店だ。韓国レストランや韓流アイドルの店に、日本人の女の子たちが殺到し、平日だって大混雑となる。ますます人が増えているような気もする。

ではその韓国の人々は、いつからこの街にやってきたのだろうか。

「もともとはね、歌舞伎町のホステスさんなんですよ」

「文化センター・アリラン」の事務局に勤める鄭剛憲さんは言う。60歳を過ぎているとは思えない、若々しい色気のあるおじさんなんである。

「歌舞伎町に、80年代の半ばからコリアンクラブができはじめるんです。全盛期には500軒くらい韓国の店があったと言われています。そんな店で働くホステスさんたちが暮らしていたのが、新大久保なんですね」

高度経済成長期からバブル期にかけての時代だ。歓楽街として爛熟を迎えた歌舞伎町では、たくさんの外国人女性もまた働いていた。台湾、タイ、フィリピン……そして韓国だ。彼女たちは深夜、仕事が終わると疲れた身体を引きずって、北へと歩いていく。

そして新大久保にあるアパートに帰っていった。職安通りを越えただけで、家賃がぐっと安くなるのだ。徒歩で職場である歌舞伎町まで通えて、安いアパートが多い新大久保は、彼女たちの格好の「ベッドタウン」だった。

「そんな子たちに韓国の家庭料理を出す小さな食堂ができはじめたのが、80年代後半から90年代はじめだと言われています」

それに国際電話のブースだとか、チマチョゴリを売る店、美容室、韓国系の教会などがちらほらとできていく。ほかの在日韓国人の方の話だと、趙容弼や桂銀淑といった歌手が歌う「トロット」（韓国演歌）のカセットテープや、グッズを売る店もわずかにあったそうだ。いわば韓流の原点だったのかもしれない。そんな店が、小さなアパートが建てこむ路地の中にちらほらと点在する……それが「コリアンタウン新大久保」の出発点だった。

もともとこの街にも、戦後に住みついた在日韓国・朝鮮人や台湾人がいたのだけれど、大きな「外国人コミュニティ」を形成することはなかった。そのあたりが在日韓国・朝鮮人の生活の街として発展してきた大阪の鶴橋や、東京の三河島、東上野あたりとはだいぶ違う。新大久保は新しいコリアンタウンなのだ。20世紀初頭から戦前戦後にかけて、さまざまな理由で日本にやってきた韓国・朝鮮の人々を「オールドカマー」と呼ぶことがあるが、対して新大久保は80年代以降に来日した人々を中心とする「ニューカマー」の街なのである。

そんな細々としたコリアンタウンにすぎなかった新大久保に、いきなり注目が集まった。2002年のことである。日韓で共催されたサッカー・ワールドカップだ。

「その頃、職安通りには『大使館』っていう大きな韓国レストランがありましてね。大統領になる前の朴槿恵（パククネ）が来たこともあるらしいですが。その店で、街の韓国人や、日本人も集まって、一緒に試合を応援するようになったんです」

その姿に、これぞ日韓共催の象徴だとマスコミが飛びついた。それからは日本チーム、韓国チームの試合があるたびにテレビの中継がやってきて、新大久保が大々的に取り上げられるようになる。韓国チームがベスト4まで快進撃を続けたことも大きかった。「新大久保なんて場所があるのか」と、このときはじめて、多くの日本人は知ったのである。

そして翌年、2003年だ。あのイケメン、ヨンさま（ペ・ヨンジュン）主演『冬のソナタ』が日本でも放映されると、女性たちが夢中になり、熱狂的とさえいえる一大ブームを巻き起こす。彼女たちは「韓国的なるもの」を求めて新大久保にも大挙するようになった。これをきっかけに、新大久保の「観光地的コリアンタウン化」が進んでいく。

元留学生を中心としたニューカマーたちがレストランやショップを次々と開き、日本人観光客の需要に応（こた）えていった。ビジネスになると見込んで、韓国から乗り込んでくる若者も急増する。

彼らはまず、地価の比較的安い西大久保公園の東側を走る路地に進出していく。これがのちのイケメン通りだ。さらに韓国の店は、大久保通りに並んでいた日本の昔ながらの商店街にも入り込んでいく。高齢化や後継者不足で空いたテナントを、韓国人が埋めていく。そうやって10年ほどの短期間で、新大久保の様相は変わっていった。

在日二世の苦労とアイデンティティ

職安通りに「文化センター・アリラン」ができたのは2010年のことだ。韓国や朝鮮、日本との関わりなど幅広い蔵書がおよそ4万点も揃う。韓国の文化や歴史についての講座、ハングルで絵本を読む会といった教室も開かれている。ニューカマーの子供たちの塾だとか、いじめで不登校になってしまった子供たちの勉強会も催しているのだという。教員を定年退職した日本人がボランティアで講師を務めたりもする。

「これだけのコリアンタウンなのに、レストランと化粧品ばかりで文化的なところがほとんどないですからね」

と笑う鄭さんの言う通り、確かに貴重な施設なのだ。この「文化センター・アリラン」と、その下の階にある高麗（こうらい）博物館は、消費渦巻く韓流タウンの中では異彩を放つ存在なのである。

「文化センター・アリラン」はもともと、埼玉・西川口に建てられたものだ。1992年のことだった。在日朝鮮人二世である故・朴載日さんが私費を投じて設立した。そのきっかけとなったのは、朴さんの母の姿であるらしい。

「子供の頃、チョゴリを着て歩く母がどうにも恥ずかしかった。だから離れて歩いたそうです。でも、40歳を超えてから、それではいけないのだと気づいたといいます」

そう話す鄭さん、そして母に寄り添えなかった朴さんの気持ちを、たぶん僕はわからない。在日韓国人、朝鮮人がこの国でどれほど苦労し、アイデンティティに悩んできたのか。

二世ともなれば彼らは、日本人と変わるところがない。日本語の中で育ち、朴さんもむしろ朝鮮語は話せなかったという。そんな朴さんは、自分が朝鮮人だと思われたくなかったのかもしれない。だから母の民族衣装が疎ましかった。それでも、身体に流れているのは母の血だ。自分はいったい、何者なのか。その葛藤の中で、母のチョゴリ姿が思い浮かぶ。母への罪滅ぼし、自らの出自の確認……そんな思いから、朝鮮文化の研究や交流を行う施設を設立した。こうして西川口に開館した「文化センター・アリラン」は、2010年に新大久保に移転、いまに至っている。

韓国や朝鮮に興味のある日本人も、よくやってくる。論文を書くための資料を探しに来る学生も多いそうだ。

新大久保を席巻したハットグの一大チェーン「アリランホットドッグ」

オールドカマーはどこか、表情にも苦労を偲ばせる人が多いように見えるのは気のせいだろうか。過去をあまり語らず、言葉少なだ。それは「いまさらなにを話したところで、理解してもらえるわけでもない」という諦観が漂っているように感じた。

彼らに比べると、ヨンさま以降に新大久保にやってきたニューカマーたちは元気で明るく、やたらとエネルギッシュなんである。なんといっても、彼らが経営するレストランやショップの数々はもう、この街の経済を支える存在とすらいえるのだ。

いま最大のヒット商品はもちろん、ハットグだ。この韓国風のアメリカンドッグを求めて、というより写真を撮ってSNSに載っけるために、日本人女子が大挙する。

「韓国では前から、ハットグは手頃なジャンクフードとしてよく食べられてたんですよ。アメリカンドッグに砂糖をまぶして、ケチャップとかハニーマスタードとかつけて。1000ウォン（約100円）くらいで安くてね。それに伸びるチーズを入れたものが出て、SNS映えで人気になったのが5年くらい前かな。どんどん店が多くなって、具やソースもいろいろバリエーションが増えていったんです」

と話すのは金泰林(キムテリム)さん。来日10年になるニューカマーだ。大人気ハットグ店のひとつ「アリランホットドッグ」を切り盛りする。大久保通りの路面店に立ち、「おいしいよー、食べてってねー」「おいしくなかったらお金はいりません!」なんて客を呼ぶ。中高生くらいだろうか、女の子たちが行列をなし、おじさんとしては居場所がなく、挙動不審におろおろしてしまう。そこへ店のアルバイトの韓国人のイケメンが、さわやかな笑顔でドッグを差し出してくれたのだ。

「店でいちばん人気のポテトレーラです」

中心の棒にモッツアレラチーズを巻きつけて、角切りのポテトを衣代わりにして揚げた、なかなかボリューミーなやつだ。店頭に置かれたココナツパウダーとか、きな粉とかをお好みでまぶすとおいしいのだという。

「あっ、ボクがやりますね。両方つけるのがおすすめなんです」

イケメンはかいがいしいのであった。あつあつのポテトレーラにパウダーをつけて、改めて「どうぞ」なんてやさしい笑顔。この街にハマる女子の気持ちが少しわかるような気がした。

韓国で人気になっていたハットグは新大久保でもちらほらと売られていたが、2017年頃までは目立つメニューではなかったそうな。街に点在する軽食スタンドでも、トッポギとかキムパ(海苔(のり)巻き)などに交じって売られているに過ぎなかった。それが2017年9月、「アリランホットドッグ」がハットグを大々的にメインに押し出して売りはじめると、あっという間に大流行となったのだ。具材がいろいろ選べて楽しく、チーズがうにょーんと伸びる様子はいかにもインスタ向きで、友達同士の食べ歩きにはちょうどいい。一大ブームとなった2018年夏には、この1号店だけで1日2000個が売れたというからすごい。

「で、私はその年の11月に入社したんです。店のフランチャイズ化、全国展開を担当するためです」

金さんのもと「アリランホットドッグ」は日本全国に勢力を広げ、新大久保のほか上野、原宿、富士急ハイランド、沖縄などなど、各地に展開している。フランチャイズを任せているのは日本人もいれば韓国人もいるそうだ。

日本人の女子はハットグと韓国人男子のどちらに夢中になるのだろうか

チーズタッカルビのブームをつくった男

金さんはそもそも、日本で働くことになるとは思ってもいなかったそうだ。

「海外留学はしたかったんですけど、アメリカかオーストラリアを考えていて。でも妹が、日本に留学していたんです。それで妹を訪ねて遊びに来たのが、はじめての日本です」

その旅で興味を持って、日本語を勉強しはじめた。富山で1年間の交換留学も経験する。さらにワーキングホリデーのビザも取った。日本でアルバイトしながら、もっと語学に磨きをかけよう……そうは思いながらも、進路に悩み、結局は韓国で就職をしたのだという。

「でもね、どうにも仕事が合わないなって感じていて。貿易関連の会社だったんですが、働きながらも迷っていたんです」

そんなときに、仕事で会ったのが「ソウル市場」の社長だった。韓国食材を幅広く扱うスーパーマーケットで、新大久保を代表する店のひとつだ。アイドルと化粧品から一歩踏み込んできた韓流女子たちが、食材や調味料を買いに来る。「ソウル市場」はほか

チーズタッカルビを日本に広め、「アリランホットドッグ」の多店舗展開を成功させた金泰林さん

にもレストランやショップなどを幅広く展開している。仕事はいろいろあるから、と誘われて、新大久保にやってきた。

それから10年、金さんは街の移り変わりを見てきた。

東日本大震災で潰(つぶ)れていった店もたくさんあるし、帰国した仲間もいる。２０１３年頃からは、竹島問題に端を発して、ヘイトスピーチの嵐が新大久保にも吹き荒れた。２０００年代に盛り上がった韓流は、２０１０年代前半だいぶ落ち込んでしまうのだが、それでも金さんはこの街にビジネスチャンスの可能性を感じ、働き続けてきた。２０１７年頃からは、再び韓流の大きなブームが巻き起こり、いまはヨンさまの頃よりお客が多いという声もある。

面白いのは、金さんは「ソウル市場」

を皮切りに、新大久保の中でいくつも職場を渡り歩いていることだ。

「新大久保内で転職を繰り返している韓国人、けっこういると思いますよ。スカウトというか、そういう誘いはよくあります。新しい店がオープンするときに、別の店から評判のいいコックを引き抜いたり。ひとりの腕のいいコックが、開店請負のような感じでいろんな店を渡り歩いているとも聞きます。それが新大久保の店の、高いレベルでの味の平均化につながっている、なんて言われてますね」

そうやって実績を積み上げ、この狭いエリアの中で、より良い待遇の職場に移っていく。新大久保コリアンタウンはそんな社会でもあるのだ。

そして金さんは、2016年に古巣「ソウル市場」に舞い戻る。ミッションは経営状態が悪化していた系列店「市場タッカルビ」の立て直しだ。その目玉として「開発」したものが、チーズタッカルビだった。

「私の出身は春川（チュンチョン）なんですよ。ソウルから電車で1時間くらい。『冬ソナ』のロケ地で有名なところです」

ドラマでは主人公たちが高校時代を過ごした地として登場する春川。「聖地巡礼」の観光客にも知られているが、この街にはもうひとつの名物が昔からあった。タッカルビだ。大きな鉄板の上で、鶏肉（とり）と、玉ねぎやじゃがいも、エゴマ、キャベツなどの野菜をがしがし炒（いた）め、甘辛いコチュジャンをなじませて食べる郷土料理だ。

「人口28万人の街なんですが、タッカルビの店が360軒くらいあると言われています。

母もタッカルビ屋だったんですよ」

シンプルな鉄板焼きである。それだけに、家庭によって、店によって、バリエーションはさまざまだ。肉は骨付きだったり骨なしだったり、追加で麺を入れたり、シメにごはんを投入してチャーハンにしたり。金さんの家では、チーズを焼いてお焦げにして、それで肉や野菜を巻いて食べていたのだそうだ。

　このタッカルビを、日本で流行らせることはできないか。そう考えた金さんは、韓国のタッカルビ屋で使われている大きな鉄板を店頭にしつらえ、そこで実演しながら調理することを思いついた。ダイナミックな料理の様子と、食欲をそそるコチュジャンの香り。そして、チーズをふんだんにトッピングして提供したのだ。

「日本は韓国よりもチーズが安く、たっぷり使えます。韓国でもタッカルビにチーズを入れる家庭はありますが、新大久保ではさらにたくさん入れてみたんです」

チーズのクリーム色と、コチュジャンの赤。鮮やかな取り合わせは目を引いた。見て楽しめるタッカルビだった。それはこの時代ちょうど爆発的に普及したインスタグラムというSNSにマッチしたのだ。

「新しいものを売るときは、『なにを売るか』も大事ですが、『どうやって売るか』がより大切です」

と力説する金さんによって、新大久保でチーズタッカルビは大流行となった。「市場タッカルビ」は大人気店となり、周囲の店も次々とチーズタッカルビをメニューに取り入れ、やがて全国的なブームになっていく。2017年は新語・流行語大賞に「インスタ映え」、JC・JK流行語大賞（モノ部門）に「チーズタッカルビ」が選ばれるという結果となった。その立役者のひとりが、実は金さんなのであった。

そしていまは「アリランホットドッグ」に転職し、多店舗展開を担当している。「新しいことにチャレンジできそう、という店を渡り歩いてきました」と言うが、このハットグの一大ブームで少し問題になっていることもある。コリアンタウンでは客単価が減っている店が出てきているのだという。ハットグはでっかい。そして濃ゆい。女の子だったらひとつでお腹いっぱいになってしまうのだ。だからあちこち食べ歩くことが減っているのでは、と金さんたちは考えている。それにヨンさまの頃は、新大久保にやってくるのは中高年の女性が中心だったが、いまは中高生が多い。使えるお金も違う。それでも、

「サムギョプサル（豚バラの焼き肉）からはじまり、チーズタッカルビ、ハットグ、UFOチキンなどいろんなものが流行っては廃れてきました。本当に移り変わりの激しい街で、そのたびに経営の波はありますが、そのうちまた違うものがブームになると思います。多少の浮き沈みはあまり気にしないようにしています」

それが観光地としての新大久保を生き抜くコツなのだろう。

韓国では新大久保はまったく知られていない？

日本でもとくに有名なコリアンタウンとなった新大久保だけど、

「韓国ではぜんぜん知られていないんですよ」

と金さんは言う。あくまでここは、「日本に住んでいる韓国人の間でだけ」認知されているコリアンタウンなのだという。韓国では、日本に興味を持っていろいろ調べている人であれば知っているかもしれない、そうだ。

「私も妹が留学するまでは、新大久保なんて聞いたこともなかったです」

では、そんな「知る人ぞ知る」街で働き、暮らしている韓国人とは、どんな人たちなんだろうか。

「留学生と、それからワーキングホリデーが多いと思いますよ」

その理由は明瞭だ。ここならアルバイトが簡単に見つかるからだ。週28時間までのアルバイトが認められている留学生。1年間の期限つきながら、語学を学んだり旅行を楽しんだりしつつ、アルバイトもできるワーキングホリデー。そんなスタイルで日本に滞在している韓国人はたくさんいるが、彼らの中で新大久保は有名な場所なのだ。

日本語があまり話せなくても、この街にはなにか働き口がある。レストランや食材店、ショップ……そうした店の中には、新大久保に寮を持っているところもある。安いところだと個室で4万円とか5万円、2段ベッドの片方だけ借りるドミトリーのような形態だと3万円台からあるのだそうな。

「ワーキングホリデーのビザは1年間です。でも日本の不動産契約はほとんどが2年単位。だからアパートを借りられないんですね。それで寮が普及したと聞きます」

新大久保には、日本人の知らないところに、そんな生活インフラがある。この街にやってくれば、まだ日本語が拙く(つたな)ても、部屋が見つかり、仕事にありつける。暮らしていける。集まってくる留学生やワーホリたちは、みんな20代の若者だ。同じように日本になんらかの親しみや興味を持って、やってきたのだ。そんな仲間と、異国暮らしの寂しさを埋めることもできる。きっと新大久保は、韓国の若者にとっては青春の街なのだ。

「でもね、昔はあまりイメージが良くなかったんです。日本に暮らすオールドカマー、先輩のニューカマーからは、『新大久保はろくに日本語も話せない若いのばかりだ』とか『日本語を勉強しないやつもいる』、『日本人の女の子をナンパしてばかり』なんて言われて」

いまではそんな視線もだいぶ変わってきたという。留学生たちはこの街で働いて経営のノウハウを吸収し、日本語を覚え、資金を貯めると、今度は自分で店を開業するようになっていったのだ。いま新大久保にある韓国の店のかなりの部分が、元留学生、元ワーキングホリデーによる経営なのではないかという。ヨンさま以降ビジネスチャンスを求めてやってきたニューカマーが、まずコリアンタウンとしての土台をつくった。そこで留学生やワーキングホリデーの若者たちがアルバイトするようになり、今度は彼らが事業主になっていく……。

　そしていまは「ニュー・ニューカマー」というべき存在が街に増えている。

「うちの会社でも、ベトナム人やネパール人がたくさん働いています。みんな留学生。彼らを雇っているのは、本当によく働くからです。韓国人の留学生よりも真面目ですよ。前はね、コミュニケーションできなくて皿洗いだけ任せていたりしたけど、日本語がうまい子も増えたし、味もちゃんと覚えてくれる。店を回していけるんです。ほかの韓国のレストランでも、厨房で料理をつくっているのはベトナム人やネパール人って店、たくさんありますよ」

　その混在こそが新大久保という街なのである。ドゥックさんのように、韓国レストランを経営するベトナム人だっているのだ。外国人たちが日本語で話し合って職場を運営し、日本人の観光客を受け入れる。それが新大久保なのだ。

　ある程度の成功を収めた韓国人は、新大久保を離れていく傾向にあるようだ。店こそ維持しているが、住む場所は同じ新宿区でも韓国人学校のある若松や、曙橋などに移っていく。新大久保は規模の小さなアパートが多い。ファミリーには手狭なのだ。金さんもいまは結婚して家族を持ち、新大久保を出て、奥さんの実家に近い墨田区で暮らしている。

そんな先輩たちの背中を見て、留学生上がりのチャレンジャーが次々と店を開くが、あっという間に消えていくのも本当によく見る。ついこの前オープンしたかと思ったら、3か月も経たないうちにひっそり看板を下ろしていたりするのだ。店名は同じでも経営をギブアップして、ほかの人に譲渡した店なんてのも山ほどある。第3次とも言われる韓流ブームの中でも、商売を軌道に乗せるのはなかなかたいへんなようだ。

そんな競争の激しい街で結果を残してきた金さんは、

「家族もいるし、ずっと日本で生活したいですね。でも韓国にも店を出して、行ったり来たりできればいちばんかな」

と話す。

「チーズタッカルビのときは、めっちゃわくわくしたんです。故郷の味を日本に広められるって、本当に楽しかった。次はなにか、日本の味を春川に伝えたいですね」

第7章
はじめて開催された4か国合同の「新大久保フェス」

ネパール人留学生に愛される「500円定食」

帰宅はたいてい、深夜である。

事務所を置いている早稲田から、西に向かって歩き、戸山公園を越えて新大久保に帰ってくる。朝とは逆のコースだ。静まり返った戸山公園は、都心とは思えない深い夜気と、濃密な木々の気配が心地よい。原稿書きで火照った頭が冷めていく。明日はどう動いて誰と打ち合わせをし何を書いていくのか、整理しながら歩くこの時間がけっこう好きなのだ。

しかし新大久保は、意外に夜が早い。料理する気分でもなく、外食で済ませたいなあと思っても、未明まで営業している店が少ない。居酒屋もたいてい終電あたりで閉まる。韓国のレストランがいくつか24時間開いているが若い飲み客で騒々しく、あとはチェーンの牛丼屋とファミレスくらいだ。

そんなとき、僕は自宅そばにある「ニュー・ムスタング」に足を運ぶ。薄暗い階段を上り、古びたドアを開けると、そこはもうネパールの食堂だった。こんな時間なのにネパール人の若者がテーブルを埋め、現地のテレビ番組が流れ、スパイスの香りがぷんぷ

こちらは在住ネパール人に評判の店「ラトバレ」のダルバート

んに漂う。
お客たちが、それとなく視線を向けてくる。日本人がやってくるのは珍しいのだ。が、すぐにみんな僕には興味をなくし、目の前のプレートに取り組みはじめた。スープをライスにかけて、右手で器用になじませ、口に運ぶ。誰もが黙々と食べていた。静かだった。スクティや、アチャールという南アジア風のスパイシーな漬け物を肴（さかな）にエベレストビールを飲んでいるふたり組もいたが、あとはひとりで淡々と食事をしている。
僕も彼らと同じものを注文する。ダルバートだ。ネパール式の定食とでもいおうか。すぐにステンレスのプレートに盛られてやってきた。中央にこんもりと盛られたさらさらのバスマティライス。ネパール語では「バート」（米）だ。そして湯気を立てる熱々の豆スープ、これが「ダル」。ほかにチキンカレー、それにタルカリという野菜の炒め物もつくが、基本はダルとバート、米と豆の組み合わせなんである。日本的な感覚では「めしとみそ汁」に近いかもしれない。

僕は手で食べるのが下手なので、スプーンとフォークを使わせていただく。ダルをバートにかけて、混ぜ合わせながら食べていく。ぱらぱらに炊いたバスマティライスはスープものによく合う。あっさりした豆の風味は、なんだか落ち着く。タルカリの具はじゃがいもだったが、これも香辛料は控えめでやさしい。ライスが進む。濃い味がほしくなったら、カレーもかける。ダルと混ぜるとまたうまい。

ときどき、店員が鍋を持って客席を回る。ダルとバートはおかわり自由なのだ。まわりにならい、僕も目線で合図すると、すぐにほかほかのライスとスープが追加された。これはネパールの安食堂とまったく同じスタイルなのである。旅に出てきたようで嬉しい。

食後、ラッシーをいただき改めて店内を見渡してみる。気のせいか、疲れた顔ばかりだった。時計を見れば深夜2時を回っていた。僕と同じで、やっと仕事が終わったところなのだろう。留学生か、あるいは勤め人か。コンビニや居酒屋の夜勤、ホテル、工事現場、総菜の工場……夜間のそういった職場でも、ネパール人たちは貴重な働き手だ。彼らは身体をめいっぱい使う仕事からようやく解放されて、くたくたになって新大久保のこの店にやってきて、ダルバートをかきこむのだ。

「だからね、値段は500円にしてるんですよ」

と話すのは、「ニュー・ムスタング」を経営するネパール人のひとり、ドゥンガナ・タラさん。いかにもやさしげなおばちゃんだ。

「うちのお客さんは留学生が多いの。みんなアルバイトで生活費を稼いでいて、お金に余裕はないでしょう。それに疲れていて、時間もあんまりない。だからさっと食べられて、温かくて、安いもの。それを出してあげたくてね」

そう考えて、3、4年前から「500円ダルバート」をはじめた。安いからと言って値段なりの味ではなく、ネパール人のコックがしっかり手間ひまかけて仕込んでおり、ダルバートにつくカレーの具はチキンやマトンや魚、たまごなど日替わりで飽きさせない。

「ほかの店よりもずっとおいしいと思うよ。作り置きのものもほとんどないし。それにコックは学生たちの父親くらいの年でね。日本でずっと苦労してきた人。だから若い子がかわいいんだろうね、サービスして大盛りにしてあげたり、よく面倒みてあげてる」

ここはネパールの、家庭的な食堂なのだ。その温かさと、安さと、おいしさを求めて、若いネパール人が次々とやってくる。深夜遅くまで働く彼らのライフスタイルに合わせるように、店は早朝4時まで営業しているのだ。その間、入れ代わり立ち代わり訪れる学生たちの大半が、ひとりであることが気になった。東南アジアや南アジアの人たちは、けっこう孤独が苦手だ。日本人よりもずっと、ひとりきりでいることにつらさを感じ、なるべく友達や家族や誰かしら知り合いと一緒に過ごしたいという人が多いように思ったからだ。

「それはしょうがないよ。仕事も学校もそれぞれ違うし。ここは日本だし。まあ、みんな慣れているでしょう」

とタラさんは言う。それでも深夜、この店に来れば、同じような仲間がいる。そこは少し心強いだろうと思う。

ここはネパール人の「寮」でもある

実は、店の上階が留学生たちのアパートになっている。1か月の家賃が5万円で、光熱費とWi－Fi込み。加えて寮生は、朝食と夕食をここ「ニュー・ムスタング」で食べることができる。その食費も家賃に含まれている。どこか特定の学校の学生のためではなく、新大久保周辺のさまざまな学校に通う留学生が集まり、暮らしているそうだ。ちょっと変わった「寮」とでもいおうか。

「布団がなければこっちで用意するし、洗面用具だけ持ってくれれば暮らせるよ。いまは男ばっかだけど、みんな意外にきれいにしてるね」

朝方までネパール人客が絶えない「ニュー・ムスタング」を運営するドゥンガナ・タラさんとカビアちゃん

もともと「ニュー・ムスタング」は、このネパール寮のための食堂だったという。ところがだんだん、おいしいと評判になり、寮生が友達を連れてきたりして、混み合うようになってきた。そこで思い切って一般のレストランとしてオープンしたのだという。それからずっと、寮生たちやほかの留学生の腹を満たしてきた。

寮生たちはみんな、誰もが日本での就職を望んでいる。

「就職すれば学費もかからないし、28時間の制限もないからね。それに結婚している人は国から奥さんと子供を連れてこられるようになる。でも、なかなかね」

日本語学校や専門学校、大学を卒業しても、日本での就職先が見つからない人は多い。そうなると在留資格を得られず、帰国するしかない。また、就職はできたけれど、面接時に聞いていたものとはまったく違う仕事に回されるネパール人もいる。

これは『ネパリ・サマチャー』のティラク・マッラ編集長が言っていたことだけど、通訳や翻訳を任せるといって雇った新卒のネパール人を、実際は倉庫整理として働かせていた会社が摘発されたことがあったのだそうだ。外国人の就労にあたっては、その仕事内容に見合った在留資格を取得させる必要がある。通訳であれば一般的には「技術・人文知識・国際業務」という在留資格を取得して働くことになるが、その人材に倉庫番をやらせるのは違法なのである。人手が足りないから適当な名目をでっちあげて安い賃金で雇ったのだろう。しかし問題はその不本意な仕事をさせられていたネパール人も「不法行為に加担している」と見なされ、在留資格を取り消され、帰国せざるを得なくなってしまったことだ。そんな例が増えているという。

これは日本人の悪意によって人生を捻じ曲げられてしまったケースだが、ネパール人側にも問題は多い。この2、3年、ネパール人に対する入管の視線は厳しい。長期の在留許可がなかなか下りない。その原因は「カレー屋」だと言われている。

2010年代、爆発的ともいえるスピードで日本各地にインドカレー屋が乱立した。カレーとナンと、謎ソースのかかったサラダとラッシーで7、800円くらい。手軽でそこそこおいしく、あっという間に日本人のランチの選択肢の中に入り込んでいった。で、「実はあれみんな、ネパール人経営なんだよ」と語られるウンチクもまた定番となった。確かに店内を見れば、エベレストの写真が飾られていたり、ネパールのラム酒・

ククリやネパールのビールが置かれていたりと、「インドじゃないんだぜ」と、さりげなく自己主張しているんである。

こうした店のコックは「技能」という在留資格で働いている。その取得には調理人として10年以上の経験があることが条件となっていて、たいてい現地での在職証明書を提出する。しかし、この偽造が大量に発覚したのである。ネパールでは日本の入管向けのニセの証明書が出回っており、これを根拠に在留資格を取って、インドカレー屋を開く人が続出していた。それにようやく気がついた入管は2017年頃から審査を厳格化。このためネパール人については「技能」だけでなく、あらゆる在留資格の取得や更新のハードルが上がった。留学や就労の難易度が高くなってしまったのだ。

真面目なネパールの若者にとっては完全にとばっちりだが、いまの日本はなかなか「就職難」なのである。そんな事情を知りながらも、留学生たちは日本にやってくる。新大久保の「ニュー・ムスタング寮」で暮らし、就職を目標にして学校に通いながら夜遅くまで働いて、今日も食堂でダルバートを食べるのだ。

「私もね、留学生だったんだよ。私の頃にもこんな食堂や寮があったらなあって思う」

そう言うタラさんが日本に来たのは2011年だ。国では教師だったが、どうしても外国で学びたかった。義理の弟が日本に留学していたので、そのつてで来日。すぐに夫も続いた。日本語学校2年、専門学校2年という、いわば「定番」のコースを歩み、さらに大学に進学して日本で就職を……と思った矢先に、子供を授かった。

「日本の会社で働いてみたかったけど」

子育てを考えたら就職よりも起業だろうと、夫と会社を立ち上げた。以降、親戚と協力して「ニュー・ムスタング」を運営しながら、いまは北区・JR十条駅の近くでグロッサリーストアも営んでいる。南アジアの食材からハラルフード、ベトナムの米麺など幅広く扱う。十条もまた新大久保のように、多国籍化が進んでいるのだ。その商店街の一角に食材店兼住居を構え、ベンチも置いて、地域の人たちが休める場所にしている。そこで親戚の子だというカビアちゃんが遊びまわっているのを、日本人のおばちゃんたちが構っている。すっかり日本の風景に溶け込んでいた。

そんなタラさんがはじめた「５００円ダルバート」は、いまでは新大久保にあるあちこちのネパール料理店が模倣している。それだけネパールの苦学生が多いということなのかもしれない。その元祖として、「ニュー・ムスタング」は深夜の新大久保にネオンを灯し続ける。

23言語の蔵書がある大久保図書館

決して大きな図書館ではない。それでもこの街らしく、多国籍コーナーがやたらに充実しているのであった。ずらりと並んだ書籍は英語、韓国語、中国語、ベトナム語、アラビア語、ミャンマー語、タガログ語、ペルシア語、スペイン語……日本語の学習参考書もあれば、日本の法律や行政に関する資料、子供向けの絵本も多言語だ。書籍だけではなく、各国語のフリーペーパーや、東京都の外国人向け就労支援のパンフレットに、ごみの出し方などなど、大久保図書館は地域の特色をよく反映している。

「外国の蔵書は、23の言語で、2300冊あります」

館長の米田雅朗さんは言う。新宿区に住む外国人の人口構成に合わせて、多い順の言語の本から少しずつ買い揃えてきた。

「韓国や中国の書籍は専門に扱っている書店があるので、そこから取り寄せています。ベトナム語の本を扱う書店もあるのですが、送られてくるリストはベトナム語でぜんぜんわからない（笑）。そこで新大久保の日本語学校に頼んで、ベトナム人留学生たちにどんな内容の本か説明してもらうんです。ネパール語の本は、支援をしている知り合いがいるので、現地に行ったときに買ってきてもらっています」

多言語化への取り組みがはじまったのは、2010年頃のことだそうだ。この頃から図書館という施設も、時代の流れか、経費削減のためもあり民間に委託されるところが増えていった。自治体にもよるが、新宿区の場合は、中央図書館以外の図書館は「指定管理」という形で民間が運営するようになったのだという。そのときに入札した「ヴィアックス・紀伊國屋書店共同事業体」は、外国人住民が急増しつつあった街に見合うような、多文化サービスに力を入れることをアピールして、大久保図書館の指定管理業者となった。

米田さんが赴任したのはその後、2011年のことだ。

「当時から韓国語や中国語の本は集めていたのですが、近所の幼稚園や小学校からスペイン語の本はないかって聞かれたんです。ラテン系の子供がいるからと」

その頃からだ。新大久保は中・韓だけではなく、世界中から人々が集まる街になっていく。それを反映するように、ベトナム語はないのか、ネパール語はどうかと問い合わせが入る。とくに幼稚園だった。

「月に一度、幼稚園の子供たちが館に来るんですよ。うちの職員が絵本を朗読するんです。帰り際には、子供たちは自分の好きな本を2冊、借りていくという取り組みです。そんなときに、自分の国の絵本がなかったら寂しいよね、って声が寄せられて」

異国の幼稚園に通う子供たちのために、まず絵本から多言語化を進めていった。そうやって集めたいろいろな国の絵本を読み聞かせる、お話会も開いている。韓国語と日本語の会が中心だが、2012年あたりからは、「タイ語でもやりましょう」「タガログ語ならできます」とボランティアが名乗りを上げたこともあり、だんだん多国籍化していった。

「5年ほど前からは、アラビア語のお話会もはじめたんです」

前回は、現地に駐在経験のある人、アラブの文化に興味がある人、それにエジプト人の家族連れなどが集まってきたそうだ。民族衣装を着たり、ヤシでつくった工芸品など土地のものを持ち寄ったり、子供たちに絵本を読むだけでなく、大人も文化を知るきっかけになると好評だ。アラビア語で自分の名前を書いてみようというコーナーでは、娘がアラブ人と結婚したのだというお父さんがけんめいに取り組んでいたそうだ。

「外国人にとっては母国語に触れる、日本人にとっては異文化に触れる機会になれば」

加えて、大久保図書館では日本語の学習支援も行っている。地域の幼稚園や保育園に出張して、お話会をすることもあるのだ。外国人の子供に日本の絵本を読み聞かせ、少しでも日本語に接してもらう。また上階のホールを使い「歌を歌って日本語を覚えよう」という催しも行う。それにNPOの協力を得て、「日本語のやさしい本を読んでみよう」というワークショップも開いている。

「子供だけではなくて、もう日本に長いこと暮らしているって大人もたくさん来るんですよ。日本語の会話に不自由はなくても、本を読むのは難しいという人は多いみたいで」

ひらがなカタカナ漢字が入り交じる日本語。日本人からしたって、ややこしい言葉だと思う。だからとりあえず実用的な会話をマスターし、読み書きは後回しという気持ちはよくわかる。僕もタイで暮らしているときは、どうにか話すことはできても読み書きはおろそかなまま過ごしてきてしまったものだ。そんな大人が改めて勉強し直す場も、大久保図書館はつくっているのだ。

「多国籍図書館」として、さらに多言語での生活情報発信も大切な役目だ。東京都や新宿区が発行している在住外国人向けのパンフレットなどは、たいていここでも揃う。住民がもらう区の情報や緊急連絡先、ごみ出しの方法といった冊子も、多言語化されている。無料の日本語教室とか、反対に外国の文化を日本に伝えようといったクラスのチラシもある、子育て支援をしている団体と協力して「外国人ママを対象にした多言語育児」なんて教室を開くこともあるそうだ。

「お話会、日本語学習支援、そして生活情報の発信。この3本の柱をもとに運営しています」

という大久保図書館には、外国人の職員もいる。韓国人と中国人のスタッフが、ふだんの貸出業務のほかに、多言語お話会や日本語学習にも力を入れている。

もちろん来館者も「統計はないですが、体感としては4割くらい」つまり新大久保の住民比率とほぼ同じ割合で、外国人だ。毎日、何人かの外国人が新しく貸し出しカードをつくりにやってくる。

「前もモンゴル人の方から聞かれたのですが、外国人でも本を借りていいのですか、有料ですよねって人がかなりいるんです。住所があれば誰でも借りられるしお金はかかりませんと伝えると、本当に喜んでもらえます」

そんな外国人たちに米田さんや中国人、韓国人のスタッフは生活情報のチラシを添えて渡したり、お話会に誘ったりするのだそうだ。

「勉強している外国の方に話しかけちゃうこともあるんですよ。熱中しているときは悪いから、息抜きしてるところを見計らって。こんなイベントやるんですが、どうですかって」

お話会やワークショップなど、大久保図書館が行っているさまざまな取り組みは、ホームページや区の多文化共生推進課などでも告知しているし、日本語学校や区役所などにもチラシを置いている。それでもなかなか周知はされない。

「だから、なるべく声をかけて、お知らせしようと。日本人と外国人では、共通の土台がいくらか少ないでしょう。だからそのぶんだけ顔を合わせて、信頼してもらうことが必要なのかなと思っています」

そうやってリアルで対面した人ほど、やっぱりイベントに来てくれるし、友達を連れてきてくれる。ときには「こんな会はどうですか」とアイデアをくれたりもする。

「韓国人と中国人のスタッフにも、来館者にどんどん世間話しちゃっていいよ、って言ってあるんです」

どんな本や資料がほしいか、生活でなにか困っていることはないか、なにかあればいつでも聞いてほしい……そうやって声をかけ、顔を合わせて言葉を交わしているうちに、「大久保図書館には外国人のスタッフがいる、外国人に親しくしてくれる」と口コミで広がっていく。

「どの国の誰でも、気軽になにかを聞ける雰囲気をつくりたいんです」

そう語る米田さんの方針もあってか、大久保図書館はいつしか、駆け込み寺のように、いろいろな人が訪れるひとつのコミュニティとなっていった。

「スマホをなくしたのだけど、日本に来たばかりでどうすればいいのかわからないという人が飛び込んできたり。牛丼屋のチラシを持った中国人のお母さんと娘さんが話しかけてきたこともあります。明日うちの子がこの店の面接なんです、メニューを日本語で覚えたいから手伝ってほしいなんて言われて。牛皿がいくら、並みがいくらで、なんてみんなで説明して、がんばって！　と送り出したりね」

いかにも愉快そうに、米田さんは笑う。

こうした多文化展開については、日本人の住民から反対意見も寄せられてきた。毎年末に利用者アンケートを取っているのだが「外国人向けのサービスはやめるべき」という声も、実は多かった。新大久保はほんの10年かそこらで、一気に多国籍化した街だ。そこに違和感を持つ日本人もいる。ついていけない高齢者もいる。外国人には住んでほしくないという人もいる。

「それでも、日本人と外国人が一緒になって、わいわいがやがやなんだか楽しそうにやってるってところを、どんどんアピールすることが大事なのかなと思っています。そうすればもしかしたら、外国人をななめに見ている人も気持ちが変わるかもしれない。外国人も話せる連中なのかと思う人が出てくるかもしれない。時間はかかると思うんですよ。でも、そういう人がひとり、ふたりと増えてきてくれれば」

米田さんと同じようなことを、「４か国会議」を進めている新大久保商店街の武田さんも「新宿八百屋」の荒巻さんも、この街で異文化を相手に試行錯誤している人たちは、誰もが言うのだ。「まず顔を合わせること、知ること」が大切なのだと。それはきっと、誰だって思いつく、シンプルでありきたりなアイデアなのかもしれない。でも実際に相手を知るために、見知らぬ人たちの中に飛び込んでいくのはなかなか勇気がいるものだ。新大久保はそんな勇気ある人々によって、少しずつ共生の形が整えられてきたのだと思う。

「アンケートですが、多文化サービスをやめてほしいという意見、年々減っているんです」

そう米田さんは言う。もちろん、これをもってひと口に「理解が進んだ」と言うのは難しい。「外国人にはいなくなってほしいけれど、それを声高に訴えるのも疲れた」という人もいる。新大久保がいやで出ていく日本人も多い。「これだけ外国人が増えちゃったんだから、国際化に反対してもいまさらしょうがないだろう」というしぶしぶな妥協の声。日本有数の多文化タウンでも、当たり前だが「諸手（もろて）を挙げて外国人歓迎」という人ばかりではない。

それでも米田さんは一定の手ごたえを感じているし、全国でも例を見ない大久保図書館の取り組みは注目されてきてもいる。なんといっても新大久保は、日本の多国籍化の最前線なのだ。そこで「知」を担う図書館は、これからも大事な存在であるはずだ。

さあて、そろそろ夏本番だ。

大久保図書館では「多言語こわいお話会」が開かれる予定だ。アラビア語、中国語、韓国語、日本語で、怪談が語られる。きっといろいろな国の子供たちが、肝を冷やすだろう。日本の夏はこうなのだと、身をもって知ってもらわねばなるまい。

真夏の多国籍フェスティバル、開幕！

8月4日。朝から強烈な日差しだった。マンションのドアを開けると、もわんとした湿気に包まれる。大久保通りに出る頃には、すでに全身が汗で重い。この街に住むタイ人やベトナム人が「故郷より暑い」と音を上げる、日本の夏である。

大久保図書館のそば、新宿年金事務所前の広場は、即席の祭り会場になっていた。おおぜいの人々が慌ただしく右に左に走り、ブースの設置やらマイクの調整やら、食べ物の陳列に飲み物の搬入に、大騒ぎなのであった。その顔はさまざまだ。ネパール人、韓国人、日本人、ベトナム人……。今日は「新大久保フェス」なのだ。それも栄えある第1回。

「おう、ムロハシさん。来てくれたんだ」

新大久保商店街振興組合の事務局長、武田さんが受付をしていた。

「フェスやろうって決まったのが6月。時間があまりなくて、みんな仕事もある中で、それぞれの国の人が集まって、準備をよくがんばってくれたよね。もっとうまく、こちらが段取りできればよかったんだけど、ばたばたですよ」

汗をぬぐいながら笑う。この「新大久保フェス」は、商店街で開かれている「インターナショナル事業者交流会」、通称「4か国会議」を発展する形で開催が決まったものだ。街で商売するさまざまな国の人たちが定期的に会合し、顔を合わせて、意見をぶつけあい、商店街の活性化に取り組んでいるわけだけど、さらに関係を深めて、多国籍タウンとしてのしっかりした方向性を定めるには、なるほどフェスはいいかもしれない。日本人と外国人が、それに国の違う外国人同士が、ひとつのイベントに向かって協力するのだ。

街では昔から「大久保まつり」が10月に行われている。町会やほかの商店街も絡んだ大規模なもので、歴史も古い。それでも、

「まあ、ふたつあってもいいんじゃない（笑）。大久保まつりは観光客もたくさん来るけれど、こちらのフェスにはもっと地元の人も参加してもらえたらと思っています。外国の人たちもね、家族と一緒にたくさん来てくれれば」

と言う武田さんの言葉通りに、昼からはじまったフェスは賑（にぎ）わいを見せた。炎天下だったが、多彩な顔ぶれが続々と押し寄せる。近くのネパール料理店やグロッサリースト

アのネパール人たちも、奥さんや子供を連れてやってくる。『ネパリ・サマチャー』のマッラ編集長も民族衣装を着こなして、なかなかかっこいい。ステージでネパールの民謡や伝統音楽の演奏がはじまれば、自ら太鼓を手に演奏に加わる。

「ジモトだからね、ジモト。ここに、うちら住んでるから、やっぱり盛り上げないと」

マッラさんは何度も「ジモト」という日本語を使って笑う。

このフェスでは参加者たちがそれぞれの文化の歌や踊りや、さらに武道の演武を披露するのも目玉になっている。それに誰もが民族衣装を着こなして、艶(あで)やかだ。日本人は浴衣(ゆかた)姿もけっこういる。そしてとにかく目を引くのは、ベトナムのアオザイだろう。日本語学校の生徒たちや、地元住みの人も多いようだ。誰もが故郷で誂(あつら)えたアオザイを、なにか晴れの場で着たいと思って、日本に持ってきているのだ。

外国人向け賃貸保証を行っている会社ＧＴＮのベトナム人スタッフたちも、やはりアオザイ姿で飲み物の屋台を出していた。氷を浮かべた巨大クーラーボックスに、ベトナムのビール「３３３(バーバーバー)」や、祭りに欠かせないラムネを入れて売っていて、お客がひっきりなしだ。ひときわ華やかなイケメンと美女は、ベトナムにいたときからつきあっていて、つい先日、日本で結婚したのだという。新郎さんはＧＴＮで働き、新婦さんはまだ大学生。

「だんなさんに誘われて私も日本にきたんです」「式は日本とベトナム、どっちでも挙げたんです。新婚旅行はハロン湾で」「ね」

上／艶やかなアオザイ姿で飲み物の出店を切り盛りするベトナム人たち
中／ティラク・マッラ編集長もいつもと違う民族衣装姿
下／祭りのフィナーレは多民族入り交じって東京五輪音頭を踊った

なんて、聞いてもいないのに話しはじめる。「今日はベトナムを代表してフェスに参加しに来ました。たくさん売ります！」と、ふたりは意気込むのであった。その様子を見守っているのは、GTNの高見澤敏さんだ。彼はこの商店街の理事でもあるし、商店街の事業者として4か国会議に参加してもいる。

「学生時代からよく新大久保に出入りしていたんです。留学生に日本語を教える交流会を自分でつくって運営していたんですが、当時は留学生といえば韓国人で、韓国人といえば新大久保で。韓国人とルームシェアして新大久保に住んでいたこともあります。就職もこの街のａｕショップだったんです」

新大久保のａｕといえば、スマホの購入や契約のために外国人がひっきりなしに訪れる店舗だ。これまた地域の重要なインフラと言えるだろう。そこで働くうちに、高見澤さんは「職場と地域はもっとつながったほうがいいんじゃないか」と考えるようになった。商店街の活動に出向き、清掃活動や祭りにも参加、さらにGTNに転職してからは会社を巻き込んで、新大久保とつきあっている。

地域とつながっていくことが会社の知名度や売り上げのアップにも結びつくと思うし、会社としての社会貢献も必要なのだけど、と言いつつ、

「ライフワークですよね。好きでやっています。これが自分のコミュニティにもなるから」

彼の人柄を信頼して、ベトナム人のスタッフもフェスに参加し、新妻や友達を連れて

くる。みんな日本人やほかの外国人とも交流するだろう。そうやって街を通じたつながりをひとつでも増やすことが、フェスの目的であり、インターナショナル事業者交流会の目指すところなのだと思う。

新大久保歩きの先輩、「共住懇」

ベトナムといえば、フリーペーパー『Ja-Vi Times（ジャヴィ・タイムズ）』を発行している韓国人、朴さんも来ていた。新大久保各所で配布していたフリーペーパーだったが、17号をもって残念ながら休刊となってしまったのだそうだ。

「広告主からの反応があまりよくなくて。日本の中のベトナム人社会は若いでしょう。若い人はやはり、あまりカミは見ないですね」

もともと紙媒体は、朴さんのロマンだったのだと思う。日本に来た当初、韓国語のフリーペーパーに救われた体験。それをいまの留学生にも伝えたい。しかし時代は変わったことを再確認して、カミは休止し、かねて計画していた通りにウェブに移行していく、ということらしい。

そして朴さんは「東京ベトナム協会」で、精力的に活動を開始していた。日越の経済、人材や文化の交流を行っていくという。その会員の日本人、ベトナム人もフェスに参加していた。

「エッグコーヒー」のドゥックさんは子供を連れてきていた。

「ふだんは保育園に預けているんです。イケメン通りの」

さすが新大久保にある保育園だけあって、子供たちはベトナム人のほか韓国人、中国人、ネパール人などさまざまで、日本人はむしろ少ないらしい。

「私は今日はあんまり仕事ないんです。ベトナムのバンドとか、フェスに出たいって人たちを紹介したくらいで」

と、ふだんはあまり見せないパパの顔で、会場を駆けまわる子供の後についていくのだった。

酷暑ともいえる暑さになったが、フェスはさらに賑わいを増していた。各国民族衣装の体験ブースはいろんな国の女の子たちが入り交じって写真を撮るのに忙しく、もう誰がどこの国の人なのかわからない。韓国の舞踏や、ベトナム人による空手の演武、さらにブラジルの格闘技カポエラなどが次々と披露された。食べ物屋台はネパールのモモや韓国のトッポギ、それに新大久保では数少ない本格手打ちうどんの「伊予路」さんも出店していた。熱気の中で食べる冷やしうどんはことさらにいけた。

そんなさまざまなブースの中で、冊子を並べている人たちが目についた。

『OKUBO　このまちの未来を考える　多文化コミュニケーション情報紙』

とある。はっとした。見せていただくと、手づくりの紙面の中で、新大久保に生きるさまざまな外国人、日本人を取材し、紹介しているのだ。そこに登場するのは東京媽祖廟(びょう)の連さん、ドゥックさん、4か国会議……バックナンバーを集めた合本も販売されていて、それはもう新大久保の歴史そのものだった。1999年に創刊後、古くからある日本人の商店街、増え続ける外国人の店、両者の交じりあいや軋轢(あつれき)をルポし、江戸以降の移り変わりを追い、行政にも多文化共生への取り組みを丹念に取材している。こんな雑誌があったのか……。

負けた、と思った。僕のやろうとしていることを、すべて先取りしているのであった。しかも20年も先輩なのである。唇を嚙(か)む。自らの取材意義を見失いそうになる。

しかし、どうにか気を取り直す。実に悔しかったが、先達にはやはり仁義を切らなくてはなるまい。『OKUBO』を発刊している団体「共住懇」の代表、山本重幸(やまもとしげゆき)さんにお話を聞かせていただいた。

「もともとは1992年に『外国人とともに住む新宿区まちづくり懇談会』として活動をはじめたんです。90年代初頭から、新大久保ではちょっと全国的にも見ない勢いで外国人住民が増えていったので、いまなにが起きているのか考えようと」

その頃はきっと、歌舞伎町のアジア系ホステスを先駆者として、少しずつ外国人が暮らすためのインフラが整えられつつあった時代だろう。山本さんたち共住懇のメンバーは、そんな新大久保のフィールドワークを重ねていった。外国人や識者を招いてミーティングを開いたり、まだまだ珍しかったエスニックレストランをひとつひとつ訪ねていったり、それらを書籍としてまとめたりと精力的に活動していたそうだ。このフェスにも似た「アジアの祭」を開催したこともあった。街を考える公開講座「おおくぼ学校」もたくさんの人を集めた。

「99年に『OKUBO』を創刊しました。2002年から名前を共住懇に改め、いまも会合を続けています」

この共住懇には、稲葉佳子さんという方も入っている。法政大学で大学院講師を務め、新宿区の「多文化共生まちづくり会議」委員でもある。新大久保の多国籍化に早くから着目し、外国人の住環境や街の変遷を研究してきた。書籍も数多く、とりわけ『オオクボ　都市の力』（学芸出版社）は僕も大いに参考にさせていただいている。いつか挨拶をと思っていたのだが、まさかこのフェスで稲葉さんとつながっている人々に会えるとは、考えてもいなかった。

『OKUBO』は隔月で発刊を続けたが「みんな疲れちゃって」2006年にいったん終わる。しかし「もう次は出ないの？」と街の人に声をかけられて復刊、いまは「ときどき刊」として出している。

その間ずっと共住懇は、街の移り変わりを見てきた。

「95年くらいにビザが厳しくなって、東南アジアの人々が少なくなったんです。これで活動もいち段落かなと思ったら、今度は韓国の事業者が増えていった。その後にワールドカップで一気に盛り上がるんですが、どうもこれを見越して90年代後半から新大久保に進出していたニューカマーがかなりいたみたいですね」

こうして外国人が暮らす基盤が整備されてきたところに、震災以降はベトナム人やネパール人を中心とした多国籍化が進んだ。そのマーケットを目的にビジネスをする外国人が集まり、それが外国人住民をさらに呼び、どんどん膨張していく……山本さんの解説は、僕が街を歩いて人に聞きまわり、自分なりに構築してきた新大久保の30年史とほとんど同じだった。答え合わせをしてもらったようで、ちょっと嬉しい。

「ここはとにかく変化をしていく街なんです」

そう山本さんは言う。留学生もたくさんいるし、事業者にしても異国でビジネスをするのはなかなかにたいへんだ。だから数年で人や店は入れ替わっていく。そうなると、地元の日本人や商店街はコミュニケーションを取るのが難しい。先を見据えて長い目で交流を図れるのだろうか。そう悩んでいるうちにも、外国人は住民も商売人も、入れ替わりつつどんどん増えてくる。この街に腰を据え、先代から暮らしてきた商店街の日本人にとっては、あまりにも雑然としており、めまぐるしい。それに文化やマナーや商習慣の違いからくる衝突もたくさんあった。およそ30年間、街の人々はずっと「国際化」とやらにどう順応したらいいのか、苦しんできた。

それでも、こうしてフェスが開かれるまでになったのだ。

「いまも軋轢はあります。共住懇の活動にしたって、面白いと思ってくれる日本人もいれば、外国人との共存なんてとんでもないという人もいます。いろんな意見があって当然だと思います。でも、軋轢があるということは、交流があるということです。軋轢すらない、無関心の状態のほうがずっとこわいと思いますよ」

今日このフェスに集まってきたおおぜいの地域の日本人はきっと、外国人との交流や共存に少しでも関心がある人たちだ。でも大久保通りから南北に延びる狭い路地の住宅街の中には、関わり合いたくないという人もたくさんいる。山本さんの言う通り、いろいろな人がいて当たり前だろう。この意見の違いは、新大久保にどうしてもつきまとってくる話だ。

「この街は、流れていく街なんだよ」

山本さんと話しながらも、傍らに座って共住懇ブースの店番をしている、小さなおばあちゃんが気になっていた。銀髪を後ろで編み込んで、腰まで伸ばしている。まるでシッポのようだ。ハデな赤いTシャツ。ネパールのタルカリをつまみに、ベトナムの333（バーバーバー）をグビグビ飲んでいる。存在感を放っていた。引き寄せられるように、話しかけてみる。

「あのー、共住懇の方ですか。お名前とか……」

「ええ、あたし？　あたしは、おばちゃんで通っててさあ。みんなそう呼ぶんだよ」

はい、と差し出された名刺には「あらばき協働印刷　関根美子（せきねみいこ）」と書かれている。『OKUBO』の印刷を担当しているらしい。

「関根さんは、新大久保に住んでいるんですか？」

ネパールの総菜をつまみにベトナムのビールを飲む。おばちゃんと出会ったことで新大久保の暮らしがまたひとつ楽しくなった

「おばちゃんでいいって。あたしはここに来て40年くらいになるのかなあ。最初は駅のそばに事務所構えて、住んでたんだけどさ」

一瞬、言葉に詰まった。40年である。

「この街は、流れていく街なんだよ。いろんな国の人が混在して、いろんなほうに流れていく。いろんなことがある。それがあたしは好きでね、ずっと住んでるの。次はどんな国のどんな人が来るのかって、楽しみだよ」

なんて言って、スパイシーなタルカリを頰張る。聞けば「おばちゃん」の事務所に、共住懇も拠点を置いているのだという。このふしぎなかわいさがある老女に、山本さんもどうも頭が上がらない様子だ。

「この街の人たちがちゃんと生きられなかったら、日本の平和はない。世界の平和も、ない！　それがあたしの持論」

そう断言すると、おばちゃんはステージに向かっていった。

フェスはクライマックスを迎えていた。浴衣(ゆかた)の日本人も、アオザイのベトナム人もチョゴリの韓国人も、サリー姿のネパール人も、みんなが輪になって盆踊りを踊っていた。流れている曲は、あの「東京五輪音頭」。その2020年版だ。おばちゃんも商店街の理事長の女性と手を取って踊っている。

いろいろな課題がありながらも、多国籍の住民がアイデアを出し合い、準備を重ねて、ひとつの祭りをここまで盛り上げたのだ。たいへんな快挙なのかもしれないと、東京オリンピック開催を祝う音頭を聞きながら思った。

街の有名人、関根のおばちゃん

「ねえ、近くに住んでるんだっけ。だったらさ、こんど水曜日のお昼、ルーテル教会においでよ。カフェやってっから」

おばちゃんは関野牧師がいるあのルーテル教会の「常連」だった。毎週水曜日に教会で開かれる「牧師カフェ」には、たいてい顔を出すのだという。

誘われるがままに出向いてみると、近隣の住民の中に、おばちゃんの姿があった。ハデなモンペと雪駄のスタイルは、なぜだか銀髪お下げとよく合う。

「水曜日は、ここのパンでランチにするのよ」

フロアに並べられたテーブルに腰かけて、僕もパンとコーヒーをいただいた。新宿区福祉作業所の人たちがつくったというパンは、なるほどおいしい。

やがてピアノの演奏がはじまった。牧師カフェではこうして小さなコンサートも開かれる。その音色を聞いていると、ふしぎな気分になってきた。平日の昼下がりなんである。ふだんだったら、やれ取材だ校正だ打ち合わせだと、どたばたしている頃だろう。それなのに教会でコーヒーを飲みながら、ピアノの旋律に耳を傾けている。新大久保にこんな時間と空間があったのか、と思った。おばちゃんはキリスト教徒というわけでもない。たぶんこの場所から眺める街が好きなのだ。

「ここにはさ、いろんな人が来るから」

演奏の後、おばちゃんは言った。はっきりそうとは言わないが、僕が新大久保について本を書いていることを知って、街のことをよく知る人たちに引き合わせようとしてくれているのだった。そっけない顔をしながら、おばちゃんは誰彼となく紹介をしてくれる。

「マスコミは嫌いだよ」

というおばちゃんだが、なぜだか僕は気に入られた……というより、ウマが合ったという感じだろうか。母親よりも年上のおばちゃんと過ごすのが僕もなんだか楽しくなってきて、それからは毎週水曜日、牧師カフェに顔を出すことが習慣になっていった。

そうやってなんとなく、素性もあまり知らないままおばちゃんと友達づきあいするようになっていったのだけど、『OKUBO』のバックナンバーを読んだり、街の人たちから聞いたりするに、どうもこの人物がただものではないことがわかってきた。

かつては過激派の発行物の印刷を一手に担っていた闘士。

ウーマンリブの旗揚げや、かの「ピースボート」創設にも関わった女傑。

阪神・淡路大震災のときはそのピースボートと協力し、印刷機を担いで神戸に入り、被災者が必要とする情報を集めて毎日毎日刷りまくったという伝説。

実はそのスジでは、たいへんな有名人であるようなのだ。しかしそんなことをおくびにも出さず、「最近さ、大久保でどこか新しい店、開拓した？　食べに行こうよ」なんて言う。80歳近いいまも印刷所を経営し、『OKUBO』だけでなく被曝者の手記やインド古典舞踊の本などなどたくさんの仕事を手がけ、打ち合わせに駆けずり、パソコンに向かう日々。ときには関野さんのライブで踊り、どこかで河内音頭をやっていると聞けば出かけていき、その合間にフェイスブックで僕にメッセージを送ってきたりする。この小さな身体のどこに、これだけのエネルギーが秘められているのだろう。

ある夜のことだ。大久保通りを歩いていると、おばちゃんとばったり会った。もう11時過ぎだったと思う。おばちゃんはどこかで遊んでいて遅くなったようだ。

「飲みに行かない？」

にっこりと誘われて「ニュー・ムスタング」に入った。この時間から、ゆっくり話せて飲める店はここくらいだ。ネパールの路地裏そのままの店構えなので腰が引ける日本人もいるのだが、おばちゃんはなんとも思わない様子でネパールのモモをつまみに、エベレストビールを飲む。

「この街にいるだけで、世界旅行ができるよね」

そう笑うおばちゃんから40年遅れて、僕も新大久保を歩いている。頼もしい大先輩ができたと思った。

4か国会議を引っ張る商店街の理事長は、外国人も利用するはんこ屋さん

新大久保フェスの最後、おばちゃんと「東京五輪音頭」を踊っていたのが、新大久保商店街の理事長である伊藤節子さんだ。「インターナショナル事業者交流会」の取りまとめ役でもある。この街の多国籍化、融和を担っているボスなのである。僕はいくぶん緊張しながら、伊藤さんが経営する「島村印店」にお邪魔した。

お店のたたずまいはいかにも昔懐かしい商店街の一角という感じだが、よく見ると軒先のラックに『ネパリ・サマチャー』が置かれていたりする。そして外国人用に印鑑をつくっているという貼り紙が目を引く。

「いまは印鑑の注文の7、8割が外国人じゃないかな。漢字のものや英語のもの、カタカナもありますが、みんな銀行印をつくりに来るんですよ」

そう伊藤さんは言う。外国人が銀行印、意外なようにも思ったが、確かにこの国では銀行口座を開設するにあたって一般的には銀行印が必要だ。口座とキャッシュカードがなければ生活は不便なので、留学生でも誰でも外国人は日本で暮らしはじめるにあたって、まず印鑑をつくるという人が多いのだそうだ。日本人にはなかなかわからない、外

国人のこんな生活の話は面白い。

「ビジネスをしてる人は、しっかりした実印をつくりに来ますね。ベトナムのドゥックさんもうちで実印をつくってくれたんです」

外国人のお客が増えはじめたのは10数年前だという。ヨンさま以降、新大久保がコリアンタウン化してから、韓国人がやってくるようになった。ところがこの4、5年は、韓国人以外の外国人も急激に増えたという。とくに留学生たちが、島村印店を訪れるようになった。東日本大震災以降に多国籍化が進んだ街の姿を映し出している。

「でも、今年（2019年）はネパールの留学生は来なかったね。ビザがうるさいって聞いてるけど」

と、細かな入管情勢までが伝わってくるのだ。

外国人が漢字やカタカナの印鑑をつくる一方で、ハングルの印鑑をほしがるのは日本人の女の子たち。韓流に夢中になってハマりこんでいくうちに、韓国語の勉強をはじめて読み書きができるまでになる人もいる。そんな彼女たちが散策のついでにハングルの印鑑をつくりに来るのだという。

流れていく時代に合わせて業態を変化させてきた島村印店だが、創業は戦後まもなく、1946年（昭和21年）にまでさかのぼる。伊藤さんの祖母は戦前から大久保1丁目に住んでいたが、そこに復員してきた父が印鑑の店をはじめた。

その時代の新大久保は、まさに日本のごく普通の商店街だったようだ。大久保通りの左右には、肉屋や魚屋や乾物屋や履物屋、豆腐にたばこに建具にレコード、それに印鑑と、雑多な専門店が肩寄せあい、賑やかに軒を連ねていた。昭和30年代の島村印店を写した写真を見ると、大久保通りには木造2階建ての商店が並び、オート三輪が走っている。『ALWAYS 三丁目の夕日』的な光景だ。

上向きな世の中で、個人商店の多い街だ。高度経済成長期にはずいぶんと繁盛したという。街全体に活気があった。

「1989年（平成元年）に父から店を継いだのですが、商店街には200軒くらいの店があったんじゃないかなあ。その頃はぜんぶ日本人の店でね。バブルもあったし、商店街みんな景気良かったですよ」

しかし、この時代から少しずつ街は変わっていく。バブルに煽られて土地を手放す地主が出てきた。チェーンの店が進出してくる。そしてバブルが弾けると、とたんに不景気になった。あやしげな連中が目立つようになる。ヤクザ、ホームレス、それに立ちんぼ……どこそこのコンビニの前に立っているイラン人は麻薬の売人なんだぜ、なんて、子供たちがうわさしあう。

バブル前から新大久保に住むようになっていた外国人は、韓国や台湾など歌舞伎町のホステスが中心だ。そこに加えて、中南米や東南アジアの女性たちが街角に立ち、男に流し目を送るようになる。いまとはまったく違った意味で、カオスだった。

「暗い、汚い、こわい。街にそんなイメージがついちゃった。それが平成最初の10年間」
だから街を出ていく人もいた。商売をやめて、ビルのオーナーになる人も増える。その店子(たなこ)として、韓国の店が少しずつ入ってくるようになる。昔ながらの商店街の姿が、だんだんと崩れていく。地域住民の生活を支える店に交じり、外国人の経営する食堂がちらほらと目につくようになる。やはり韓国が多かったが、タイやインドの店もあったようだ。

そして、日韓ワールドカップとヨンさまブームで、新大久保は「ブレイク」し、街は激変していく。観光地としてのコリアンタウン化が進み、治安も改善され、さらに震災以降は東南アジア、南アジアの留学生や、ムスリムの商売人も激増。いつの間にか、オリンピックを見据えてゲストハウスや民泊も住宅街の中に入り込んでいく。いつの間にか、日本でも例を見ない国際化の進んだ街になったのだけど、戸惑っているのは商店街の人々であり、古くからの住民だ。おばちゃんや共住懇のように、多文化を面白がる人々もいれば、言葉や文化の違う外国人を歓迎しない意見もある。商売の競合になるからと外国人の店が増えることを警戒する人もいる。いろいろな声がありながらも、外国人はどんどん増えていく。

「だからこそ、話し合わないと。一緒にこの街に住んで、商売しているなら、お互いにどうしてほしいのか、話さないとはじまらないでしょ。顔を合わせて話さないと、どこそこの国はこうだとか、悪口やうわさするだけで終わっちゃう」

伊藤さんは言う。せっかくいろいろな国の人が集まるようになったのだから、多文化共生の規範になる街にしたい。そう昔から思っていたのだそうだ。

そんなときだ。韓国人たちが新宿区に話を持ちかけたのだという。新大久保で商売をする人々で、国を超えて交流ができないか……。そんな相談が「しんじゅく多文化共生プラザ」に持ちこまれ、それでは商店街全体でなにか場を持ってはどうか、という話に展開し、「インターナショナル事業者交流会」がはじまった。伊藤さんは、その第1回から責任者のひとりとして参加している。そうして外国人たちと実際に顔を合わせ、話し合い、さらにフェスの成功までたどりついた。

「フェスをやることが決まったのは6月で、開催が8月でしょ。だから毎週毎週ずっと準備をしてきたけど、外国人はみんな頼もしいのよ。意見はどんどん出すし、すぐに動くし。それに比べると、日本人の商店街の理事会はなんだかしーんとしちゃって、誰もなにも言わないことだってある。無理もないかもしれないんだけどね、若くても50歳とかだし」

日本人よりもずいぶん若い外国人たちは、それぞれ仕事を持ちながら、フェスのために奔走した。なにを出店するのか、どんな出し物をやるのか、ポスターを作ろうよ、それ貼ってくれるようにあちこちに頼んでくるよ……。

「人の使い方、ものを見る目や、先々への展望。みんないいものを持っていると思う。それを地域のために使ってくれたら」

そんな外国人と、日本人との取り組みを冷ややかに見る人も少なくはない。伊藤さんのように「外国人と積極的に交流していこう」という人は商店街でも少数派だし、たいていはあまり興味を持ってくれない。フェスなんかやっても誰も手助けしないよ、と言われたこともある。

「それでもね、当日は手が空いている人たちが手伝いに来てくれてね」

フェスには、会議のきっかけをつくった区の多文化共生推進課の課長が三代にわたって来場してくれた。さらに大久保小学校を卒業した現新宿区長・吉住健一（よしずみけんいち）さんも来た。また、多文化共生プラザをつくるなど、外国人との共存を打ち出してきた前新宿区長・中山弘子（なかやまひろこ）さんも顔を出した。

「私が続けてきたことは間違いじゃなかった。このまま続けていいんだなあってちょっと嬉（うれ）しくなったよね」

フェスは大成功に終わったわけだが、それも地域の人々が「まずは顔を合わせて」と、地道に近所づきあいと「インターナショナル事業者交流会」を続けてきた結果だろう。

「日本人も外国人も、顔の見えるつきあいが広がっていけば、ひとりひとり変わっていくんじゃないかな。悪いもんじゃないって思えるようになるんじゃないかな。少しずつ友達になっちゃえばいいんだよ」

新大久保も商店街の高齢化が進む。それは日本全国どこも同じだ。商店街の執行部でも、若い人たちが少なくなってきている。

「いずれ、執行部の部長を韓国人に任せるとか、そういう話になってくると思うんですよ。将来的には、日本人じゃない理事長が生まれてもいいし。あの人がいいね、とみんなが自然に思う人がたまたま外国人だったって、そんな未来。そう変わっていかないと、商店街そのものがなくなっちゃうと思うんだよね」

昔はこういう街になるなんて想像もしなかったけれど、だから面白いよね、と伊藤さんは言う。

あのヒンドゥー廟もまた、多国籍混在の場所だった

大久保駅そば「サライケバブ」は、食事どきともなると行列ができる。並んでいるお客は、日本人も外国人もさまざまだ。狭い通りに列をなす人々を、店主のトルコ人の兄ちゃんが「あぶないよ、クルマクルマ」とか注意をする。常に陽気でテンションが高く、お客と冗談を飛ばし合い、次から次へと注文をさばく。

「はい、シンチャオ。久しぶり。なに食べる」

ちゃあんとベトナム語の挨拶(あいさつ)くらいは知っているのだ。

「サライ・スペシャル、フタツ」

「ソースは？　フツウカライ」

「カライ」

トルコの兄ちゃんは肉柱からチキンを削ぎ落とすと、猛然と炒めていく。汗をかきながら、慌ただしくヘラを動かし、同時に立て続けにオーダーを取っていく。次のインド人らしき客もやはり常連か、短く言い放つ。

「ドン」

「ドンね。たまごハンジュク、大丈夫？」

「ダイジョブ」

ケバブ丼なるメニューも外国人には人気なのであった。一部の常連は「ドン」と呼ぶ。ほかにもケバブ海苔巻きなんてのもメニューにはあるが、僕はやはりオーソドックスなケバブサンドがいい。順番が回ってきたので兄ちゃんに告げる。

「Lサイズ、肉はチキンとビーフのミックス、ソースはイスケンデル」

「飲みモノ、オチャ、コーラ」

「オチャ」

ウーロン茶と一緒に手渡されたケバブはずっしりと重い。紙袋を開けると、やりすぎだろうと思うような量の肉が詰め込まれている。肉汁があふれて、香ばしい匂いが食欲をそそる。たまらずかぶりつく。イスケンデルとはトマトソースとヨーグルトを混ぜたもので、これがジャンクな感じで肉と最高に合うのだ。ベトナム人とインド人に挟まれて、夢中になってあっという間に食べつくしてしまった。

大満足の夕食を終えて、僕はそのまま狭い路地を北に歩いていく。左にそびえるJRの高架の壁からは、ときおり中央線が通過する大音響が轟く。少し歩くと、あのヒンドゥー教の廟がある。はじめて発見したのは梅雨の頃だったか。あれから何度か足を運んだが、いつも誰もおらず、ヒンドゥーの神像だけが暗闇に佇むばかり。また空振りかなあと思っていたのだが……。

「あっ」

思わず声が漏れた。明かりがついているのだ。扉の前にはいくつもの靴が並んでいる。そっとのぞき込んでみる。神像を囲むように、3人の男が車座になっていた。ネパール人かインド人かはわからないが、そのうちのひとり、いかにも屈強な感じのハゲ頭が僕に気づいた。手招きをする。入っていいんだろうか。戸惑うが、「来い、さあ来い」とぶんぶん手を振っている。

「失礼しまーす……」

からからから、とガラス戸を開けてみる。めちゃくちゃに狭い。三角形の不自然なスペースはタタミでいえば4畳半くらいではないのか。そのうち半分を神さまと祭壇が占め、冷蔵庫やらロッカーやらも置かれ、3人はすみっこで肩寄せあっている。あと2、3人も入ればもういっぱいだ。

「入るときそこ、その水で手を洗ってね。ここ神さまの場所だから」

シヴァ神とパールヴァティー神を前に、左から僕、ミトラさん。右から2番目が廟を取り仕切るナンディさん

入口に置かれたポリバケツを示す。言われるがままにお清めをしたが、手を洗った水が通りに流れ出てしまう。水道はないのだろうか。

改めてお邪魔してみる。なんとなく気まずい。どうしたものか、まずは自己紹介かなと思っていたら、招き入れてくれた人がにっこりと笑顔で聞いてきた。

「近所の人？」

「ああ、ええ。大久保2丁目で」

「えっ。私も2丁目。カクヤスのそば。交番の前の」

「近所じゃないですか！　僕は交番のわきの路地を入ったとこですよ」

思わぬローカルトークで場の雰囲気が少し和む。聞いてみればその人……いやウッタム・ミトラさんはバングラデシュ人で、貿易関連の仕事をしているのだという。

「でも、バングラデシュってムスリムなんじゃ？」

「ヒンドゥー教もいるよ。10%くらいね」

「じゃあ、ここに来るのはみんなバングラのヒンドゥー教徒？」

「いろいろ。この人はインド人、この人はネパール人」

指し示されたネパールのおじさんは、真っ白な服に身を包み、シヴァの像と向き合うと、祝詞的なものかお経か、なにやら唱えはじめた。そして僕の額にさっと指で触れる。赤い粉をといた「ティカ」という印を塗ってくれたのだ。ヒンドゥー教の魔よけ、おまじないのようなものだろうか。インドで寺院に行ったとき、やはりこうして赤い印をいただいたことを思い出す。このネパールのおじさんは、僧侶のような役割を担っているようだ。

「じゃあ、さっきからみんなナニ語で話してるの」

「ヒンディー語。ヒンディーはインドの言葉だけど、ネパール人もバングラデシュ人も、だいたいわかる。それに、英語も日本語もミックスで」

へえー。こんな小さなあやしげな廟だけど、インターナショナルな場所だったんだ。国を超えて、日本に暮らすヒンドゥー教徒が集まってくるのだという。数多の神がおわすヒンドゥー教だが、中でもシヴァ神を大切にする人々が中心になっている。去年からここを借りて、とりあえずシヴァ神を安置しているのだが、やはりあくまで「仮住まい」であり、もっと大きなところに越したい。できれば土地ごと買って、きちんとお寺をつくりたいのだという。

「だからほら、ドネーション」

日本の賽銭箱みたいなのが置かれている。訪れる人たちが喜捨していくそうなので、僕も心ばかり協力させていただいた。

「月曜日がね、シヴァの日なの。だからちょうど今頃、毎週月曜日の夕方6時から8時くらいかな。いつも誰か集まってるからまた来てよ。とくに来週はちょっと大きなお祭りだから」

ミトラさんはそう言った。いままで僕がここに来ていた日は、いずれも月曜日ではなかったのだ。だから誰もいなかった。それがたまたま今日はピンポイントで月曜夕方、寄り合いのタイミングにぴったり合ったというわけだ。

ひと通り祈りは終わったのか、ネパールのおじさんはなにやらタッパを引っ張り出した。開けたとたん、いい匂いが漂う。3人は手際よく、紙皿に料理を取り分けていく。僕にも配られた。バングラデシュ風のマッシュポテト、とでも言おうか。唐辛子や香辛料がいろいろ入っているようで、ややスパイシーだ。ボッタ、というらしい。それに野菜のスパイス煮つけか、ネパールのタルカリのようなものも添えられる。どちらも素朴な味で、なんだかほっとする。お祈りの後はこうしてみんなで簡単な食事をするそうだ。みかんやバナナも出てきた。ケバブでお腹いっぱいではあったが、ありがたく食べさせていただく。台湾の媽祖廟でもルーテル教会でも、あるいは皆中稲荷神社の縁日でも、神の前でともに祈り、ともに食べるというのは大切なしきたりなのだ。それは国や民族がなんであれ変わらない。

「月曜ね」

僕の素性をほとんど聞かず、3人は日本語でそう言って頷いた。

毎週月曜はシヴァ神の日

翌週の月曜日。言われた通り夕方6時にシヴァ廟に行ってみると、いつもとまったく様相が異なっていた。サリー姿のおばちゃんたちや、浅黒い肌の男たちが賑やかに集まっている。20人ほどもいるだろうか。もちろん廟には入りきらず、半分以上の人は狭い通りにたむろし、そこらのガードレールに腰かけている。大久保駅から奥の住宅地へと帰っていく日本人やベトナム人が、ふしぎそうに視線を投げかけてくる。

すぐにミトラさんが僕を見つけ、手を上げてきた。

「ありがとね、来てくれて嬉しいね」

「今日はなんのお祭りなんですか」

とっても狭い廟だが、バングラデシュ、ネパール、インドのヒンドゥー教徒が集まり手づくりの儀式を行う

「シヴァの神さまのエネルギーがすごく強くなる日。あなたも祈るといいよ。ビジネスきっとうまくいく」

なんて笑う。なかなかコワモテのミトラさんだが、笑顔は人なつこい。どんな祭りなのかはいまいち要領を得なかったが、ググってみるとヒンドゥー教では満月から13日目か14日目にシヴァラートリーという祭りというか礼拝が行われる。どうもコレらしい。

とはいえ国ごと地域ごとに作法は違うようで、グダグダッとした感じでなんとなくはじまったプージャ（ヒンドゥー教の礼拝の儀式）では、まずサリーのおばちゃんたちが手拍子に乗ってなにやら楽しげに歌い出したが、ミトラさんは「ネパール語で、よくわかんない。はじめて聞いた」なんて言う。ネパール人とバングラデシュ人とインド人が、ヒンドゥー教徒というつながりで、新大久保のこの廟に集まってきている。祭りもそれぞれの流儀ごちゃまぜでやっているようだ。

歌が終わると、あの僧侶のネパールおじさんが高らかにお経を唱え、鉦や太鼓が打ち鳴らされて、なんだか厳かな感じになった。誰もが頭を垂れ、手を合わせ、祈る。僧侶のおじさんがシヴァの前の器に入った聖水をぱっぱと振りまく。

しかし廟の収容人数は10人もない。お祈りも順番だ。あとの人は通りで待っているしかないのでなんとなく話しかけてみると、実にいろいろな人が来ているのだった。ふだんはセブン-イレブンの店長だというバングラデシュ人、近所に住んでるので遊びに来たという子連れのネパール人。日本人もいた。ミトラさんたちの昔からの知人で、この廟ができた当初から支援しているのだという。ニューヨーク出身のアメリカ人女性は英語とヨガの教師をしているそうだ。日本ではなんだか健康体操みたいな扱いのヨガだが、もとはヒンドゥー教の伝統的な修行法だ。そのヨガつながりで、廟を知ったのだという。

本場インドからガチのヨガマスターも来ていた。ヌプル・テワリさんというコルカタ出身の美女で、日本には20年近く住み、熊本地震をきっかけにチャリティとしてのヨガをはじめたという。港区の神谷町にある光明寺の一角で「お寺ヨガ」を開くこともあるらしい。この日は彼女の指導でメディテーションも行われたので、僕も加わらせてもらった。外国人の皆さんも満員電車やせかせかした社会やすぐに怒るおじさんたちに、日本人と同じようにストレスをため込んでいる。そんなとき静かに目を閉じてヨガの作法でリラックスし、ポジティブな気持ちで心を満たそうとするのだという。

いろいろな儀式やらヨガやらが続きながらも、用がある人は帰り、また別の人が来て、と入れ替わりながら、きわめて適当な感じで祭りは進み、やがて食事が出された。じゃがいものカレーやダル、ライスプディングなど、どれもお母さんたちの手作りなのだろう。近所のグロッサリーストアで買ってきたらしいお菓子も並ぶ。こうして和気あいあいと食事をともにしながら、ぐちを言い合い、家族のことを話し、ひととき空気は故郷のものに変わる。部外者の僕ですら、なんだか親戚（しんせき）の法事に顔を出しているような気分だ。

異国で生きていくにはきっと、こんな場所が必要なのだ。根っこを同じくする人たちで集まり、気を使わずくつろげる場所。

「でも、やっぱり狭すぎるんです。もっと広い場所を見つけないと」

と言うのは、ナンディ・クマルさんというやさしげなインテリ風の紳士だ。ミトラさんとともに、この廟を運営している。やはりバングラデシュ人で、赤坂（あかさか）にバングラデシュ料理のレストランを持っている。日本語はえらく達者で、日本に住んでずいぶん長いらしい。

「なにか祭りをやるにしても、これでは近所にも迷惑だし、水道やトイレもない。いい物件を探しているのですが、なかなか」

新しい寺もやはり新大久保で、と考えている。

「ここにはヒンドゥー教徒も多いし、住んでいない人でもグロッサリーストアやレストランを目的にやってきます。集まりやすいところなんです」

この街にはさまざまな宗教施設がある。日本の寺や神社や教会も、イスラム教徒のモスクも、台湾の廟や韓国の教会も、それぞれのコミュニティが必要に迫られてつくってきた。たぶん食材店やレストランや送金会社と同じように、あるいはそれ以上に暮らしには欠かせない、いわば「心のインフラ」なのだと思う。祈りを通じて、ときには口実にして集まり、話し合える場所。社交場、寄り合いの場なのだ。

新大久保で大きな勢力となってきたネパール人やバングラデシュ人（の中のヒンドゥー教徒）たちも、自分たちの場がほしいと考えるようになったということだろう。自然な流れだと思った。この仮住まいの小さな廟は、果たしてしっかりした寺院に成長するのだろうか。

雨の日の真夜中、駅頭にて

「ベトナム・アオザイ」に顔を出すのは、たいてい終電もなくなった深夜だ。新宿の街で記者仲間や出版関係の人たちと飲んだ後、少し高揚した気分を抱えて歩いていると、なんとなくアジアの空気に浸りたくなる。

この夜も新宿三丁目で飲み、ひとりになると歌舞伎町を縦断して、職安通りのネオンを目指した。店に入ると、またもや見たことのないアオザイ娘であった。人の入れ替わりがやたらと激しい。ぜんぜん定着しないんである。

「新しい子だよ、ズンちゃん。カワイイでしょ」

とトゥイさんは相変わらずあっけらかんとした様子で紹介してくれる。確かにかわいい。しかしムラサキ色の頭と、小鼻のピアスがやや気になった。清楚な純白アオザイとはいくぶんアンバランスだが、若い子の流行りなんだろうか。ズンちゃんは戸惑うおじさんに挑発的な感じでかわいらしい口を開けると、その舌先にもピアスが光っているのであった。

「高田馬場に住んでまーす」

なんてピースを決める。話しにくくないんだろうか。もうひとりのユイちゃんもはじめて見るが、こちらはベトナム製造業の一大拠点の街ハイフォンにある日系企業で働いていたことがあるのだそうな。だから日本語は達者だ。

ふたりとも人のお金だと思ってがばがばドリンクを頼んでは、日本はなんであんな電車が混むのとか美容室が高すぎるとか文句を言って酔っぱらう。日本語で話してくれるので助かるが、客はあまり客とも思われず雑に扱われ、飲み友達のノリであるのがアジアの常。これはフィリピンパブでもタイパブでも似たようなものだ。この仕事抜きな感じが、日本のキャバクラやガールズバーよりも気楽で、僕には合っていた。

「日本人は働きすぎだけどさあ。ベトナムの男はぜんっぜん働かないの！ どうして女ばっか働かなきゃダメなの？ ベトナム人とはもう絶対つきあわない」とユイちゃんがぐちれば、トゥイさんも「ほんと！ これじゃベトナムの女がばかみたいじゃん」と同調する。それなら日本人のおじさんはどうだいという声はまったくスルーされたが、今夜もわいわいと賑やかに夜は更けていく。

やがて深夜のアルバイトを終えたベトナム人や、近所に住む韓国人なんかもやってくる。ベトナム駐在経験のある日本人のおじさんとか、シーシャを吸いに来たアラブ系もいるし、なぜだか欧米人旅行者が迷い込んでくることもある。いつも雑多なメンツであった。

ひとしきり騒いだ深夜2時過ぎ。店を後にする。小雨が降ってきていた。まっすぐ帰ろうかと思ったのだが、そういえばいくつか買い物があったと、「新宿八百屋」に向かった。24時間営業だから、この時間でも開いている。その近く、新大久保駅の前に差しかかったときのことだった。

大久保通りの歩道にうずたかく積まれたごみ袋の山に、倒れこんでいる男がいた。真っ白い服は、ムスリムのものだろう。酔っているのか、あるいは病気かなにかか。まさか死んでいるのだろうか。雨の中、ごみに突っ伏し、身動きひとつしない。気になった。しかし足を止める人はいない。深夜遅くでもそこそこ人通りはあるのに、日本人は誰もが見て見ぬふりをして去っていく。僕も少し気後れした。面倒だなと思った。
そんな中で、東南アジア系の女の子たちだけが、男を気にしていた。心配そうにのぞき込んだり、友達同士で話し合ったりしている。見かねた様子で、ひとりが傘を差し伸べた。

「だいじょうぶですか、だいじょうぶですか」

か細い声を聞いて、いくら僕でも足が動いた。近寄ってみると、男はうめいた。生きているようだ。酒臭い。女の子とふたりで助け起こし、ごみの山から立ち上がらせると、ぎょっとした。男の顔は右目が真っ黒に腫(は)れ上がり、立派なあごひげの上の唇は裂け、血まみれだったのだ。けんかでもしたのだろう。

「あの……いたいですか、びょういん、ですか」

「大丈夫OK。ありがとう。平気。きみは、どの国の人?」

男の日本語は流暢(りゅうちょう)だった。

「ベトナム」

かすかに笑って頷(うなず)くと、こちらにも視線を向けてくる。

「僕は、日本人ですが」

「そう。私はパキスタン。いろんな人がいるよね。もう大丈夫だから。本当に。ごめんね」

「これ」

ベトナム人の女の子は、ちょっとおびえた様子で男に傘を持たせると、足早に去っていった。僕も男に促され、駅前を後にした。高架の下から振り返ってみると、男は傘をさすこともなく力なくぶら下げ、いつまでも佇(たたず)んでいた。

第8章
「よそもの」たちが紡いできた新大久保の歴史

大久保通りが江戸時代にタイムスリップした

9月22日。この日は、2年に一度の大きな祭りである。皆中稲荷神社に行ってみると、すでに境内から人があふれるほどの混雑だった。鎧兜に身を固めた武将や足軽が居並ぶ。ひときわ目立つ真紅の兜の鉄炮組頭が、刀を手に鬨の声を上げる。男たちの雄叫びが続く。太鼓が打ち鳴らされる中、横一列に隊列を組んだ6人の鉄炮同心が、いっせいに火縄銃をブチかます。大音響とともに、祭りの幕が切って落とされた。今日は「鉄炮組百人隊　出陣の儀」だ。江戸時代、この地域に駐屯していた鉄炮部隊を偲ぶもので、なかなかに壮大な江戸絵巻なのである。

皆中稲荷神社を出発した軍勢は、立派な馬に打ち跨った鉄炮組頭以下、およそ２００人が大久保通りを練り歩いていく。本格的ないでたちで、まるで大河ドラマのようだが、背景が見慣れた新大久保の街並みというのが面白い。パレードを見た欧米人の観光客が声を上げてスマホを構え、近所の住民だろう東南アジア系の女の子たちや中国人の男女もついてくる。

隊列は街を警固するがごとく巡回すると、戸山小学校や、西戸山公園の野球場などで

イスラム横丁を練り歩く鎧武者。新大久保の街の原型をつくった鉄炮同心百人を偲ぶ祭りだ

陣を敷き、そこで火縄銃をぶっ放すのである。もちろん空砲だ。このデモンストレーション見たさに地域の住民が集まってきては、歓声を送る。気持ちの良い天気と相まって、和やかだった。

つかの間、江戸時代にタイムスリップさせてくれた百人隊は、最後に西戸山公園から文化通りを南下して、イスラム横丁に差しかかった。「ナスコ」に買い出しに来ていたムスリムや、その向かいの「ベトナムフォー」に来ていたベトナム人、それに近隣のさまざまな外国人が目を丸くしている。彼らに見送られて、隊列は大久保通りを渡って皆中稲荷神社に帰り、祭りは終わった。

この「鉄炮組百人隊」が暮らしていたことから、新大久保の街の西側は「百人町」という地名がつけられ、いまに至っている。

しかしそれ以前に、目立った記録は少ない。

江戸時代に入る前は、農村が広がるばかりであったらしい。僕にとっての重要参考書『OKUBO』を紐解いてみると、かつてこのあたりには蟹川という小川が流れていたのだという。この川は現在の歌舞伎町あたりを通って、明治通りから早稲田方面へと流れて、神田川に注いでいた。この川の流域が、現在の新大久保近辺で、どうも大きな窪地になっていたようなのだ。そこから「大窪」という地名がつけられ、やがて「大久保」に改められたという。

それ以外にも地名の由来には諸説ある。徳川以前に江戸城の城代も務めた、太田新六郎康資（1531～1581年）配下に大久保なる名前の者がおり、彼がこの地の統治を任ぜられたことから大久保と呼ばれるようになったという話。また新宿山ノ手七福神のひとつでもある東新宿の永福寺の山号が、かつて「大窪山」だったからという説（大窪山永福寺、と呼んだそうな）。

稲葉先生は『オオクボ　都市の力』の中で「地形説」を推しておられる。確かに現在でも明治通りの東側、若松方面に歩いて行くと、緩やかな下り坂が続く。いまでこそマンションや小規模なオフィスビルが並んでいるが、田畑ばかりの時代は目立った窪地だったのかもしれない。戸山公園も東側は、なだらかに下った先に広がっている。

江戸を守る「鉄炮百人隊」が「百人町」のもとになった

この街が歴史の表舞台に登場してくるのは、江戸の開発が本格化してからだ。ときは戦国末期。豊臣秀吉は、かの有名な小田原征伐によって北条氏を降伏させ、天下統一を果たす。1590年（天正18年）のことである。秀吉はそれから、北条氏の領地であった関東地方に、徳川家康を移封させるのだ。領地替え、お国替えである。家康は生まれた三河を中心とする支配地域から引っぺがされて、これからは江戸を任せると命じられたわけだ。その理由は諸説ある。家康の才を恐れた秀吉が、彼の地盤を削いでしまおうと案じた。まだ河川や湿地がたくさんありそれほど発展していなかった江戸を押しつけて、疲弊させようという目論見。あるいは逆に、大坂のように河川と入り江に恵まれた良港としての将来性を見抜き、家康に都市計画のすべてを任せたという話。

真相はわからないが、とにかく家康は同年8月1日、江戸に入城する。もちろん武将、軍のボスであるから、軍勢を伴っていた。その一団に、鉄炮同心百人という火縄銃部隊もいた。もともとは「服部半蔵」という名でも知られる服部正成麾下の、伊賀出身の人々で編成された軍だったようだ。

家康とともに江戸入りした鉄炮同心たちは、西方に対する守りを固めることが任務となった。陣を張ったのは現在の新宿1～2丁目あたりだったという。鉄炮同心を預けられ、指揮していたのはやはり三河出身で、家康の信任厚い武将・内藤清成(ないとうきよなり)だ。

秀吉の死後、家康は新時代を開き、江戸は統一日本の首都となる。そして伊賀からやってきた鉄炮同心たちは、臨時の警固部隊というよりは江戸常駐の防衛軍となっていく。内藤清成によって彼らの住居として選ばれたのが、陣地からほど近い大久保だったのだ。農村が広がっていたというその頃は、大きな窪地も手に取るようにわかったのだろうか。そのあたりに、大縄地つまり下級武士の住宅地が建設された。１６０２年（慶長(けいちょう)７年）のことだ。鉄炮同心のほか、弾薬部隊である鉄炮玉薬同心も住むその「新興住宅街」は、細長い短冊状の敷地が連なるものだった。東西を貫く大通りの南北に、幅が狭く奥行きがやたらに長い道がいくつもつくられ、この左右に屋敷が建てられていったのだ。南北に延びる細長い道は、相互に行き来する小路が少なく、どこへ行くにもいったん大通りまで出なくてはならない構造だ。もちろん、いざというとき賊が攻めにくくするための工夫であった。

この地割が、現在までそのまま残っている。東西の大通りは大久保通りだ。そこから南北にいくつも小さな路地が連なり、一軒家や小さなアパートが建てこむ。路地の中にはイケメン通りや文化通りや一番街など賑(にぎ)やかなところもあるが、基本的に狭く、細長い。この路地同士をつなぐ道も、いまだに少ない。実は大久保には、４００年前のたた

ＪＲ大久保駅北口のガード下には、鉄炮同心百人の壁画が描かれている。つつじも添えられている

ずまいがいまも保存されているのである。なかなか貴重な街なのだ。

　そして田園地帯だった大久保は、伊賀からやってきた軍隊が定住したことから、大きく変わっていく。「よそもの」がたくさん住みついたことがきっかけとなって、街として歩きはじめたのだ。以降、大久保には次々と「よそもの」が現れては住みついていく。在日韓国・朝鮮人、韓国系のニューカマー、いま急増している東南アジア系、南アジア系の外国人も、僕も「よそもの」だ。その原点は江戸初期にある。大久保は街として誕生したときから「よそもの」を受け入れ、文化を呑み込み、変化していく地だったのだ。そして大久保の一角は、住民である鉄炮同心百人の名から、やがて「百人町」と呼ばれるようになっていく。

ちなみに、内藤清成が築いた陣地を拠点にして、甲州街道上に宿場町が整備されることになる。1699年（元禄12年）のことだ。内藤家ゆかりの「新」しい「宿」場町だから、「内藤新宿」と名づけられた。ここから、日本を代表する繁華街・新宿の歴史がはじまったわけだが、大久保はその副産物だったといえるかもしれない。

新宿区の花「つつじ」のルーツとは

仕事といえば、江戸城の警備くらいである。担当は大手三ノ門だ。とはいえ天下太平の江戸の世、攻めてくる軍勢もなければ騒乱もない。鉄炮同心百人はヒマであった。そのほか殿が、上野の寛永寺やら、日光東照宮やらへ参られるとなれば、そのお供もいちおう担ったが、ほかにこれといった任務もない。そして相応にギャラは安く「三十俵二人扶持」だったとか。これは同じ江戸時代でも時期によって貨幣や米の価格が違うのでだいぶ変わってくるが、いまのお金に換算すると年収60万円とも150万円とも言われる。いずれにせよ厳しい額、ワーキングプアであった。

そこで鉄炮同心たちは、自活のためにアルバイトをはじめる。つつじの栽培と販売だ。いちおう武士である男どもが花を育てるというのもおかしな話だが、近隣の農村ではよく自生していたようなのだ。それに火縄銃に欠かせない黒色火薬の材料のひとつに木炭があるが、つつじの木でつくった炭は火力が強く適しているのだと考えられたのだという。さらに火薬の灰は、その木炭と硝石、硫黄（いおう）の混合物で、これがつつじ栽培の肥料に合っていたという説もある。

本業の傍らはじめた内職はいつしか評判となり、大久保はつつじの名所として江戸中に知られるようになる。1834〜1836年（天保（てんぽう）5〜7年）にかけて刊行された当時のガイドブック『江戸名所図会』では、咲き誇るつつじに彩られた大久保の街が堂々の見開きで紹介されている。見物客や、つつじの苗を買い求める人々で、ずいぶん賑わったようだ。

いまもつつじは街のあちこちで見る。4月頃から、民家の軒先や、アパートの植え込み、新宿中央図書館のまわりや戸山公園などに赤い花が咲き誇り、目に鮮やかだ。皆中稲荷神社では4月末につつじ祭りも開かれる。そして新宿区は1972年（昭和47年）に「緑と花の条例」を制定し、区の木をケヤキ、区の花はつつじとした。鉄炮同心百人の手がけたつつじは、いまも生きている。

明治以降、新宿の後背地として発展していく

つつじ祭りや「鉄炮組百人隊　出陣の儀」など、たびたび地域の祭りごとの舞台となる皆中稲荷神社は、１５３３年（天文2年）の創建だ。もともとは稲荷神を祀る地域の神社だったようだ。その稲荷の神さまが、鉄炮同心百人のひとり、とある男の夢に出てきたのだという。射撃の腕が思うように上がらず、これでは部隊の名折れと悩んでいたときだった。夢をなにかのお告げと感じた男は、翌朝さっそく稲荷神社に詣で、お参りしたところ、それからは火縄銃はもう百発百中、訓練のたびに的を次々と射貫く名手になったのだとか。これは霊験あらたかと神社には武家の者たちが参拝するようになり、以降「皆中稲荷神社」と呼ばれるようになった……そんな伝説が残る。「皆中」は「みなあたる」の意だ。

昭和・平成の頃は射撃ではなく「宝くじが当たるように」と祈願するヨコシマな人々がよく訪れたのだという。そして令和の現在は圧倒的に女子が多い。若い韓流アイドルファンが街に増えてきてからの流れだと思うのだが、コンサートのチケットが当たる、ステージ前の「神席」がゲットできるとナゼか評判になっているのだ。絵馬は当選祈願

のものでびっしりだ。韓流に限らず、嵐でもミュージカルでもなんでもいいらしい。ご利益はあるのだろうか。

さて、つつじ栽培に励んでいた平和な時代も終わり、明治維新は大久保にも大きな変化をもたらす。武家の敷地が次々と没収されていったのだ。鉄炮同心百人が暮らす屋敷も同様で、北側は陸軍用地となって「戸山ヶ原」と呼ばれるようになる。東側、いまの戸山ハイツがあるあたりには陸軍戸山学校が開かれた。残ったエリアは明治新政府から払い下げてもらう形で同心たちの子孫が住み続けたが、屋敷を解体して小分けし、一般住宅として貸し出すことが多かったようだ。このあたりにも住宅が建て込む現在の大久保の姿が重なる。

維新の混乱の中でいっとき荒廃し、つつじ栽培も途絶えていた大久保だが、1883年（明治16年）に地元の人々が再興を試みる。70種1万株を植えて、一大つつじ園をつくりあげたのだ。ここにたくさんのお客を運んだのは、近代化の象徴・鉄道だった。1889年（明治22年）、立川と新宿を結ぶ甲武（こうぶ）鉄道（現在の中央本線）が開通。1895年（明治28年）には大久保駅が開業。つつじの季節には臨時列車が走るほど行楽客で賑わったそうだ。

以降、明治後期から大正にかけて、交通網はすべてお隣の新宿を起点に発展していく。1903年（明治36年）には新宿と日比谷（ひびや）を結ぶ都電が開通。1909年（明治42年）になると山手線が運転をはじめ、1914年（大正3年）にはとうとう新大久保駅が開業した。地域にふたつの駅ができたことで、大久保通りを中心に商店街が栄えていく。

そして長らく「大久保」とだけ呼ばれてきたこの街も、新駅の開設からは「新大久保」という名前が混在するようになる。古い住民は地域全体を「大久保」と呼ぶし、大久保駅周辺を「大久保」、新大久保駅周辺を「新大久保」と分ける言い方もある。現在は韓流ブームが起きたのが新大久保エリアであることから、世間的には「新大久保」とざっくりまとめられることが多いようだ。本書もいま現在の時点で通りの良い「新大久保」をタイトルにしているし、文中でも混乱を避けるため、この歴史の章をのぞいては「新大久保」で統一してはいる。しかしもちろん大久保駅周辺エリアも含めた街全体の物語であることを、いちおうお断りしておく。

小泉八雲、内村鑑三……名だたる文化人も住んだ大正時代

明治末期から大正時代、大久保にやってきた「よそもの」は、文学者たちだった。島崎藤村は『破戒』を大久保で書き上げ、国木田独歩は住んでいた大久保の様子を『竹の木戸』の中で活写している。ほかにも『次郎物語』で知られる下村湖人は百人町の住民だったし、幸徳秋水も一時期だが百人町に暮らしていた。

そして小泉八雲（ラフカディオ・ハーン）は晩年、大久保に住み続け、この地で亡くなった。その終焉の地のそばは「小泉八雲記念公園」として整備され、イケメン通りの近くに静かに佇んでいる。彼の生まれ故郷ギリシアをイメージした庭園なのだそうだ。

文学者だけでなく、この頃の大久保は雑多な人材の宝庫だった。内村鑑三などの宗教家、経済学者であり社会主義者の山川均、洋画家の正宗得三郎……彼らがこの街に暮らした理由のひとつは、近くに早稲田大学（前身・東京専門学校）があり、教育機関や書店など知的コミュニティが多かったことがあるだろう。そしてもうひとつは、新宿の巨大化だ。際限なく膨張し、混雑を極め、空気が淀み、乱れていくばかりの大都市を嫌い、それよりやや郊外に住むことが人気になったのだ。新宿から近いわりに、物価も安く、まだまだのどかな街だった大久保は格好の場所だった。鉄炮同心百人が残した住宅地もある。そこへ、文学者はじめ知識階層の人々が住みついていく。新宿に次々とできる新興企業に勤める会社員も増えていった。

その中には外国人もたくさんいたらしい。語学教師のイギリス人やドイツ人、スペイン人、さらにアメリカ人宣教師や、中国人や朝鮮人なども住んでいたという。また戦前には「日本のオーケストラの父」と呼ばれたドイツ人、アウグスト・ユンケルや、数多くの日本人ヴァイオリニストを育てたロシア人音楽家、小野アンナなどもやはりこの地で暮らしていた。

かの孫文も一時期、大久保の住民だったことがある。日本に亡命中だった彼は、支援者のひとりである実業家・梅屋庄吉が百人町に構えていた自宅で3年近く暮らしている。なお梅屋はその後、日活の創業者となっている。

大都市・新宿の後背地であり、多種多様な人々が常に流れてくる街。大久保のそんな性格は、大正期にはっきりと形成されたのかもしれない。

歌舞伎町の発展と高度経済成長期が、アジア系の外国人を呼び込む

関東大震災では、目立った被害はなかったらしい。戸山ヶ原には陸軍の射撃場がつくられ、実弾を撃って訓練する音が聞こえていたという。昭和に入り軍の力が増大するにつれて、近隣は軍人や軍属も増えてくる。彼らが次なる「よそもの」だった。

また戦時中は、満洲から学生たちを留学させることも行われており、大久保には彼らの寮のような施設もあった。モンゴル人や中国人が出入りし、戸山小学校にも通っていたという。同級生だった方のお話が『OKUBO』に掲載されているが、「身体が大きくて、くそ真面目で、相撲が強くてまるで相手にされなかった」そうだ。

こうした軍関連の施設が多かったからか、大都市新宿が近かったからか、戦争末期、大久保は徹底的に空爆された。市街の9割ほどが焼失したと言われる。戦後、焼け野原

になってしまった街に戻ってきた人は2、3割だったそうだ。亡くなった人、疎開したまま帰らなかった人、生き方を変えた人もいただろう。もとの住民が消え、空っぽになってしまった（しかし、武家屋敷の区割りだけは残った）街に、また「よそもの」が流入してくる。新宿の復興需要を見込んで地方からやってきた人々、復員してきた人々、焼け跡にそのまま住みついた人々……。

その中には、朝鮮、韓国人や台湾人も交じっていたという。古い住民からは、朝鮮人や韓国人は現在の高田馬場駅と新大久保駅の間あたりにバラックを建てて集住していたとか、廃品回収の商売をしていたようだとか、新宿駅周辺の闇市から卸してきた食品を大久保に運んできて売っていたなんて話も聞く。

1950年（昭和25年）には、菓子メーカーのロッテが工場を建設する。新大久保駅のそば、現在は住宅展示場となっている場所だ。ロッテは韓国企業だから、これをきっかけに新大久保には韓国人が集まってきた……という話もある。工場労働者として在日韓国・朝鮮人を雇ったのだというが、「文化センター・アリラン」の鄭さんいわく「それは俗説で、あまり関係はない」のだとか。

「在日韓国・朝鮮人ばかり雇用するとも思えないし、彼らが工場のそばに集住してコリアンタウンをつくったとも考えにくい」と話す。

一方で、ロッテで働くために韓国人が増えはじめたと語る日本人の古老もいる。ただ、この工場からはいつも甘いガムの香りが漂ってきて、それをよく覚えていると懐かしそうに語る住民は多い。子供の頃の記憶に刻まれている香りなのだ。

いずれにせよ戦後の混乱を生き抜く中で、彼ら外国人が力を持つようになってきたらしい。とくに大久保の隣、新宿で、外国人たちが頭角を現すようになっていった。

そのきっかけのひとつが歌舞伎町の建設だ。戦後復興の目玉として、新宿では歌舞伎座の建設が進められていたのだ。劇場を中心に文化施設を集め、街を発展させようという計画だった。しかし資金面などで問題が多く、頓挫。映画館はいくつかできたし「歌舞伎」の名前こそ町名に残ったが、歌舞伎座は建てることができなかった。

計画の失敗で債務を抱えた地権者たちは、復興の過程で財力を蓄えていた在日韓国・朝鮮人や台湾人に土地を売却する。彼らは、その頃すでに夜の街としての性格も見せつつあった新宿の需要に応えるように、買い取った土地にラブホテルの建設を進めていった。これがさらに、周囲でネオン街の発展を促進させ、歌舞伎町は「東洋一の歓楽街」として爛熟していく。

こうして新宿が少しずつ復興していくと、労働力が不足してくる。地方から仕事を求める若者がどんどん流入してくるようになる。上京してきた彼らが住んだのは、家賃がいくらか安い大久保だった。新宿で働く人々を受け止めるベッドタウンとして、戦後間もないころからすでにアパートや下宿が立ち並んでいたのである。アパート業は一大ビジネスだったのだ。その土台となっていたのは、鉄炮同心百人が住んだ敷地だ。家主には、商売に敏い在日韓国・朝鮮人も多かった。新宿の発展を反映するようにアパートや小さな住居群はどんどん広がっていき、大久保通りの南北は巨大な住宅街となっていった。

　このアパート群が、やがて連れ込み宿に変わっていく。1960年代のことだ。歓楽街として肥大していく歌舞伎町のホテル需要はとどまることを知らず、職安通りを越えて北側の大久保エリアも侵食してきたのだ。労働者の街であり商店街だった大久保に、連れ込み宿がどんどん増えていく。経営者の中には在日韓国・朝鮮人もけっこういたようだ。

　そのいかがわしさが、ある種の人々を引きつける。高度経済成長期に多国籍化した歌舞伎町のホステスたちも大久保に暮らすようになる。タイやフィリピン、韓国や台湾の女たちだった。彼女たちを相手にする小さな食堂や商店が少しずつでき、エスニックタウンの原型のようなものが形づくられてくる。

　そしてバブルに前後して、暗闇に立つ外国人女性が急増したのだ。僕もこの時代、ライターの先輩に連れられて、ときどき大久保を「探検」した。

「あのあたりはコロンビアの女。その向こうはタイ人。そこを曲がると福建の女たち。辻々（つじつじ）で勢力が違うんだぜ」

　暗い路地で先輩が囁（ささや）いたのをよく覚えている。うろついている中東系の男たちはイラン人で、女たちの監視役でもあり、違法テレホンカードや麻薬の売人なのだという。異様な雰囲気だった。外国人だけでなく、日本人のヤクザも多かったと聞く。「たびたび銃声を聞いた」という地元の人もいる。

この時代のインパクトは相当に強かったようだ。２００３年から当時の石原慎太郎都知事が歌舞伎町浄化作戦を進め、不法滞在している外国人の取り締まりを強化、もちろん大久保にも波及し治安はだいぶ改善されたのだが「危険な街」というイメージで語られることは続いた。

　こうしたダークな面の一方で、国際学友会（→P29）の設立をきっかけにして、日本語学校や外国人を受け入れる専門学校も増えていく。夜の街で働く女性たちや労働者だけでなく、大久保には留学生も目立つようになる。そして日韓ワールドカップとヨンさまブームから、この街は新しい時代に入っていくことになる。

　現在、びっしり立ち並んでいたという連れ込み宿はだいぶ減った。外国人留学生や勤め人向けのアパート、寮などに変わっている。それにゲストハウスやシェアハウス、民泊だ。インバウンド需要の増大から新宿のホテルが飽和状態となり、大久保にも外国人旅行者がなだれ込んできたのだ。キャリーケースをがらがら引いて、アパートを改造した民泊を目指すアジア系の旅行者がずいぶん目立つようになった。まるでタイ・バンコクの安宿街カオサンロードにあるようなゲストハウスもあって、欧米人のバックパッカーがくつろぐ。この姿を鉄炮同心百人は、あの世からどう見ているのだろうか。

　この街は、「よそもの」を受け入れ続けることで歴史を紡いできた。４００年にわたって涵養されてきたその磁場のようなものが、さらに「よそもの」を引きつけるのかもしれない。

第9章 結婚もビジネスもお祈りも音楽も、なにもかもが多国籍でごちゃ混ぜ

多国籍アーティストたちの「セプテンバーコンサート」

毎週月曜の夕方はヒンドゥー廟(びょう)。水曜の昼はルーテル教会の牧師カフェ。そして不定期に「ベトナム・アオザイ」にも出動しなくてはならない。いや、別にそんな決まりはないのだけれど、なんとなくどこの人々も気になって、取材とはあまり関係なく顔を出すようになっていた。

まだまだ暑い9月の水曜日。この日は牧師カフェだ。1杯200円のコーヒーを入れてくれるのはボランティアスタッフの女性ケイさんだ。近くの大久保小学校に子供を通わせている。そのコーヒーをいただきながらパンを食べていると、おばちゃんがなにやらチラシを差し出してきた。

「うちで印刷したんだけどさ」

見れば「おおくぼセプテンバーコンサート」とある。すぐ近くのネパールレストラン「トーキョーロディ」を使ってコンサートを開くらしい。日本人、ネパール人、ほかにもいろいろな人たちがやってきて演奏するのだという。

「よかったら、おいでよ」

なんだか楽しそうだ。それに「トーキョーロディ」は気になっていたのだ。以前からネパール人が集まるレストランとして、このあたりでは有名だった。けっこう広い店らしく、ステージがあって音楽の演奏もできるのだと、知人のネパール人たちからは聞いていた。だからパーティーによく使われており、週末はハデなサリーで着飾った人々が出入りし、とても日本とは思えない雰囲気になることもあった。

9月下旬、「トーキョーロディ」に行ってみると、見慣れない顔が客引きをしている。白人の女性だった。

「どぞー、コンサートでえす。来てね」

カナダ人だという彼女の満面の笑みに出迎えられて店内に入ると、もうおおぜいのお客で賑わい、オープニングの八丈太鼓の演奏が行われていた。見知った顔がちらほらある。『ネパリ・サマチャー』のマッラさんも来ている。おばちゃんとも挨拶を交わす。

いろいろな人がステージに上がって演奏をするのだが、これが実に多彩なのだ。ゴスペルにバイオリン、ロックバンド、さらにネパールの民族音楽……奏者やお客は日本人とネパール人が中心だけど、もう国籍を考えるのがばからしくなるほどさまざまな顔でいっぱいだ。

そして、あの行政書士・古市展宏さんも登壇した。彼は「FLY-T」という二ツ名を持つレゲエ・ミュージシャンでもある。「JapaNepal」という曲だってリリースしている。これは日本・ネパール友好歌、新大久保讃歌であり、イスラム横丁の「モモ」では店内に流れていることもある。さらには、どこぞのカラオケコンテストで優勝したこともあるのだという韓国料理屋のママも、ハングルの歌を熱唱する。

印象的だったのはやはりネパール人のバンドだ。ロックなのだがネパールの伝統的な楽器なのだろう、笛の旋律も重なる。どこか切ない曲調で、染みるのだ。また別のバンドは、ネパール風にアレンジされた「スキヤキソング」を演奏した。僕たち日本人が「上を向いて歩こう」として知っている、あの歌だ。ネパールの民族衣装を着た二人組が、ネパールの太鼓とギターで、坂本九（さかもときゅう）を情感たっぷりに歌うのだ。たまらず、おばちゃんが踊り出す。

参加者のネパール人のひとりは、

「ふだんはみんな、レストランやケータイショップで働いています。留学生もいます。みんなでバンドを組んで1年くらいかな」

と言う。いつもは仕事ばかりでなかなか集まれないのだけど、ときどき練習をしたり、ライブハウスやネパール人の集まるレストランで演奏したりしている。

「でも、せっかくバンドを組んでも、長続きしないんです。学校を出たけど就職できなかったとか、仕事がうまくいかないとかで帰国する人もいるから」

やってくる人もたくさんいるけれど、帰っていく人もまた多い。外国人社会は入れ替わりが激しい。新大久保は本当におばちゃんの言う通り「流れていく街」なのだと思う。

それでも、

「日本で音楽やろうってネパール人はけっこういるんです」

と言う。もともと音楽好きな国民性なのだろうし、あるいは異国暮らしのストレスもあるだろう。加えてネパールが抱える事情も大きいようだ。ネパールは人口およそ2800万人のうち、国外労働者が500万人に達するとも言われる。農業と観光以外にこれといった産業が育たず、政情も不安定だ。だから国外に希望を見出す人、あるいは出ていかざるを得ない人が多い。隣接する大国インド、湾岸産油国、それに欧米など世界各地にネパール人労働者は広がっている。彼らからの送金が、GDP（国内総生産）の3割を占める。

つまり世界中に新大久保のようなネパールコミュニティがあるわけだが、そういった街を巡業しているネパール人ミュージシャンがけっこういるのだという。中にはかなりの人気バンドもあるらしい。そして世界のあちこちで在住ネパール人を集めてライブをし、また次の街へと旅していく……なんともいかした生き方だ。そんな人々の影響もあって、じゃあ俺もやってみっか、というネパール人が日本にも多いのではないか、なんて教えてくれた。

街の移り変わりを見続けてきたミュージシャン

このセプテンバーコンサートはもともと、アメリカではじまったものだ。きっかけはあの9・11、同時多発テロだった。事件から1年後の9月「ニューヨークの空を音楽で満たそう」という呼びかけで行われたコンサートは、やがて世界中に広まっていった。

新大久保ではじめたのは、小二田茂幸（こにたしげゆき）さんだ。大久保駅のそばで「スタジオM」を営むミュージシャンである。コンサートの後日、スタジオにお邪魔させてもらった。

「この街は外国人も日本人もいろんな人がいるけど、本当に交流しているのかなあって思うんだよね」

小二田さんは「俺もよそものだよ」と言うが、この街で長年暮らし、その移り変わりを見てきた。外国人が急増する一方で、日本人は高齢化し、商店街は後継者不足に悩む。やむなく老いた店主たちは店を畳み、ビルの大家となるわけだが、その空いた店舗にどんどん外国人の店や事務所が入っていくという図式。アパートやマンションも似たようなものだ。日本人が少なくなった物件を、外国人が埋めている。

だけど、その混在の中に近所づきあいはあるのか。日本人同士だって隣の部屋が誰だか知らない東京砂漠。まして外国人となれば、なおさらかもしれない。雑居ビルだとフロアが違えば入居している人の国が違うのが新大久保なのである。外国人にも、とりたてて交流に興味がないタイプだっている。

「あいつらは金稼ぎに来ているだけだから、って決めつけて、あまり関わらないようにしとこうって日本人は多いよね」と小二田さんも言う。

よく「多民族共生の街」なんて言い方をされる新大久保だが、実際に暮らしてみると「ばらばら感」もまた強く感じる。日本人も外国人も自分たちの好きな方向を向いているだけで、お互いの視線はあまり交わらない。日本人は世代によってもその視線が違うし、外国人は国や在留資格によっても違う。だからこそ好き勝手に生きられる気ままさがあるし、だからこそ「もう少し近づいてみようよ」といろいろな人が取り組みをはじめてもいる。

しかし、もし万が一、なにか大きな災害でも起きたら、隣近所で国も気持ちもばらばらなこの街はいったいどうなってしまうのか……そんな危機感を、小二田さんはいつも感じていた。そんな折、東日本大震災が発生したのだ。新大久保も激しく揺れた。

「日本語がまだわからない人もいるし、日本のニュースをよくつかめない人もいる。外国人が情報から取り残されているかもしれない。しかも、停電になるかもしれないってうわさが流れてね」

そこで小二田さんは、7か国の言葉で「停電になっても大丈夫、パニックにはならないで、落ち着いて」など注意やアドバイスを書いた紙をつくり、混乱する街を走り、外国人の店、外国人客の多い店やオフィスなどに配って回った。レストラン、グロッサリーストア、ネットカフェ、風俗店……あとになって本当に感謝されたというが、この一件で地域の外国人とのつながりがずいぶん増えたという。

加えてもともと、音楽を通じて在日ネパール人社会とのつきあいは長い。世界を渡り歩くネパール人ミュージシャンたちが日本に来たときはサポートをすることもある。行政書士の古市さんとネパール人たちを結んだのも、ここ「スタジオM」だ。

そんな小二田さんが「日本人も外国人も関係なく、集まる機会をつくりたい、つくらなきゃ」と、セプテンバーコンサートをはじめたのは自然な成り行きだったのかもしれない。

「はじめは、9つの店の軒先を借りて、ミュージシャンたちが演奏して街を巡って歩くなんてことやってね。苦情も言われたけど(笑)。近所でハワイアンやってるおばさん呼んできてフラダンスしたり、今年も来た韓国のカラオケチャンピオンに歌ってもらったり。そうやって街を歩きながらパフォーマンスしてると、なんだろうって寄ってくる人もいて。ふだんはこういう場には来ないようなおばあちゃんが、日本語カタコトの外国人と話し込んでたりね」

新大久保のセプテンバーコンサートは、あまりに多様になったこの街で、人と人をつなげるための場なのだ。

そんなことを話していると、「スタジオM」に来客があった。コンサートのときに、おばちゃんの印刷したチラシを配って客引きをしていたカナダ人女性だ。ミシェリンという。

「わたし？　先生。英語教師だよ。日本は20年くらい。でも言葉ムズカシイね。なかなか話せない。生徒はみんな子供。日本人もいればインドネシア人もネパール人もいるよ。楽しいけど子供相手はエネルギー使うよタイヘン」

英語と日本語ちゃんぽんで、ぽんぽんとまあよく話す。持ってきた缶ビールを一気に飲み干す。仕事帰りに「スタジオM」に寄って演奏するのが楽しみなのだそうだが、引っ越しを考えているのだという。

「いま北新宿。新大久保すぐそば。でもアパート水漏れでタイヘン」

退去しなくてはならないかもしれない。でも、やはりこの街に住み続けたいのだそうだ。

「私の国カナダの、トロント。130くらいの国の人が住んでるって。いろんな人がいて、文化があって、すげー」

すげー、と日本語で言ってから、「新大久保も似てる。大好き。やっぱりこのへんがいいよね。安く過ごせるし、いろんな人がいるし、『スタジオM』もあるし」

彼女のように街に愛着を持つ外国人も多い。マッラさんはことあるごとに「ジモト」と言う。彼らのような「よそもの」が、また新大久保を変えていくのだろう。

「新大久保、あんまり好きじゃない」

小二田さんのスタジオがあったり、楽器店やライブハウスが目立つのも新大久保の特徴だ。音楽の街でもあるのだ。それは戦時中まで軍の関連施設が集中していたことが影響しているという。軍楽隊もよく出入りしていたため、その関係で楽器の販売店や修理店などが多かったのだ。戦前から続く老舗（しにせ）の管楽器修理店もある。

一方で「軍の存在はあまり関係なく、大正時代から文学者たちとともに音楽関係者も住んでいたからだ」とも聞く。その流れで戦後にはジャズ喫茶や歌声喫茶が増え、それがライブハウスへと変わっていったのだそうな。

そしていま、新大久保の音楽といえばやはり韓流（はんりゅう）なのだろう。とくに男性アイドルに夢中になる女子たちが、街を歩き、アイドルグッズを買い求め、ハットグの写真を撮ってSNSにアップする。その人数はますます増えているような気がする。このところは週末になると都の職員が出て交通整理をするようになった。歩道になるべく立ち止まらないよう、車道に出ないようトラメガで呼びかける。混雑のあまり新大久保駅がパンクしかけると、警官たちがやってくることもある。一時的に駅を封鎖し、大久保駅か、東

新大久保に住んで3年ほどになるネパール人のシュヌワ・リタさん

京メトロの東新宿駅を使うようにアナウンスする。新大久保駅はずっと改良工事が続いていてキャパシティーが下がっているところに、大量の韓流ファンが流れこんでくるのだ。人気のレストランはどこもかしこも大行列で、パチンコ屋の開店待ちよりも早く目当ての店に並んでいる女子を見たりもする。彼女たちが食べ散らかすごみは商店街や韓人会など地域で掃除しているが、なかなかにたいへんだ。公衆トイレの少なさも問題になっている。まさしくオーバーツーリズムであるのだが、韓国のアイドルのなにがそれほど、日本人の女の子を惹きつけるのだろう。

「とにかく洗練されてる。歌もダンスも、パフォーマンスぜんぶ。レベルが違うんです、日本のアイドルとは」

と熱弁する女性。高身長で塩顔の、日本には少ないタイプのイケメンに夢中になる人。歌詞の意味を知ろうとハングルを勉強するうちにはまっていったという人。中には「母親がヨンさま世代で、その影響」なんて人もいる。親子で新大久保を歩いているのだ。

共通しているのはテレビではなくユーチューブなど動画サイトで韓流に親しんでいること。そして音楽やイケメンを入口にして、食べ物やスイーツ、ちょっとした雑貨とか化粧品、メイク、言葉など韓国の文化全般に興味を持つようになること。そのすべての店が新大久保にはある。　韓国からやってきたアイドルがライブをする場所もある。

「新大久保はテーマパークのような、遊園地のような場所。明洞の最新の流行がリアルタイムで反映されているのも楽しい」

そう話す日本人の女の子たちは、もしかしたら街で行きかうベトナム人やネパール人やミャンマー人や、そのほかこの街で暮らし働くおおぜいの外国人には、気づかないかもしれない。イケメン通りにも東南アジアの留学生や勤め人が暮らすアパートが密集しているが、彼らは韓流にはほとんど興味もなく、そのファンの日本人女性と交流することもない。

「最近は土日、人すごいよ。だから早めに家を出たのに、大久保通りが人いっぱいでぜんぜん進まない。アルバイト遅刻しちゃったよ」

ネパール人のシュヌワ・リタさんはそう話す。カトマンズ近郊、世界遺産の古都バクタプルの出身だ。

「日本人の女の子は本当に韓国好きだよね。なんでかなー」

ネパール人にはよくあることだが、リタさんも家族や親戚(しんせき)には、アメリカやシンガポールなど世界各地で働く「海外出稼ぎ組」がたくさんいた。自然な流れで、自分も外国に行きたいと思うようになる。普通はそんな血縁を頼りに行く国を決めるのだというが、リタさんはまったくつてのない日本を選んだ。日本のアニメが好きだったということもあるが、

「誰か知り合いがいる国じゃ、つまらないと思って」

あえて、助けてくれる家族や親戚が誰もいない日本にやってきた。まずは福岡の日本語学校に2年間通った。福岡もまた留学生の多い街だ。

「街がコンパクトでどこでも自転車で行けて、住みやすかった」

ところが大学進学のために上京してくると、だいぶ生活は変わる。友達に誘われて、ネパールのレストランもあって便利だという新大久保でルームシェアをしているが、

「東京、ムズカシイね」

と困り顔だ。どこに行くにも電車を使うので交通費がかかる。酔っぱらいだらけ。家賃も高い。

「福岡では2万8000円の部屋で一人暮らししてたけど、東京では8万円。でも福岡よりずっと狭いよ。友達とシェアしないと暮らせない」

だから大学の傍らアルバイトに精を出す。もちろん週28時間の制限つきだ。ずっとコ

ンビニで働いていたが、最近になって居酒屋に変わった。そういう職場について回るのが、クレーマーの存在だろう。この国で接客業をしていると仕方ないのかもしれないが、お客の「25%は困った人かも」と話す。

「セルフオーダーなのに、機械で注文なんかできるかって怒鳴られたり、なんでガイジンが日本にいるんだって言われたり、酔っぱらいに絡まれたり……」

日本は、実はこわい国だ。ヤクザでもない一般人が、いきなりブチ切れて怒鳴ってきたりする。ささいなミスで激怒し、肩がぶつかっただけで睨まれる。僕も10年のタイ暮らしから帰ってきたばかりの頃は、本当にこわかった。日本人とは、なんと好戦的な人々かと思った。立場の弱い外国人はとくに、日本人のパワハラの餌食になりやすい。

「日本人は外国人、きらいかなー」

さみしそうにリタさんは言う。あわてて僕が、

「日本人は仕事ばかりで、忙しくて、どうしてもストレスがね……」

なんて言い訳をすると、

「それはみんな一緒、私たちも一緒。ストレスあってもがまんするよ。ひとりで生活する社会じゃないからね」と、きっぱり言う。

居酒屋では理由もわからずに客に怒鳴られ、「店長呼んでー!」と叫ばれもした。日本人の店長が場をとりなしたが、その店長が「なんで怒っていたのかわからない」と首を傾げる。たぶん怒鳴ったほうも勝手にストレスを溜めている。そんな人が日本にはな

ぜだか多いし、そういうことがあるたびに「国に帰りたくなる」というが、日本での就職が目標なのだ。

「日本ではホテルに就職するネパール人が多いけど、私はIT関連に行けたらなあって」

そう思って、毎日ずっと新大久保のアパートと大学、バイト先を行き来する。なるべく食費を安上がりにするため、ふだんは自炊だ。近くのグロッサリーストアと「ギョーム（業務スーパー）」が行きつけだ。ネパールのレストランもたくさんあるけれど、

「500円ダルバートは安いし、『ラトバレ』はおいしいけどね、あまり行けない」

たまのぜいたくは友達が新大久保に遊びにきたときだ。ネパールのレストランに行ったり、タイ料理を食べたりすることもある。韓国のアイドルにはさっぱり興味はないが、料理は好きだ。

「ときどき行く店では韓国人のママさんとよく話すよ。結婚しないのーとか、こんど飲もうよとか、いろいろ話してくれて楽しい」

リタさんにとっての韓国とは、その店のことなのだろう。韓国のレストランもイケメン通りなど中心部は行列のできる騒々しいところばかりだが、少し離れると落ち着いたたたずまいの店もある。観光客ではなく、住民のための店だ。

そんなちょっとしたふれあいはありつつも、

「新大久保、あんまり好きじゃない」

と苦笑いする。「混んでる、歩きにくい、うるさい。けんかもよく見る。ネパール人対日本人、ベトナム人対ネパール人」

もう3年ほど暮らし、慣れているし、引っ越しも面倒だから住んでいるけれど、ここは「集まる街、遊ぶ街」であって、「生活する街」じゃないのかもしれない。そんなことも感じている。

「住むのは蒲田とか、埼玉とか、もっと安いところ、静かなところってネパール人は多いです。それと『新大久保に電車で行きやすい街』を選ぶネパール人もいるかな」

新大久保は「人に会ったり買い物のために足を運ぶところ」であり、あえて住もうという場所ではない……リタさんのように、そう語る外国人もけっこういる。ここは日本人女子だけでなく、外国人にとっても、観光地的な一面があるのだ。

観光地とは非日常の場だ。だからやってくる人のテンションは高いし、物価だって高いし、混雑や騒音もつきものだ。そこに住民たちが悩むというのは新大久保も同じ図式である。好きで住みついた僕だって、ときにうんざりする。日本人の女の子たちがタピオカの容器を捨てていくのを見て悲しくなったり、ベトナム人の若者が酔っぱらって路上で大騒ぎしていれば腹を立てたりする。僕よりずっと長く住んでいる古い住民はなおさらだろうし、リタさんのような外国人住民も同じように感じている。ここはそんなことまで多国籍でごちゃ混ぜなのだ。

それでもリタさんは、少なくとも就職までは新大久保にいようと思っている。

「せっかく来たからね。日本語学校と大学と、もう少しで6年。それだけがんばったら、なにか新しい景色が見えるかなー」

ネパール人とベトナム人の夫婦が経営する多国籍レストラン

新大久保のレストランは、やや入りづらい物件が多いかもしれない。観光客相手の韓国の店はいいのだ。おしゃれで女子ウケする内外装をちゃあんとわかっている。ところがおもに同胞の外国人を相手にしたネパール、ベトナム、中国あたりの店になると、おしゃれさとはほど遠い路地裏食堂的たたずまいに満ちており、恐る恐る店内をのぞいてみれば日本人は誰ひとりおらず、現地の音楽も流れてきて、一気にアジアのどこかにトリップしたような気になってくる。だから僕は旅行気分で楽しくなってくるのだが、世の中そんなマニアばかりではない。アジアに不慣れな人にとってはとっつきにくいのだ。

そのあたりを工夫して、明るく入りやすい雰囲気をつくっているのが一番街の「アジア屋台村」だ。南国リゾートっぽい店内はタイあたりのフードコートのようになっていて、いくつものブースが並ぶ。そこではインド、ネパール、韓国、中華、シンガポール、マレーシア、タイ、ベトナムとアジア8か国の料理が楽しめるのだ。韓流（はんりゅう）の店のように、日本人の女子も多い。

「こういう店をね、つくりたかったんですよ。アジアのいろいろな味が集まっている店」

オーナーのビノッド・シェラチャンさんは言う。ネパールから来日したのは1987年だというから、相当な古株だ。日本語ももう、日本人とあまり変わらない。ヒマラヤを望む湖畔の観光地ポカラの出身だが、そこで兄がホテルを経営していたのだという。

「泊まり客の8割は外国人で、そのうち大部分が日本人」という宿だった。お客の日本人と接するうちに、いつかは日本へと思うようになったそうだ。日本では会社員を経て独立し、いまでは飲食店4軒、ほかにシェアハウスなども経営する実業家なんである。

そんなビノッドさんの趣味は旅行だ。

「東南アジアが大好きで、あちこち旅しました。とくにベトナムが気に入ったんです。はじめはホーチミンシティに行ったんですが、次は違うところがいいかな、と」

2度目のベトナム旅行で首都ハノイを訪れたビノッドさんは、泊まった日航ホテルの受付でアルバイトをしていたアオザイ美人と出会うのだ。「仲良くなっちゃって」と嬉しそうに話す。

「それからは毎年のようにベトナムに行くようになって、婚約しちゃいました」

式はネパールとベトナム両方で挙げた。アオザイ美人はネパールではサリー美人に変身したという。羨ましい話である。そして生活の場は、ビノッドさんが住む日本だ。

「ぜんぜん違う国のふたりが日本で暮らすのだから、いろいろ苦労はありました。とくにビジネスは浮き沈みがあるけれど、それでもなんとか波に乗ってきたかな」

そんな夫婦が新しくこの「アジア屋台村」をオープンしたのが2017年のことだ。旅してきたアジア各地の料理を提供したい。お互いの故郷ネパールとベトナムの料理はもちろん出したい。それなら、いま日本で最もアジアの人々が集まり、とりわけネパール人とベトナム人が多い新大久保に出店しよう。

「はじめから、この街と考えていました」

メニューも多国籍なら、お客も日本人、韓国人、そしてネパール人やベトナム人と多彩だ。スタッフも外国人で、英語日本語ちゃんぽんで親しげにお客に笑いかける。まさに新大久保らしい店なのだ。

「もう、外国に住んでるって気はしないんですよ」

30年以上も暮らしていると、そんなものなのかもしれない。

「第2の故郷ですよね」

そう話すビノッドさんにとって、日本は住みやすく、ビジネスがしやすい国だという。便利で安全、決まりを守れば仕事でも役所の手続きでもなんでも早く進む。「ちゃんとしていれば、ちゃんとした結果が返ってくる国」なのだとも言う。そういう国のほうが、世界ではむしろ少ないのかもしれない。だから、日本人が自分たちにあまり自信を持ち得なくなったいまでも、憧れを持ってやってくる外国人がたくさんいるのだ。

そんな外国人を、日本はもっと利用したらいいとビノッドさんは言う。

「日本はどんどん人口が減っている。それでどうやって、グローバル社会の中で戦っていくのか。働く人が少なかったらどうにもならないでしょう」

それなら、いまよりもっと外国人を受け入れて、しっかり働いてもらい、そのぶん納税させて、国力の一部にすればいい。そのために日本は、例えば役所からの通知には英語の文面も加えるとか、もう少し外国人に寄り添ってほしい。外国人は自分たちだけで固まらず、もっと日本人の中に飛び込み、日本のマナーを学んで守らなくちゃならない……。

そう力説するビノッドさんは、ある意味で日本人よりも日本人らしく見える。ネパール人は真面目で勤勉、礼儀正しく、人当たりがやわらかいタイプが多く、日本人とどこか似ているのだ。この社会に溶け込みやすいのかもしれない。

今後はレストランを運営しつつ、奥さんのネットワークも活用してベトナムとの貿易にも手を広げようと思っている。日本に住むベトナム人、ネパール人というマーケットはどんどん増えているのだ。そのぶんビジネスチャンスも大きくなっていく。在日外国人社会で大きな層を占めるようになったベトナム・ネパールの夫婦というのは、これからの日本ではきっと強いだろう。なかなか珍しい組み合わせにも思えるが、

「それがどうもね、最近は日本でネパール人とベトナム人のカップルが増えているみたいで。日本語学校で知り合うらしいんですけどね。たまにうちの店にもやってくるんで

す」

どうやら日本人のあまり知らないところで、在日外国人同士の交流も進んでいるようだ。その先駆けともいえるビノッドさん夫妻の子供は日本で生まれ、日本の学校に通い、日本の友達に囲まれ、日本のテレビやSNSを見て育っている。言葉も考え方も、日本人と変わるところがない。

こんなファミリーがきっと、これから増えていく。外国人同士で日本で結婚し、出産し、日本人としてのアイデンティティも持った子供を育てていく。おおげさにいえば、日本に子供と未来をくれるのだ。ビノッドさんの場合、ついでに雇用も生み出してくれている。いい年こいて結婚もせず子供もつくっていない僕より、彼らのほうがはるかに日本社会に貢献しているのだ。

中止になってしまったヒンドゥー廟のお祭り「ダサイン」

「アジア屋台村」のような、多国籍混合ビジネスは新大久保のあちこちで生まれている。例えば大久保駅のそばにある八百屋は、日本人とネパール人が共同で運営している。軒先には日本の季節の野菜や果物が鮮やかに並ぶが、その傍らでナンやタンドリーチキンやカレーなどインド系の総菜が売られているのである。これがどれも安くてうまいと地域の日本人にも外国人にも評判で、僕はよくサモサを買っていく。じゃがいもや玉ねぎをマッシュして、マサラやターメリックなどのスパイスで和(あ)えて、生地で巻いて揚げたスナックだ。

やはり大久保駅のそばにあるインドネシア系の食材店は、経営者は中国人なのだという。

「うちと同じ経営だからね。はい、ソトアヤム。サンバルちょっと入れるとおいしいよ」

バリ島出身のおばさんが笑顔たっぷりに運んできてくれたソトアヤムは、鶏肉と野菜のスープだ。ターメリックの黄色が鮮やかで、揚げニンニクが乗っている。インドネシアやマレーシアで幅広く使われているチリソース、サンバルを加えるとまた味が変わって楽しい。雑居ビルの3階にある店からは、大久保駅に出入りするさまざまな人々が見えて飽きることがない。

ここはバリ島を中心としたインドネシア料理の店「ビンタン・バリ」だ。オープンして3年になる。店員の陽気なおばさんがばんばん話しかけてきて、インドネシアの街角のワルン(食堂)の風情だ。店名はインドネシア特産ビンタンビールから命名したのだという。

「日本人、ビール好きでしょ。それにこの名前だと、バリ島に行ったことがある欧米人やオーストラリア人のお客さんが入ってくることもあるんだよ」

新大久保にインドネシアのお店はもう一軒ある。我が家の近所の「モンゴ　モロ」で、こちらはジャワ島の料理が中心だ。メニューはなく、その日のおすすめ料理が大皿に並べられた現地そのままのスタイルで人気となっている。

とはいえ、新大久保に住んでいるインドネシア人はそれほど多くはない。ハラル食材を買いに来たりするついでに、仲間同士こうした店で食事をするようだ。ネパールのリタさんが言っていたように、ここは首都圏に住む外国人にとって「集まる街、遊ぶ街」でもある。いろいろな国の人々が交差する場所だから、国籍を超えてビジネスも、人間づきあいも生まれる。

新大久保のそんな性格を表す場所のひとつであるヒンドゥー廟に、今日も出向いてみる。この日は珍しく、子連れの親子がたくさんいた。インド系の子供は目がくりくりしていて人懐っこく、やたらにかわいい。

「ここでは子供が生まれたときや、1歳の誕生日を迎えたときに祝福の儀式もするんです」

ナンディさんが言う。日本でも神社でお宮参りとかお食い初めなんかを行うので、同じようなものなのだろう。いつも廟に来ているインド人の青年は、

「子供がたくさんいるといいよね。楽しくなる、幸せな気持ちになるよ」

なんて真顔で言うのだ。日本人も同じように感じているけれど、それをはっきりと言

葉にする人はどれだけいるだろうか。そんなことを思った。

やがて儀式がはじまった。僧侶のネパールおじさんが、ろうそくの炎をシヴァの神さまに捧げて、祈りの言葉を唱える。お母さんはその炎に手をかざし、熱を移すように子供の額をさする。神さまの力をいただくことで、健康に過ごせるようにと願うのだ。

聞いてみれば、どの子も日本で生まれたのだそうだ。ビノッドさん夫妻の子供のように、きっと日本文化の中で育っていくのだろう。外国人の両親を持つ、日本生まれの子供たちが、これからどんどん増えていく。

そしてヒンドゥー教の暦ではそろそろ「ダサイン」の季節が近づいてきていた。ネパールを中心に祝われているヒンドゥー教のお祭りだ。ドゥルガーという女神が悪魔に打ち勝ったことを祝福するもので、秋の収穫祭の意味もあるようだ。本来は実家に帰省して家族とともに迎えるしきたりなのだそうだが、国外在住者はそうもいかない。だからこのヒンドゥー廟に集まって祝おうと、ナンディさんやミトラさんたちは準備を進めているようだ。

「ここじゃ狭すぎるからね。すぐそばに八百屋あるでしょ。韓国人の経営なんだけど、もうすぐ移転するからって場所を貸してくれたの。あそこなら30人くらいは入れるよね」「イスやテーブルは借りてきたほうがいい」「音楽はどうしよう」「ナマステ・インディア（代々木公園で毎年9月に行われているインドフェス）で宣伝してきたから、たくさん来てくれると思うよ」

なんだかわいわい楽しそうだ。ところで、ダサインの前には菜食に徹し、肉や酒だけでなく、ニンニクや玉ねぎなど香りの強いものも避けなくてはならないのだという。仏教にも共通する考えだ。

「明日から果物や牛乳中心の生活です。私がいちばんできなそうだけど、私がやらないとみんなもやらないからね。がんばります」

ナンディさんもうきうきしている様子だった。

「日本人、たくさん連れてきてください。地域の日本人と交流して、理解してもらわなければ」

そう言われて、すぐにお祭り好きのおばちゃんの顔が思い浮かんだ。連絡してみると、

「行く！」

即答であった。

「あたしも、あそこはチェックしてたんだよ。でもさ、いつ行っても神さまの像だけで誰もいないじゃん。どうなってんだろうって思ってたの。そうかー月曜日の夕方だったかー」

おばちゃんはちょっと悔しそうだ。何年も何十年も街を歩いている先輩を出し抜いたようで、少し嬉しい。

10月5日。さぞかし賑わっているだろうとヒンドゥー廟に出かけてみたのだが、それらしき人たちはいない。ここを借りるのだと言っていた八百屋はシャッターを下ろして

いる。どうしたのだろうか。廟をのぞいてみると、ナンディさんが力ない笑顔で出迎えてくれた。ほかに3人ほどの男女と僧侶のおじさんもいたが、みな消沈している。

「残念ですが、今日は中止です」

聞けば、八百屋が入っているビルのオーナーに怒られてしまったのだという。ダサインは年に一度のハレの日だ。だからナンディさんが来る前に何人かがつい浮かれて、音楽をかけて歌い踊って、けっこう騒いでしまったらしいのだ。JRの高架がそばに走るとはいえ、ここは住宅も並ぶ場所だ。苦情も来たのだろう。やむなく祭りは取り止めとなったのだそうだ。これぱかりは仕方がない。ここは日本なのだ。だけど、この日のために新しくつくった祭壇や、それを飾る花々、みんなで持ち寄った食事や果物がなんだか悲しい。結局、簡単なプージャ(ヒンドゥー教の礼拝の儀式)だけ執り行って、お開きとなった。

「やっぱりどうしても、もっと広い、自分たちの場所が必要です」

ナンディさんは言う。この物置きのような小さなスペースでは、なにもできなかろう。お寺として運営していくなら、人が集まり多少の音が出てもまわりに迷惑をかけない物件に越さなくてはならない。日本に来て25年になるナンディさんは日本のマナーも住宅事情もよくわかっている。だからこそ現状を早くどうにかしなくてはと思っている。

「あたし、このへんの不動産屋に知り合いいるからさ。聞いてみようか」

おばちゃんも力を貸してくれるという。どうにかシヴァの神さまが安息できる場所が見つかるといいのだが。

どうしてもこの日本で、祈る場所がほしかった

ナンディさんの経営する多国籍レストラン「ラ・ダッカ」は赤坂の一等地にあった。ふだん新宿近辺の庶民街をうろうろしている僕としては、どうにも落ちつかない街である。ナンディさんの店もさぞリッチなのだろうと思ったが、ランチどきはリーズナブルなカレービュッフェで近隣の会社員に人気らしい。

「まず食べてください。バングラデシュにもね、おいしいカレーがあることを知ってほしい」

そう勧められて、トレーに日替わりだという3種のカレーを盛り、ついでに唐揚げどっさり、サラダとナンも添えて、がっつりといただいてしまった。

オールドダッカ出身のナンディさんが日本に興味を持ったのは、大学を出てから社会人として働きはじめた頃のこと。医療品関連の会社だったのだが、日本の企業と取引があったのだ。それをきっかけに日本について学ぶようになり、留学を決意する。１９９5年のことだった。

「いつかは海外に、と考えるバングラデシュ人は多いですよね。日本はアメリカの次に人気です。治安が良く安全で、ちゃんと働けばしっかり稼げる社会というイメージを持っている人は多いと思います。まあ、実際に来てみると、かなりたいへんですが（笑）」

日本語学校でみっちり言葉を学習してから、専門学校に入り、旅行会社に就職。そして2001年に日本で起業を果たす。会社員経験を役立てて旅行関連の仕事をはじめたが、

「あまりうまくいかなくて。だから貿易やってみたり、中古車ビジネスやってみたり」

なんて簡単に言うが、異国であれやこれやと仕事を展開させていくのである。たいへんなバイタリティだと思うのだ。相当に苦労したはずだが、それからさらに転身したレストラン業でうまく成功をつかんだ。いまは赤坂に2軒、さらに横浜と西新宿にもケバブとテイクアウトのカレー屋を展開。原宿にも出店したが、東日本大震災を機にやめたそうだ。

そうして日本で20年ほど走り続けてきたのだが、ずっと思っていたことがある。

「祈る場所がほしかった。宗教と言われると、ちょっと違うような気もします。子供の頃からの習慣だから」

祈りというものが生活に組み込まれ、日々のルーティンである人が、実のところ世界の大多数を占める。日本人が人と会ったらお辞儀をしたり、目上の人を大切にしたり、礼儀を重んじたりするのとあまり変わらない感覚で、神に祈る人たちがいる。その習慣

ヒンドゥー廟の中心人物、ナンディ・クマルさん。バングラデシュ出身のやさしい紳士だ

を異国でも続けたい。

しかしナンディさんが日本に来た頃、ヒンドゥー教徒はわずかだった。イスラム教徒のモスクは日本でもすでに増えはじめていたが、ヒンドゥー教のお寺はほとんどない。それなら自分が、と思ってはいたが、仕事に追われ、月日は流れていく。

「でも、子供が大学に入ってくれてね。ビジネスも安定してきたし。もう私がいなくても大丈夫。やっと余裕ができたんです」

同じようにバングラデシュ人の実業家であるミトラさんを誘った。彼は六本木で飲み歩くこともよくあり、生活が荒れ気味だったそうだ。ナンディさんとしては心配だったのだろう。お寺を一緒につくることで、少し変わってくれればと思ったのかもしれない。

ほかにインド人男性ふたりとネパール人女性も加わった。コンサルやITで、やはり日本で成功したヒンドゥー教徒の人々だ。計5人で、サナタン・ヒンドゥー・ファウンデーション・ジャパンを立ち上げた。2018年8月のことだ。一般社団法人としても登録している。

シヴァとパールヴァティーの神像はインド最大の聖地バラナシでつくってもらったのだという。これを船便で2か月かけて日本まで運んだが、安置する場所は新大久保以外には考えていなかったという。赤坂ではないのだ。

「ここは外国人がたくさんいる街です。ヒンドゥー教徒も、留学生、食材店の経営者、リミッタンス、印刷業者、コックなど、いろんな人がいます。住んでいる人もいれば、買い物に来る人もたくさんいるし、友達との待ち合わせ場所でもあります。ちょっとごちゃごちゃしていて、日本人にはあまり合わないかもしれない。でも私たちにとっては便利で、みんなが来やすい街なんです」

赤坂や六本木(ろっぽんぎ)でお寺を開いても、誰も来ない。地方なら物件は安いけれど、やはり人が集まりにくい場所では意味がない。絶対にこの街で、と場所探しに奔走しつつも、なかなかこれといった物件が見つからず、雑居ビルの片隅で仮住まいを続けているというわけだ。

シヴァ神を安置する場所は見つかるのか

東京にはもうひとつ、ヒンドゥー教徒の大きなコミュニティがある。江戸川区・西葛西だ。IT関連の人々を中心に5000人ほどのインド人が暮らしているが、その大半がヒンドゥー教徒だ。西葛西駅から葛西駅にかけてインドのグロッサリーストアやレストランも点在しており、UR（都市再生機構）住宅にはたくさんのインド人ファミリーが暮らす。「リトル・インディア」なんて呼ばれている。

彼らも当然、祈りの場を求めた。その需要に応えて、西葛西のそばの船堀に、立派なヒンドゥー寺院が建立されたのは2011年のことだ。ただ、こちらは同じヒンドゥー教でも、クリシュナという神さまをおもに祀っているのだという。新大久保のほうはシヴァ神だ。そのあたり流派の違いのようなものがあるようで、

「向こうのお寺にもときどき行ってたんですが、やはり私たちがいちばん大事にしたいのはシヴァ神なんです。同じ気持ちの人が集まってくる場所をつくりたかった」

そんなシヴァ神が司るのは月曜日なのだという。ヒンドゥー教では曜日ごとに、その日を守護する神さまが割り振られているのだ。だから毎週月曜日、それぞれ仕事が終わ

ってから夕方過ぎに集まろうと決めた。だんだん人が増えていき、いまではバングラデシュ人を中心に、ネパール人、インド人、ミャンマー人、さらに中国人やインドネシア人のヒンドゥー教徒もやってくるようになった。ヒンドゥー教徒はグローバルなのである。

7時くらいからなんとなくはじまるプージャには、たっぷり30分ほどもかける。鉦や太鼓を打ち鳴らし、僧侶のネパールおじさんがひたすらに経文を歌うように唱える。いったいどんな内容なのかさっぱりわからないのだけど、彼らの演奏や唱和に耳を傾け、ひととき目を閉じる。そうしていると、いくらか雑念が払われるというか、仕事でこんがらがった頭が少しほぐれていくのを感じる。こういう時間は確かに大事なのかもしれない。

プージャの後はみんなでわいわいと食事をとる。ナンディさんのレストランでつくったものだったり、誰かの奥さんの手料理だったりするが、たいていやさしい味つけでおいしい。いつだったかいただいたマンゴーとトマトの甘酸っぱいスープカレーは、サフランライスと合わせると実にさわやかな味わいだった。いつも食べさせてもらうばかりなので、僕もときどき「新宿八百屋」で果物を買って差し入れた。

彼らはヒンドゥー教徒ではない僕がお邪魔しても、いつだって輪に入れてくれる。僕は単なる野次馬だが、いずれはヨガやメディテーションや菜食に興味のある人も気軽に来られる場所にしたいという。できれば地域の会合にも参加したいし、街の清掃をするなど、なにか貢献もしたい。地域に開かれたお寺として、新大久保に根づきたい。ナンディさんはそう考えているが、ちょっと引っかかることもある。

「日本人は宗教をこわいと感じていますよね。ネガティブなイメージが強い」

日本人にも生活習慣としての宗教はあるように思う。姿形の確かな、ある神に対する信仰というのとは少し違うかもしれないけれど、暮らしていく上で大切にしなければならない決まりごとであり伝統的な風習と考えれば、日本人も宗教を持っている。

そういう日本人の心の在り方は、このヒンドゥー廟（びょう）や台湾媽祖廟やイスラム横丁のモスクにも、どこか通じるものがあるのではないか。新大久保の街を歩いて暮らすうちに、僕はそんなことを感じるようにもなっていた。

第10章

外国人との軋轢、日本人住民の葛藤

ごみ、騒音、臭い、契約違反……住居トラブルはまだまだ多い

街を歩いていて、よく思うことがある。

粗大ごみ、どうにかならないのだろうか。ごみ捨て場や、そうでない場所にも、ときどき大きなごみが打ち捨てられている。うちの近所でも目にする。ソファー、ロッカー、冷蔵庫、カーペット……野ざらしになったごみに、東京都からの警告シールが貼られてはいるが、きっと無意味だろう。捨てたやつはとっくに街を出ているのだろうと思う。断言はできないが、うちの近くのアパートの大家いわく、やはり外国人が多いのだという。

ふだんのごみ出しは、意外というかなんというか、けっこうしっかりしているのだ。日本の細かな分別ルールを守り、決められた日、決められた時間に出している住民がほとんどだと思う。むしろ僕のほうが失敗ばかりしている。「韓国広場」で買ったニンニクのみじんぎりパックがきれいに洗われていないという理由で回収されておらず、手厳しい注意書きとともに放置されていたりすると、「日本とはなんとややこしい国なのか」とため息が漏れる。

そんな僕よりは、外国人住民はだいぶしっかりしているように、まずは思った。不動産屋に聞くと、入居時に生活についてのくわしいレクチャーがあるのだという。「きちんと説明をすればわかってくれる」と不動産屋は言う。日本は確かに、世界に類を見ない複雑なごみ出しルールがあり、住みはじめたばかりの外国人は戸惑うが、それでも「話せばわかる」のだという。GTNのような家賃保証会社を経由していれば、さらにきっちりと生活マナーについては周知徹底されることだろう。

しかし退去時に、これをサボる人がいるようなのだ。もちろん一部ではある。ほとんどの人は律儀に電話やウェブで予約を入れ、コンビニでごみシールを買って、引っ越しなどのときに出る大きなごみを出す。しかし中には、なんの手続きもとらず粗大ごみをそのまま出して、消えてしまう人がいる。面倒なのはわかるけれど、それはないだろうと思う。

「だから結局ね、私と、ほかの日本人とで掃除してるの」

うちの近所の大家のおばあちゃんはそう言った。

「このへんも犬を飼ってる外国の方もいるんだけど、うんちを片付けないのね。犬をかわいがるのはいいけど、マナーはしっかりしてくれないとみんな困るでしょ」

これもやはり地域の住民で掃除しているのだという。

僕はタイに住んでいたことがあるし、若い頃からずっと異国にまみれてきた。だからどうしても、外国人の立場からモノを言いがちだ。彼らを擁護する立場に回ることが多いと思う。それでも、こうしたごみの話はやっぱり、かばいきれるものではない。

「それと多いのは、大人数で住んじゃってるケースですよね。ベトナム人の女の子ふたりで契約したのに、実際は10人で暮らしていたとか」

と話すのは、この街で不動産関連の仕事をしている男性。入居時から退去までずっとひとりで暮らす外国人はむしろ少数なのではないか、と言う。生活費を抑えたいし、それ以上に外国人はどこの国の人でも、日本人よりずっとさみしんぼうである。ひとりでいることを嫌う。だから契約以上の人数で住んでしまう。発覚して追い出されると、また別の友達のところに転がり込む。すると当然、生活音は大きくなる。苦情が出る。日本人住民とのトラブルになる。

新大久保ではやたらに路上でたむろしている外国人を見るが、これも意識の違いが根底にあるように思う。日本人は「閑静な住宅街」を好むが、その様子をとくに東南アジアあたりの外国人は「人が少なくてさみしい、こわい」と感じる。だから通りに出て、仲間同士でべらべら話すのだ。人の姿があり声がするほうが落ち着くのだろう。コインパーキングや自販機の灯り(あか)のところに外国人同士で集まってダベっている様子は、東南アジアに慣れた僕からするとなんということもない風景だが、一般的な日本人からすると不穏に映る。外国人がなにか犯罪をしているわけではまったくないのだが、それでも「こわい」と感じる。お互いに「こわい」の基準が違うのだ。

「臭いもよく苦情が出ますね。スパイスや調味料だとか、日本人の不慣れな臭い。1階

2階で3部屋ずつみたいな、小さくて古いアパートがこのあたりには多いんですが、防音や換気がしっかりしていないところもあるんです。すると1階角部屋でスパイスがっつり効かせた料理をしていると、2階全部屋に臭いが流れ込んだりする。で、そういう物件に住んでいるのは外国人のほかは、日本人の高齢者なんです。気難しい老人もいるので、よく揉めます」

こうした賃料の安い物件は、生活保護で細々と暮らす日本人の老人たちの住処でもある。たいていが独居だ。その隣室に外国人がなだれ込んでくる。若者で、日本のマナーをよくわかっていないうちは、夜ごとに飲んで騒ぐ。生活のリズムも習慣も、なにもかも違う。諍いも起きる。日雇いをやっていたが、いまは生活保護で百人町2丁目に住んでいるという老人は、

「あんまりうるせえから、それなら一緒に飲んでみるかって思ってさ。ベトナムの連中で、気がいいやつらだったんだけど、毎晩のようだとさすがについていけなくてね。一度けんかして、それっきり」

と言う。日本での暮らしも長くなれば静かに過ごすようにもなるのだが、この街は留学生が常に入れ替わる。そして「新入り」は不動産屋にレクチャーを受けた人ばかりではない。だから国籍と年齢、ふたつのギャップによるご近所トラブルも出てくる。

それに、住居として借りた部屋で、がんがん商売をはじめてしまう人もいるのだという。

「ユニクロで買ってきた服のタグを取って、自社ブランドみたいにしてベトナムに転売していた人は部屋がほとんど工場のようになっていました。ほかにも部屋をひとりで複数借りて、同国人にまた貸しするケースはやたらとあります。無許可の民泊も目立ちます。あまり深く考えずに、まあなんとかなるだろう、怒られたら謝ればいいかってノリでやりがちですね」

家賃の滞納も日常的だが、これはお金がないというより「振り込みが面倒くさい」「財布からお金が減ってしまうのがさみしい」とかいう理由で、そんなとき前出の男性はしつこく電話をカマし、何度もLINEを送りつけ、催促を繰り返す。トラブルに関しても、怒るときには徹底的に怒る。

「やはり問題を起こすのは日本に来たばかりの人なんですね。日本をよくわかっていない。日本語も不慣れです。だからあえて大きなリアクションで激怒して見せると、ああコレは日本じゃまずいんだってことが実感として伝わる」

ほとんど教育係なのだ。男性は日々、新大久保のアパートを巡り、次々に起こる問題にうんざりしながらも、世話を焼く。「インロックしちゃった」と深夜に電話が鳴る。入居時の電気・水道・ガスの手続きも自分ひとりで大丈夫と言っておきながら、やっぱりできなかったと泣きついてくる。対面で日本語を話すことはできても、電話越しにやりとりするのはなかなか難しいのだ。警察から「こんなやつを知らないか」と問い合わせが入ることもある。靴を脱がずに生活していて、退去時の原状回復に困ったりもした。

トラブルが多いのは、外国人住民の中でも急増しているベトナム人だそうだ。それは街を歩いていても感じる。ベトナム人の住民は若い。だからやたら元気だし、ときにうるさい。街に活気を与える存在でもあるが、経験と知識の不足は、問題や誤解も招く。だからそこをカバーできるような、ベトナム人専門不動産会社というのもできている。日本に慣れたベトナム人スタッフが、来日間もないベトナム人に物件を斡旋し、生活マナーを教える会社だ。

受け入れるほうの物件の大家も、いまや外国人に貸さないとやっていけない。多少のトラブルは織り込んで、不動産屋や家賃保証会社などを挟んで、外国人と契約をする。

「外国人には貸したくないって大家は2割くらいでしょうか。以前よりはだいぶ減りました」

外国人はむしろ、お金のかかるハウスクリーニングをしっかりしなくてもあまり気にせず入居してくれるので助かる、という大家もいるそうだ。

20年間、外国人との軋轢を積み重ねてきた

外国人の住居トラブルは、ごみ、騒音、多人数同居の3つが多いようだが、それは「あえていえば」という話で、ふだん暮らしているぶんにはそこまで困るものではない。粗大ごみは問題だけど、別にそこらじゅうで目につくわけでもないし、住宅地全体がアジアの街角のようにわいわい賑やかなわけでもない。日本人の住民との間で局所的な小さいトラブルはあっても、深刻な対立があるとも聞かない。

新宿区では2015年に多文化共生実態調査を行っている。これによると、新宿区では外国人が増加しているにもかかわらず、なんらかのトラブルを経験した日本人の割合は逆に減っているのだという。「しんじゅく多文化共生プラザ」所長の鍋島さんは、

「新宿に住む外国人は留学生が中心です。そのため2018年を見ると、4万2000人の在住外国人のうち1万9000人が入れ替わっているんですね。新しく来た人の中には、日本のルールやマナーを知らない人もたくさんいるでしょう。ですが、トラブルがあったと感じる日本人は増えてはいないんです」

鍋島さんは、ごみ出しや騒音でなにかあっても、ひと声かけて話し合ってみるなど、

地域で対応するノウハウが積みあがってきたのではないか、と考えている。不動産屋やGTNのような会社が、生活マナーをしっかり教えるようになったことも大きい。

異文化同士が出会ってまず体験する衝突や摩擦、いわば「ファーストコンタクト」を、もう通り過ぎたのがいまの新大久保なのだ。この街は戦後に歌舞伎町で働く外国人が住みはじめたときから、数十年間ずっと対立と交流を繰り返してきた。21世紀に入ってからは爆発的なペースで外国人が増える時代を迎えたが、それからもう20年が経っている。そもそも江戸以来「よそもの」が流入することで歴史を紡いできた土地でもある。その中では数えきれない揉めごとがあったと思うのだ。

古い住民に話を聞くと、

「80年代くらいかな。韓国とかタイとか、エスニック系の食堂ができはじめたと思うんだけど、夜遅くまでやっててうるさいとか、煙が出るとか、そういう苦情は多かったみたいですね」

と話す。それに当時、街の小路を埋めるようになっていた連れ込み宿は在日韓国・朝鮮人の経営が多かったが、治安や風紀を乱すと問題視されていた。しかし外国人たちには「日本人経営の店やホテルもあるのに、我々ばかりが言われる」という思いを抱えた人もいたようだ。

トラブルが多発してくるのは、2000年代に入ってからだ。ワールドカップとヨンさま以降、コリアンタウンとして一気に変化がはじまるが、その急激さゆえに問題が続出する。食べ歩きで出るごみをお客が方々に捨てる、民家の前で飲み食いする、客引きの声や大音量の音楽……大久保通りから一歩内側に入ると、普通の住宅街なのだ。そこにも韓国の店がどんどん増殖し、日本人の観光客が増え、昔から住んできた地域住民が困り果て、摩擦は絶えなかった。

そこで韓国の店主たちが商人連合会を結成し、マナーを守るように呼びかけ、清掃活動を行い、どうにか地域に溶け込もうと努力してきた。それでもすぐ改善されるものではない。そんな街を嫌い、外国人の増加を疎ましく思い、新大久保を出ていく日本人は絶えなかった。共住懇の人々は、

「お前らみたいな連中がいるから、ガイジンが増えるんだ」

と言われたこともあるそうだ。商店街のほうでは韓国の店が増え続けているからと韓国語の街頭放送を流したこともある。しかし日本人住民からの猛反対があって、すぐに止めたなんてこともあったという。

軋轢(あつれき)がありながらも数を増していく韓国の店。その勢いに押され、また高齢化もあって、日本人はどんどん少なくなっていく。

「ビルの大家には、韓国レストランにはできれば貸したくないって人も多かったんです。ダクトが汚れるとか、ネズミが増えるとか、酔っぱらいの騒音とか。でも日本人の借主はだんだん減っていく。韓国人にも貸さないとやっていけなくなったんです」

と、あるビルオーナーは言う。

それにここは、新宿からひと駅の好立地だ。バブルの頃はもちろん、その後も土地は高く売れた。だから年配になって土地や家を売り、地方に越していく人も増えた。家を解体してアパートにし、自分は離れた場所に住んで大家業だけをやっているという人も多いのは、これまで見てきた通りだ。

大久保通りを飾ってきた商店街の店主たちも、やはり高齢化と後継者不足から、店を畳む人が出てくる。その土地にビルを建て、テナントを貸す立場に転身する。そこに韓国人の店が入っていく……。

そんな動きが急速に広がったのだ。日本人の住民や商店主の間では、いろいろな意見が飛び交った。

「観光客がたくさん来て、地価も上がるし賑わうし、いいじゃないか」という声。「街が韓国人に乗っ取られる」という不安。マスコミが元気なコリアンタウンと取り上げる陰で、地域の日本人は彼らとどう向き合えばいいのか、ずっと悩み続けていたのだ。2009年には、共住懇が「おおくぼ学校」と題して、街の変化を語り合うイベントを開いたが、そこではある日本人商店主が、

「年配のお客さんの顔つきが険しくなってきている。（中略）韓流（はんりゅう）を求めてやってきた人たちは楽しそうですが、街に住んでいる人の顔は明るくないのです」

と語っている。そんな葛藤（かっとう）を抱えながらも、やはり同じ街に住んでいるのだからと、日本人も韓国人も少しずつ近づき、顔を合わせ、話し合いを重ねてきた。

そして街の無秩序さにある程度の交通整理ができてきた2013年、竹島問題をきっかけにヘイトスピーチが巻き起こる。新大久保にも反韓デモが押し寄せ、観光客は減少。東日本大震災で韓国系の店が減っていたこともあり、韓流は一時的に勢いを失う。こうしたいざこざはもう勘弁と、街を出ていく日本人はまた増えた。

こんなどたばたが20年も続いてきたのだ。その過程で、商店街では韓国人との融和を少しずつ進めて、日本の商習慣になじんでもらうよう取り組んだ。住宅地ではごみ出しや生活音のマナーをどうわかってもらうか、不動産屋や大家が説明をし、また先輩の韓国人がアドバイスをし、苦情やトラブルもだんだん減ってきた。

そうやって衝突を重ねながら、共存の基盤がつくられてきたのだ。この土台の上に、ベトナム人やネパール人やバングラデシュ人や、そのほかいろいろな国から来た外国人が乗っかり、いま新大久保は日本でも例を見ないインターナショナルタウンとなっている。この街でさまざまな異文化交流の輪が広がってきたのは、先人たちの苦労があるからだ。いまだって細かなトラブルはどうしてもあるけれど、それでも最小限に抑えられているようにも感じる。これも街の人々が20年かけて外国人とのつきあい方を身につけてきたからなのかもしれない。

その月日の中で、街に育ってきた感情がある。

それは暮らしていて、歩いていて、どうしても感じてしまうものだ。

僕の自宅の近所にも、古びて色あせた注意書きや看板がある。「ここはごみ捨て場ではない」「捨てるな！」いつも歩いて見ている限りでは、ごみの投棄が目立つ場所ではないから、たぶん昔のものだと思う。まだ外国人へのマナーの周知ができておらず、ごみが大きな問題だった時代の名残りなのだろう。

でもそれが、撤去もされず放置されていて、路地に殺伐さを与えている。そこにはなにか、諦観のようなものが漂っている。外国人の増加に直面し、ごみが増え、きっと困り果てて看板をつくったのだろう。それでその場所のごみマナーが良くなったのか変わらなかったのかはわからないが、看板を立てた本人はもう外国人に関心を失ってしまったのではないか。なにをしたって外国人は増えるばかりだ。わかりあえるものではない。ルールを守るよう注意をすることにも疲れた。なら、もう関わるのはよそう。多文化共生なんて勝手にやってくれ……そんな「あきらめ」もまた感じる街なのだ。年月がしみ込んだような看板は、その象徴のようにも映る。

異国の住民が増えることを、よく思わない人もいる。トラブルがあればなおさらだ。いろいろな考えがあって当然だろう。あきらめて引っ越していった人もいれば、あきらめながら住み続けている人もいる。彼らも含めて「街」なのだ。彼らにも「悪くはないね」と思ってもらえる街になってほしいと思うのだ。

すっかり街に根づいたタイのお弁当屋さん

左右に居並ぶ2軒のタイ料理レストランから、一番街を南に歩いていく。ビノッドさんの「屋台村」を過ぎ、ときどき心身を整えにいくサウナを越えて、「ラトバレ」の先は狭い交差点になっている。このあたりには日本語学校や外国人も通う専門学校が多い。家屋やアパートも密集する。まっすぐ進めば職安通りと歌舞伎町、左は西大久保公園とイケメン通り。僕は右折して、大久保駅へ延びる道を歩いていく。この通りは新大久保では珍しく、和食の店も並ぶ。

すぐ、左側に「ルンルアン」が見えてくる。この店のタイ料理弁当は手づくりで安く、ボリュームたっぷりなのだ。店頭に並べられた弁当を吟味していると、すぐに店内から店のママがすっ飛んでくる。

「どうぞー、中にもいっぱいあるよ。お菓子もたくさん。見てってね」

誘われて入ってみると、大きなケースの中には色とりどりの弁当がぎっしり。ゲーン(タイカレー)、トムヤムクン、パッタイ(タイ風の米麺(めん)焼きそば)、ガパオにカオマンガイ、ガイヤーン(鶏(とり)の炭火焼き)……どれもボリュームたっぷりに詰められ、500

タイ料理がみっしり詰まった「ルンルアン」のお弁当はどれも安くておいしい。スイーツもおすすめ

〜600円と格安なんである。

それとこちらはタイのカノム（お菓子）がいける。これもママさん手づくりで、ココナツのプリンやタイ風のケーキなどが冷蔵庫に並ぶ。カノムモーケンというタロイモの焼きプリンが人気らしい。僕がいつもいただくのは「イスラム教デザート」なるものだ。ココナツベースのソースにレーズンやアーモンドなどが入っている。ほど良い甘さがいい。

スイーツの名前の通り、ママさんはタイ人だがイスラム教徒だ。仏教国であるタイにも人口のおよそ4％ほどのムスリムがいる。だから店の料理もお菓子も、すべてハラルだ。

ママのエミさんが故郷の北部チェンマイを出てから、日本に暮らすようになってもう33年になるという。新大久保にやってきたのは23年も前のことだ。はじめは現在のイスラム横丁、「ナスコ」の隣の魚屋があるところに店を出したのだという。

「その頃は『ナスコ』もなくて、イスラム教徒もまだ少なかったよ。ミャンマー人がたくさんいたよね。タイ人はそんなに多くなかった。あとは中国人だよね」

エミさんの両親は、第二次大戦のときに中国からタイに移り住んできたのだという。それにエミさん自身も台湾で暮らした経験があり、中国語がわかる。それもあって当時、中国人が増えつつあった新大久保で商売をはじめた。その後は「家賃がどんどん高くなって」と、いまの場所に移ってきた。

現在はすぐそばのタイ料理レストランと、この弁当&スイーツの2軒を営む。毎朝4時くらいに店に来て、タイ人3人で手づくりしているそうだ。

話をしながらもときどき表に出て「いらっしゃいませ、どうですかあ」と道行く人に声をかけ、外国人には「うぇるかーむ」と笑いかける。

「最近は本当にベトナムの若い子が増えたよね。みんな勉強とアルバイトがんばってて、すごいと思うよ」

そういえば「ベトナム・アオザイ」のトゥイさんも、よくここで弁当を買って、仕事前に食べているらしい。いろいろな国の常連客に愛されている店なのだ。すっかり街にもなじみ、皆中稲荷神社のつつじ祭りでは、浴衣(ゆかた)を着てタイの屋台を切り盛りしていたと思い出す。

「4人の子供は、いまはみんなタイ。私はこの先もずっと日本だね。仕事はいっぱいあるし、さみしくないよ。死ぬまでいるつもり。いや、死んでもいるよ」と笑う。

消費税アップも、台風19号も乗り越えて

10月に入って、ちょっとした変化があった。腹の立つことに消費税が10%に上がったのだ。レストランはテイクアウト8%、イートイン10%でまだ混乱しているところもあったし、グロッサリーストアのほとんどはきわめて小規模な街の小売店なわけで、レジの対応などもいろいろたいへんだったようだ。それでも「702円になります。あ、2円はいいや。700円ね」なんてノリは相変わらずで、ちょっと嬉しい。サービスというより釣銭をじゃらじゃら渡すのが面倒なんである。

悲しいのは一部のネパールレストランが売りにしていた「500円ダルバート」が値上がりして、550円とか600円になってしまったことだ。ワンコインで食べられなくなってしまった。困っている苦学生もいそうだが、追い打ちをかけるように新大久保には嵐が接近してきたのである。「過去最強クラス」とも言われた台風19号だ。都心でも記録的な大雨になるとか、大規模停電や川の氾濫が起きるなんて話も流れ、不穏であ

った。ちょうど1か月前には台風15号が千葉県を直撃し、とんでもない被害をもたらしたばかりだったので、もしかしたら東京も、というこわさを僕も感じた。

でも、そんな台風を前にして街の人々はどうしているのかも気になった。とりわけ、か弱い女子はさぞかし不安だろうと19号上陸前夜に「ベトナム・アオザイ」へ行ってみたが、

「えぇ〜別にぃ……」

と、そっけない。トゥイさんも、この前の舌ピアス女も、

「ベトナムも中部ではよく台風来るよ。でも停電になったらヤだなー、ネットが切れたらつまんないなー」

なんて、あまり危機感はないようだ。店も閉めるかどうするか、明日の状況を見て決めるという。一杯だけ飲んで、帰りに職安通りのドン・キホーテを見てみたが、ウツボの水槽にビニールシートが巻かれ、店内では歌舞伎町のホストや外国人や韓流ファンらしき女子たちが水や食料を買い込み、行列をつくっていた。

翌、10月12日。暗雲が低く垂れこめ、空は暗く陰り、強風が吹き荒れる新大久保の街には、さすがに観光客もいない。韓流のレストランもショップも店を閉じた。開いているのは24時間営業の「ソウル市場」などわずかばかりだ。段ボールや板張りなどで窓を補強している店や民家もよく見る。歩いている人もおらず、まるでゴーストタウンのようになっていたのだが、イスラム横丁まで行ってみると「新宿八百屋」は健在であった。

強風をものともせずに荒巻さんが働いている。その前、「ナスコ」ではハラルショップも開いているし、ケバブ屋の兄ちゃんは無人の路上に向かって「いらっしゃいませえ」なんて声を張り上げている。さすがは街のインフラである。この2軒が営業しているなら周辺の外国人も大丈夫だろう。

「ナスコ」はレストランのほうも客はいないながらも開けていたので、マトンビリヤーニを食べて気合を入れる。腹ごしらえをし、籠城(ろうじょう)用の食材も買い込んで帰宅し、万全の態勢で19号を迎え撃ったのだが、幸いにも新宿近辺に大きな被害はなかった。確かに風はすさまじいものがあったが、それもわずかな時間で過ぎ去った。

よかった。これで今年の大久保まつりも、無事に開催できそうだ。

年に一度、大久保通りが歩行者天国になる日

大久保通りは車の通行が規制されて、歩行者天国になった。開放感いっぱいになった通りを、ネパール人たちが気持ちよさそうに自転車で走り抜けていく。ベビーカーを押した中国人のママさんたちもいる。通りのあちこちに出店(でみせ)が出て、いろいろな国の子供たちが声を上げる。

10月14日、大久保まつりは盛大に行われた。台風の影響がまだ残っているからか小雨交じりだったが、ふだんとはまったく違う歩行者天国の様子に住民の日本人も外国人も楽しそうだ。

街の各所で、ジャズの演奏会が行われたり、ゆるキャラと遊べるコーナーがつくられたりしているが、目玉は大久保通りを行くパレードだろう。地元の少年団やチアリーディングのほか、伝統衣装をまとった韓国の舞踏団や、朴さんの東京ベトナム協会のアオザイ姿も、新大久保駅から明治通りまで次々と行進していく。

8月に開かれた新大久保フェスは、商店街の中の「インターナショナル事業者交流会」によるものだが、この大久保まつりは地域全体の祭りだ。今年で38回目となる。それだけ回数を重ねるうちに参加者もお客も多様になっていったのだろう。いまでは韓国人たちのパレードにネパール人たちがカメラを向け、ベトナムの屋台に日本人の子供たちが群がるような祭りにもなった。

「えっ、なにちょっと待ってベトナム？」

日本人の女子たちが驚いた様子でアオザイのパレードにスマホを構えている。韓流目当てで遊びに来た彼女たちは、新大久保といえばコリアンタウンというイメージしかないのだ。実はここが日本屈指のインターナショナルタウンであると、祭りをきっかけに知ってもらえたらな、と思う。ときおりタピオカの容器を道端に捨てる子がいても、ごく普通に韓国の文化を受け入れている彼女たちのやわらかさがこの街を支えているのだ。

台風で開催が危ぶまれたが、なんとか行われた大久保まつり。各国の民族衣装でのパレードも盛り上がった

僕も撮影をしながら回っていると、お祭り好きのおばちゃんとばったり出くわした。

「ＹＥＡＨＨＨ！」

会うなりハイタッチを交わす。やたらにテンションが高い。祭りとなると目つきが鋭くなる。こんなアラエイティがほかにいるだろうか。

「どこかで会うと思ってたんだよ！」

お下げを振り回して笑うおばちゃんは、珍しく若い衆を連れていた。おとなしそうな青年だ。カメラを手にパレードを撮影しまくっている。共住懇の最年少メンバーらしい。

「今日は『ＯＫＵＢＯ』の取材も兼ねててね。この子は写真が撮れるから」

おばちゃんに紹介されて、歩行者天国の真ん中で挨拶を交わした。

「シカンです、中国出身です」

共住懇はやはりメンバーも多国籍なのであった。

おばちゃんの「弟子」、中国人の史涵くん

天津からやってきた留学生、史涵くんは人生の岐路に立っていた。２００８年、日本に来てから日本語学校を経て中央大学に入ったものの、卒業を控えて「このまま就職を

していいんだろうか」と日本人の学生のように悩んでいたのだ。

考えてみれば、来日間もない頃から異国の暮らしで感じることをブログに書き続け、街を歩いて写真として切り取ってきた。歩きながら何ごとかを観察し、それをアウトプットしていく。いわばフィールドワークが好きだったのだ。そこで、もう少し歩いてみよう、日本の社会をもっと知ろうと思った。ちょうど大学院には、社会学の視点でフィールドワークを専門としている先生がいると聞き、博士課程へと入った。その先生が、共住懇のメンバーだったのだ。

史涵くんは紹介された共住懇で『OKUBO』を知り、おばちゃんや山本さんと出会い、それからはずっと新大久保をフィールドワークしているというわけだ。

「どこの国ともいえない感じで、面白い街ですよね」

そう訥々と話す。共住懇の月例会のときに新大久保を訪れ、おばちゃんと歩き回り、カメラを片手に街を写し取っていく。

「刺激を受ける瞬間に、人はものごとを記憶します。そういう刺激があふれている街なのだと思います」

独特な言い回しで、そう表現する。4か国会議を見学したこともあるが、

「いろいろな国の人が、自分の意見をどんどん出していく。相手にどう思われるだろう、なんてこわがっていないように見えました。それは、どこの国の人だからという偏見がないからできることだと思うんです。新大久保は偏見が少ない街なんじゃないでしょう

か」

会議の後、参加者たちと飲みに行った。ベトナム人やネパール人や韓国人たちと飲んで騒いで、日本語を共通語として会話を交わす。新鮮な体験だった。

「新大久保では、レストランを見てもいろいろな国の人たちが日本語で話しているじゃないですか。日本人が話す日本語とはちょっと違うし、英語が交じっていたりもするけれど、お互いわかりあえる日本語。そういう言葉が、外国人同士の間で生まれて、話されていく」

いわば〝新大久保語〟ではないか。若き社会学者は、そう言うのだ。

「僕たち中国人は漢字という共通の土台があるから、日本の生活でもそんなにストレスはないんです。箸の文化も同じだし。でもネパールやムスリムの人たちはだいぶ文化が違うと思うんです。それでも、彼らと話してみると『ずっと日本で暮らしたい』という人がたくさんいます。これは〝新大久保語〟のような共通の文化があって、居心地がいいからじゃないかと思うんです」

確かにそうなのかもしれない。この街の共通語はカタコトの日本語だ。グロッサリーストアでもコンビニでも、外国人同士が日本語でやりあう。日本人が聞くとイントネーションが少し違っていたりするけれど、ふしぎと外国人同士では通じ合っている。それに20年ほどをかけてつくられてきた外国人が暮らすための生活インフラがある。日本人のほうも外国人が住むことで起きるトラブルをひと通り経験してきた。ほかの地域よりは外国人との共存に一定の理解が広がっているように見える。そんなコミュニティであり、〝新大久保語〟を共用語とするひとつの国であるかのように、史涵くんには映るのかもしれない。

新大久保の生き字引、おばちゃんの半生

新大久保にもたくさん中国人が住んでいるが、最近は「予備校生」が増えているのだという。

「中国の大学を出てから日本に来て、日本語を勉強しながら日本の一流大学合格を目指すんです。そのための予備校がたくさんあります」

新大久保から高田馬場にかけて予備校が点在しているのだという。ちゃんと校舎を構えているところもあれば、雑居ビルの一室という小さなものまでさまざまな予備校がしのぎを削る。背景には中国の厳しい就職競争があるらしい。

「日本の有名大学を出て、さらに院まで卒業すると、中国での就職に有利になるんです」

欧米の大学ならいちばんいいが、誰でも行けるわけではないしお金もかかる。欧米を

目指すわけにもいかない人は、地理的・文化的に近い日本にやってくる。目標はあくまで中国での一流企業への就職で、日本にあまり興味がない予備校生もいる。そこが理解できないのだ、と日本びいきの史涵くんは言う。彼はやはり大学の先生だった両親の影響で子供の頃からいろいろな国の文化に触れており、ミシマやカワバタも中国語版を読んでいたのだという。そんな彼からすると、現代中国人はドライでリアリストだ。写真に傾倒してからは日本の古い建築様式に惹かれ、いまも撮り続けている。

しかし、史涵くんがどこか日本人のようなナイーブさを持っているからこそ、おばちゃんは孫のように、あるいは弟子のように彼をかわいがっているのかもしれない。

僕もときどき、ふたりと一緒に新大久保の街を歩くようになった。狭い街で、歩き尽くしたようでいて、まだまだ知らないものばかりだと思わされる。

「えっ、染み抜き屋？　染みを抜く専門店？」

なんて驚いていると、「そこはだいぶ前に取材したなー」なんておばちゃんが言う。

「こっちの3階は昔ね、外国人相手の駆け込み寺みたいなのがあったんだよ」

「この韓国の店はさ、面白いんだよ。ひと晩のうちに経営者が入れ替わって、従業員はそのままで店名が変わっちゃった」

「ここのマツキヨは昔、スーパーだった」

まさに生き字引なのである。街のヌシのような存在かもしれない。40年にわたって、流れていく、変化していく新大久保を見続けてきたが、生まれは1941年、茨城・大

史涵くんは本当の祖母のようにおばちゃんを慕っているように見えた

洗だ。19歳のときに印刷会社で働きはじめ、24歳で独立。1960年代半ば、学生運動の炎が燃え盛っていた時代である。ベトナム反戦、東大闘争、全共闘運動……その大きなうねりの中で、おばちゃんは過激派のアジビラであるとか冊子などの印刷物を手がけることになる。その当初は中目黒に会社があったというが、

「石投げるやつや棒ふりまわすやつはいても、印刷できるのが私しかいないんだもん」

と、ずいぶん頼りにされたらしい。

とはいえ、おばちゃん自身が運動にのめりこんでいたようにはあまり見えない。持って生まれた反骨精神はあっても、ゲバ棒を振り回す人々とは一線を引いているところがあったのではないかと思う。

都内を転々とし、新大久保にやってき

たのは1980年頃だという。いま「新宿八百屋」が入居してるビルの3階を借りた。

「その頃はイスラムの人はあんまり見なかったね。韓国、在日の人、それに東南アジアの人。サリーを着た女の人が歩いててね。わ、面白そう！ って思ったの」

その一瞬が、おばちゃんの新大久保暮らしの原点であるようだ。

1983年には国際NGOピースボートの設立にも立ち合っている。大きな転機となったのは1995年1月17日の阪神・淡路大震災だった。淡々と死者の名前ばかりが報じられるテレビを見ていて、おばちゃんは疑問を持つのだ。確かに大切な人の安否は誰しも知りたいだろう。でも、必要な情報はほかにもある。被災地が本当に欲しているのは、いまを生きるための、サバイブに寄り添った情報なのではないか。

これだ、と思ったおばちゃんは、すぐに出発した。車に印刷機や紙を積み込み、仲間たちと一緒に神戸に降り立つと、1月25日から『生活情報かわら版デイリーニーズ』を発行しはじめた。内容はタイトルそのまま、日々を生き抜くために必要な情報だ。炊き出しがどこで行われているのか、緊急対応してくれる病院のリスト、仮設住宅の申し込みについて、被災者に開放されているお風呂（ふろ）、災害時の融資や給付、それに外国人被災者受け入れ募集なんて英語の記事も交じる。

「1月24日が私の誕生日でさ。25日が娘の結婚相手の親と会う約束だったんだけど、ケロッと忘れちゃっててね。娘には、ごめーん、よろしく言っといてって」

なんて思い出しては愉快そうに笑う。いまでこそおばちゃんもスマホを使いこなしているが、阪神・淡路大震災の頃はまだネットが普及していない。足で稼ぎ、毎日発刊し続けた『デイリーニーズ』は、被災者の厳しい生活を支える存在だったのだ。おばちゃんたちは連日、被災地を歩き、取材し、手書きの原稿を書き、印刷する日々を送った。最大1万部を発行したという。

神戸で怒濤(どとう)のような日々を過ごし、新大久保に帰ってみると、どうしても気になることがあった。改めて見てみると、ここは木造住宅やアパートが狭い路地に建てこんでいる。いわゆる「木密地域」だ。そこに住む人々には、外国人が急速に増えてきていた。そういえば自分自身も街のことをよく知らない。もし地震が起きたら、新大久保はたいへんな被害を受けるのではないか……そんなことを考えていたときに、共住懇が発行していた『おいしい〝まち〟ガイド』を見つける。新大久保のエスニック料理店を集めた小冊子だったが、連絡を取ってみたことをきっかけに共住懇の印刷物を手がけるようになり、やがて中心メンバーになっていく。

1999年に発刊がはじまった『OKUBO』は、おばちゃんの発案だ。それまであまり知らなかった我が街に、もう少し深く関わってみようと思ったことがきっかけだ。それに当時、まだ韓流(はんりゅう)ブーム以前で、新大久保は治安が悪い、こわいなどと悪評ばかりだったことにも腹を立てていた。

「普通の人が普通に生きているってことを、知ってもらいたいって気持ちはあったよね」

その「普通の人」の中にはもちろん外国人も含まれているだろう。彼らとの共存は『ＯＫＵＢＯ』の大きなテーマのひとつだ。そこをアピールしつつ発行していくことには、けっこうな覚悟があったのだという。

「外国人をよく思わない人から怒鳴りこまれるんじゃないか、ってね」

このあたりは衝突を経て、ある程度の相互理解が進んだいまと、20年前との違いだろう。

それからおばちゃんはずっと、新大久保を歩き続けている。２００４年からは「アジアの祭」を主催。アジア人の多い街の特性を活かして、各国の人々が踊りを披露し、料理の屋台が並び、毎年盛況だったようだ。それに祭りを通して顔を合わせ、近所づきあいをするきっかけをつくれれば、それが防災に役立つという考えもあった。

「まず顔を合わせることから」

この街で異文化のぶつかりあいの最前線にいる誰もが口にする言葉が、やはり「アジアの祭」のテーマでもあった。いまは残念ながら続いてはいないが、

「またやりたいよー。でもなかなか場所がさ。あと、あたし雨女なんだよね。あたしがなにかやると、だいたい降る。今年の大久保まつりも台風が来たし。これがいちばんの問題かも」

なんてけたけた笑うのだ。御年80歳を迎えつつあるいまなお、なにか仕かけてやろうと企んでいるに違いない。

ところで気になっていたのは、見事なシルバーのお下げだ。聞いてみれば、

「もともと短いのキライでさ。もう50年くらいやってんのかなあ。枝毛が伸びてくるから手入れはしてるけど、先っぽは40年モノだね」

と言うから、お下げだけでも史涵くんよりだいぶ年上なのだ。そのお下げをトレードマークに、おばちゃんは今日も新大久保を歩く。

「いろんな人がいて、次々にいろんなことが起きて。飽きないよね。楽しい」

ルーテル教会のクリスマス礼拝で新大久保の1年が終わる

近くのハラルショップがいきなり弁当を売りはじめた。エビフライ弁当、白身魚弁当、オムライス……ラインナップは日本的だが、ハラル認証マークが輝く。けっこうちゃんとしているし、ひとつ400円と安い。

「ハラル弁当をつくってる知り合いがいてね。試しに置いてみようと思って。このへんはハラルのレストランもあるし、普通の弁当屋もあるけど、ハラル弁当はないでしょう」

店主が言う。儲かりそうだと思ったらとりあえずやってみる。この腰の軽さが南アジ

アの商売人なんだろうか。しかし僕が買いに来たのは弁当ではなくデーツだ。なつめやしの実を乾燥させたもので、ねっとり甘くて仕事の合間のおやつにはぴったりなのだ。このあたりのグロッサリーストアではどこでも売っている定番商品といえるのだが、

「あ！　仕入れるの忘れてた、ごめん！」

お互いに天を仰ぐ。

「やっべ、また忘れたよ……」とか店主が日本語でつぶやくが、それだけ売れている商品なのだろう。仕方ないのでインド産のカシューナッツとレーズンを買い込み「すぐ入荷するから」と言われて店を出た。このあたりのいいかげんさも、どこか憎めないアジアのノリなのだ。

東京もすっかり寒くなった。常夏の国から来た人々もコートを着込みマフラーを巻き、白い息を吐いていかにも寒そうだ。一方でベトナム人だろうか、女の子たちは母国ではできない冬の装いそのものが新鮮なようで、友達同士セーターやコートを見比べながら楽しそうに歩いていく。

セブン-イレブンの前では、ミニスカサンタが声を上げ、クリスマスケーキとチキンを店頭販売している。これまたベトナム人か中国人か、いずれにせよ留学生のアルバイトだろう。日本に来てまさかサンタのコスプレをするとは思いもしなかっただろうが、元気にはしゃいでいる姿を横目に、僕はルーテル教会に向かった。いつもの牧師カフェを開いている1階ではなく、2階の礼拝堂に入る。

高い天井がつくる広々とした空間。正面の大きな十字架の左右には、4枚のステンドグラス。信徒の座る机にそれぞれキャンドルが灯り、薄暗い礼拝堂を淡く照らす。そのやわらかな光の中に、おばちゃんを見つけた。並んで座り、小声で挨拶を交わす。今夜はクリスマス礼拝なのだ。次々に人がやってくる。日本人が多いが、欧米人もいるし、フィリピン人らしき東南アジア系、中南米の顔立ちも、黒人もいる。

やがて多様な人々を呑み込んだ礼拝堂に、パイプオルガンが響き渡った。賛美歌が満ちていく。猥雑な新大久保とは思えない荘厳さに鳥肌が立つ。

「あなたの心は、この1年どうでしたか」

壇上に上がった関野さんが、僕たちひとりひとりに問いかけるように説教をはじめた。

「あなたの心は、人を拒むことはなかったでしょうか。ものごとがうまくいっているときはソファーのようなやわらかな心でも、ふとしたことで心を閉ざし、硬い石のようになってしまうことはなかったでしょうか」

どうだったろうか。慌ただしく過ぎていった1年を振り返ってみる。この街の人々に揉まれ、教えられ、元気をもらったような日々だったようにも思う。その人たちに、僕はどんな心持ちで接していただろう。

おばちゃんも僕もちっともキリスト教徒ではないのだけれど、祈りという場にお邪魔させもらって、自らを省みる。ヒンドゥー廟でも感じたが、こうしてしばし気持ちを落ちつけて、心にたまっていたもやもやを整理整頓すると、掃除をしたようにさっぱりするものなのだ。とくに年末、家と同じように心も掃除しておけば、気分よく新しい年を迎えられるというものだろう。

1時間ほどで礼拝は終わった。外に出ると、年の瀬でも相変わらず、韓流ファンの女の子たちがハットグに行列をつくっている。街の貴重な労働力である留学生たちは「年末年始は航空券が高いから帰れないし、いまが働きどきだから」とアルバイトに精を出す。いつもは週に28時間しか働けないが、長期休暇中はこれが40時間まで拡大されるのだ。一方でイスラム教徒の生活は、あまり変わらないかもしれない。日本人も外国人も、それぞれのカレンダーで2019年の終わりを迎えようとしている。

「この街に来ると、気持ちが落ち着くんだよね」

2020年2月28日。僕は第11回インターナショナル事業者交流会……あの「4か国会議」を見学させてもらっていた。日本、韓国、ネパール、ベトナムそれぞれの事業者の代表と、オブザーバーの方々、さらに新宿区の方やオマケの僕も合わせて30人ほどが集まった。その冒頭、伊藤理事長はまず、

「新型コロナウイルスの感染が日本でも少しずつ広がってきています。新大久保からは

絶対に出さないという気持ちでがんばりましょう」

と挨拶をした。剣呑(けんのん)であった。中国で発生したコロナウイルスはじわじわと世界各地に拡散し、日本にも上陸。2月21日には国内感染者が100人を超え、街にはマスク姿の人が増えはじめていた。日本各地で人が集まるイベントが中止となり、横浜に停泊したクルーズ船「ダイヤモンド・プリンセス」内で集団感染が発生したことが連日大きなニュースとなっていた。

今年の新大久保フェスは6月に開かれる予定だったが、4か国会議では残念ながら延期ということでまとまった。実施となれば、頻繁にスタッフが集まる必要がある。どうしても「密」にならざるを得ない。それを考えると仕方がない判断なのだろう。

その後は、街の現況について活発に意見が飛び交った。

「韓国ではテレビ番組で〝日本の多国籍都市〟として新大久保が紹介されました。政治の問題はあっても、新大久保ではさまざまな国の人々がいい関係を作れているというものです」

「特定技能という在留資格ができたこともあって、ベトナム人がどんどん増えています。留学後に就職をする流れも進んでいます」

「新宿は世界的に有名な街です。新大久保はその隣という立地、多国籍という特性を活かして、もっとお客を呼べないでしょうか」

「個々の店で営業努力をするのはもちろんですが、またフェスのようにひとつの方向でなにかできないかと思っています。また来たいと思ってもらえる街にするには、次々にいろいろなものを用意していかなくては」

昨年のフェスについては「ほかの国の人たちの取り組みも学べていい機会だった」「仮に延期になっても、また次も」という声がたくさん寄せられ、オブザーバーのひとりである稲葉さんは「フェスを経て、皆さんの結束が強まったように感じます。やっぱり、一緒になって身体を動かすのは大事だと実感しました」と話した。

会議が発足して2年半。その間、お互いの人柄や文化を知り、さらにもうひとつ街がまとまっていくためには、フェスという共同作業が必要だったのかもしれない。

懸念はやはりコロナだ。客足がやや落ちてきており、先行きが心配だと誰もが言う。今回はじめて会議に参加したという「アリランホットドッグ」の金さんは、「地方の店舗はまだ大丈夫ですが、東京の売り上げが落ちてきています。スタッフはマスクを着け、消毒をしっかりするなど、できる対策はやっていこうと思っています」と話す。またチョゴリのレンタルを行っている会社は、卒業式が中止になったことですでに大きな打撃を受けているという。新宿区の方からも、小中学校が休校となり、3月のイベントがすべて中止、区の施設も使えなくなることが報告された。

コロナの不安はあるが、それでも会議をさらに発展させていくために、もう少しベトナムの参加者が増えてほしいという意見もあった。どうしてもドゥックさんに負担がかかってしまうのだ。東京にいるベトナム人は若い留学生が中心で、学校とアルバイトに

追われなかなかまとまった組織をつくったり、地域と交流する余裕が持てずにいた。しかしそれでも、

「だんだんとベトナム人のコミュニティもできています。彼らにも声をかけていきたい」

とGTNのベトナム人社員の方が話した。

さまざまな話し合いがされたが、最後に伊藤理事長は、

「もっといい街になるよう、もっと結束していきましょう」と会議を締めた。

その後は、ドゥックさんの店「Gogiちゃん」で懇親会となった。ベトナム人が経営する韓国料理屋なわけだが、そこで日本人とベトナム人とネパール人と韓国人が日本語で語り合い、ともにサムギョプサルをつつく。なかなかカオスな状態だが、この光景が新大久保であると思うのだ。どこの国なのかわからない、それでもふしぎな一体感がある。そんな空気をつくりだしているのは、伊藤さんなのかもしれない。理事長自らあちこちのテーブルに顔を出し、声をかけ、一緒に笑い転げる。なんだかお母さんのようなのだ。『ネパリ・サマチャー』のスタッフでもあるリトゥ・クマル・ドゥラさんは、

「僕はほかの街に住んでいて、仕事で新大久保に通っているけれど、この街に来ると気持ちが落ち着くんだよね。それは、伊藤さんやほかのいろいろな人がいてくれるからだと思う。あそこにいけばあの人がいる、それが僕を安心させてくれる」

そんなことを酔っぱらいながら語る。二次会は「アジア屋台村」に移り、そこでもみ

んな、さんざん飲んだ。会議の参加者たちはこういう濃密な時間を2年あまり過ごしてきたからこそ、フェスが成功したのだろう。ここが「ホーム」だと思えるような街。その根っこはやっぱり、人と人とのつながりであり、誰がどこの国の者だということはあまり関係がないのだ。

またひとつ、商店街から日本の店が消えていく

「記憶を辿ったわが町大久保」という大きなイラストマップを開いてみる。昭和10年、つまり1935年前後の大久保駅から明治通りの間を描いた地図だ。戦争によって焼け野原になる前の姿を地図の上に再現しようと、有志の方々が当時の記憶をたどり、思い出しながらつくったものだという。貴重な資料なんである。

それを見ると、新大久保駅のすぐ東には「大久保キネマ」という映画館があったようだ。まだ無声映画だったため、活動弁士とピアノやトロンボーンの楽団もいたと書き添えられている。その周辺には豆腐、たばこ、毛糸、パン、そば、古本、花といった小さな専門店が並ぶ。現在のイスラム横丁を見てみると、医院のまわりにいくつか民家が並んでいるだけだ。ドン・キホーテのあたりには荒物屋、染物屋、呉服屋、大工、寿司屋

がみっしりと建てこむ。その西側、いまネパール系のグロッサリーストアがあるあたりには公衆市場があったようだ。ここから北に路地を入っていくと「外人屋敷」なる建物が見えてくる。小野アンナやアウグスト・ユンケルといった名だたる音楽家たちは、ここに住んでいたらしい。

地図のあちこちにはその頃の街の風景も描かれている。人力車や馬車、魚や野菜を売る棒手振り、紙芝居、メンコやまりつきや竹馬で遊ぶ子供たち。１００年近く前の新大久保がありありと目に浮かぶようだが、そこには韓流のレストランも、南アジア系の店もなにもない。大久保通りにはびっしりと小商いの小さな店が並び、外国人の住む一角はあっても、ここは日本の商店街だったのだ。

いまも残る店や施設も、ちらほらとある。ルーテル教会や万年湯、皆中稲荷神社に全龍寺、盛好堂書店……そしてこの時代からずっと営業を続けてきた店のひとつが「ナイトウシューズ」だ。

「大正の中頃から商いをはじめたそうですが、当初はちゃんとした店というほどではなくて、家の軒先で下駄や草履を売ったり、行商に回っていたと聞きます」

3代目のご主人、内藤雅也さんは言う。１９５５年（昭和30年）生まれの内藤さんが物心つくころ、大久保通りは「日常の身の回りのものを売る」ごく普通の商店街だった。雪が降るとよく長靴が売れたそうだ。

少しずつ街の姿が変わっていったのは高度経済成長期からバブル期にかけてのことだ。

スーパーマーケットが現れて個人商店の売り上げに影響が出るようになる。そして歌舞伎町の隆盛に伴い、住宅街の中に東南アジア系の顔立ちが目立つようになってくる。歓楽街で働く人々が新大久保に住みはじめた時代だ。

「でも、まだまだ静かなものだったと思いますよ。こちらから積極的に関わることもなかったけれど、よそから言われるほどトラブルもなかった」

そこに日韓ワールドカップとヨンさまブームがやってくる。商機と見た韓国の店がどんどん新大久保に進出してくるのだが、大久保通りは昔ながらの商店街がまだ健在だ。

「だから彼らはまず、小さな路地に店を構えていったんです」

そんな路地のひとつが、イケメン通りだ。住宅街の中に韓国のレストランやCD、グッズの店などが次々にオープンし、住民との間にトラブルが起きてもきたが、その一方で押し寄せる韓流ファンは商店街のいいお客さんでもあった。この時代、韓国の芸能人に夢中になっていたのは中高年の女性が中心で、購買力が高かったこともある。

そして2010年あたりから、韓国の店は大久保通りにもどんどん増えていく。その背景にあったのは地域の高齢化と少子化だった。商店の後継者がいないのだ。日本社会全体を覆っている病根とまったく同じように、この都心でも街は老け込んでいった。

加えて観光地化を嫌った商店主や住民は、どんどん街を去っていく。コリアンタウンとして注目を集め、地価が上がっていけばなおさらだ。テナント料が高騰し、自分で商売をやるより店を閉めてビルオーナーとなり、貸したほうがいいと判断する人も増えた。

100年にわたって新大久保商店街で営業を続けた「ナイトウシューズ」の３代目、内藤雅也さん

そういうビルにも韓国の店が次々と入り、街の色が塗り変わっていく。

次第に日本の、地域住民の生活に寄り添った個人商店が減っていき、観光客相手の店が増殖していった。住民たちの葛藤はあっただろうが、シャッター街になるよりはいいじゃないかと外国人を受け入れ、共存する道を模索してきた。

いまもかろうじて、肉屋、日用品店、雑貨屋、洋品店、熱帯魚屋、それに伊藤さんの島村印店などが残り、かつての日本の商店街の面影をとどめるが、韓国やベトナムのハデな看板に押され、目立たない。行きから観光客は、この街に日本の生活品店があることに、むしろ驚くくらいだ。

そしてナイトウシューズは、２０２０年３月をもって店を閉める。閉店セールの貼り紙がなんだかさみしい。

「100年、続きましたからね。そりゃあ残したいと思いましたよ」

街の観光地化、多国籍化にどうにか対応しようと苦心してきたが、ここ数年の韓流ブームの主役は10代の女の子たちだ。ヨンさまの頃はお金のある40代から60代の女性が多かったが、いまは違う。まだ学生の若い韓流ファンにとって、例えば3000円の靴でも大きな買い物なのだ。日本人の住民は高齢化し、靴の需要はあまりない。東日本大震災以降に増えた東南アジア、南アジア系の外国人もときおり来店するが、どうしても客単価は低く、売り上げは年々下がるばかりだった。苦渋の決断だったが、大正以来の歴史に終止符を打つことにした。閉店後はまわりの人々と同じように、ビルオーナーに転身する。

「やっぱり韓国系の店が入ることになると思います」

こうしてまたひとつ、大久保通りから日本の店が消える。ここは流れていく街であり、よそものがつくってきた街でもあるのだから、移り変わっていくのはやむないことだろう。それでも先人たちが去っていくのは寂しいものだ。

「移民、というのかどうかわかりませんが、外国人はどんどん増えるでしょう。それでどんな街になっていくのか。昔はね、横浜の元町(もとまち)みたいなところになればと思ったこともあったけれど、いまとなってはどういう街に変わっていくのか、あまりイメージできません」

内藤さんは言う。つかみどころのない、あまりにも多面的で、多様に膨張していく街。江戸時代以降ずっとよそものを取り込み変化してきたこの街は、１００年以上続く商店街を呑み込み、これからどんな姿を見せていくのだろう。

第11章 コロナウイルスは新大久保の姿を変えるのか

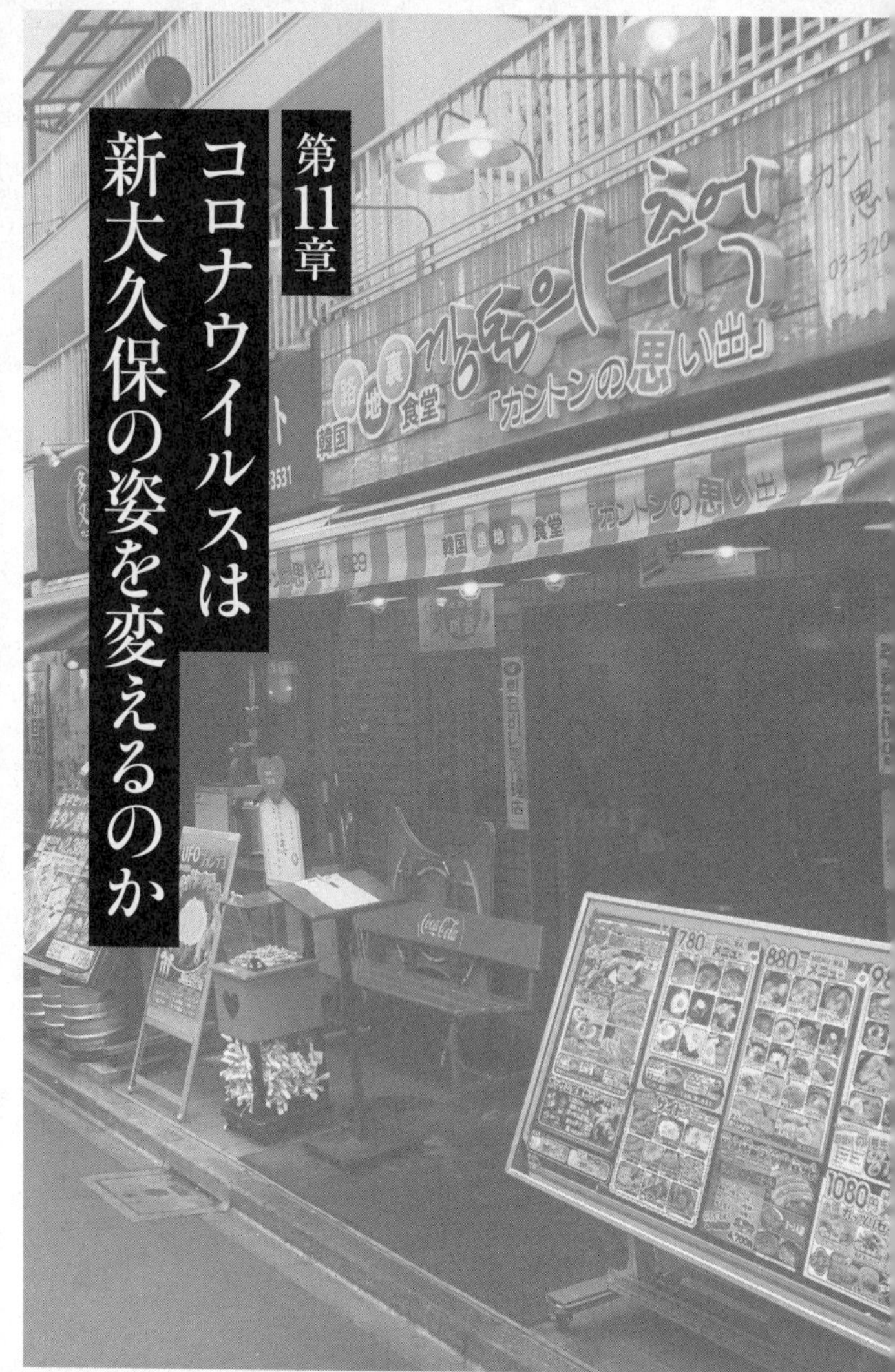

ゴーストタウンと化した韓流エリア

「ここは日本だよ。俺たちの国とは違う、ちゃんとした先進国じゃん。しっかり対応して、コロナを抑えこむよ」

なぜだか自信満々に断言する、ヒンドゥー廟（びょう）のネパール人やバングラデシュ人。レストランでアルバイトしている中国人やベトナム人の留学生たちも「心配だけど、日本だし」「安全に暮らせる国だから来たんですよ」なんて話す。この国はまだまだ信頼されているのかもなあと思っていたのだが、そんな彼らの顔もだんだん曇ってくる。

東京オリンピックをやるのかやらないのか、決定がなかなかできず、その間に国内でのコロナウイルス感染はどんどん広まっていった。世界各国が次々と厳しいロックダウン（都市封鎖）を開始し、コロナとの「戦時体制」に入っていったのに、日本はどこかのんびりしたままだった。明らかに危機感は薄かったと思う。

やがてルーズと思われていたタイやベトナムやマレーシアなどアジア諸国でも、外出制限や都市間の移動制限、飲食店をはじめとした人の集まる施設の営業停止に踏み切った。台湾や韓国も厳格な対応を敷き、ＩＴを駆使してコロナの封じ込めに全力を挙げて

緊急事態宣言が出ると、あれほど賑わい行列していたイケメン通りも閑散。どの店も開店休業状態に

いる。僕も、新大久保に暮らすアジア人たちも、そういう海外のニュースによく接しているものだから、日本の対応は少しヌルいのではないかと不安が募っていく。ちょっと前までの余裕はどこへやら、やや苛立ちを含んだ声で「日本は本当に大丈夫？」「どうしてロックダウンをしないの？」と外国人たちから問われるようになってしまった。

そして3月24日、ついに東京オリンピックの延期が決定。どういうわけだかこの日を境に感染者が一気に増大し、4月7日には東京を含む7都府県に対し緊急事態宣言が発令された。他国のロックダウンに比べると法的な罰則もなく緩いものだったが、日本もようやくコロナと向き合うようになった。

新大久保ではルーテル教会が閉まり、

牧師カフェは中止となった。渡米する関野牧師の「さよなら東京ライブ」もおばちゃんと行くはずが、取りやめになってしまった。イスラム横丁のモスクはずいぶん前から自主的なロックダウンに入り、集団での礼拝は行っていない。ヒンドゥー廟はただでさえ狭くて「密」であるため、月曜の集会を自粛するようになった。「ベトナム・アオザイ」はコロナに加えて、どうもトゥイさんが「オトコにフラれた」ショックだとかで店を閉めている。

大久保図書館はじめ区内の施設も閉鎖が進む。しんじゅく多文化共生プラザもやはり閉まり、外国人の相談受付は電話のみ、日本語教室はしばらく休止となった。4か国会議はZoomに移行した。

そして韓流エリアはほとんどゴーストタウンと化してしまった。歩道からあふれんばかりだった観光客は皆無となり、イケメン通りも歩いているのは在住のアジア人だけになった。

苦しいのは飲食店だ。韓流エリアでは観光客でもっていた店がほぼすべてなのだ。どこも閑古鳥が鳴き、行列しないと入れなかった店もいまではガラガラ、ハットグ店はいくつかが臨時休業となった。ある韓国レストランは「お客さんは通常時の8、9割減」と嘆く。

ネパールやベトナムや中国などのレストランは観光客ではなく在住外国人相手だが、こちらは東京都から出された自粛要請に従い夜8時閉店とあって、やはりきつい。

留学生も窮地に追い込まれた。母国もコロナ禍に見舞われて実家の生活が厳しくなり、仕送りが途絶えたり減った学生。

「働いていた居酒屋が休業になったんです。それに、ほかの店も8時までしか営業できないからとアルバイトの人数を減らすところが多くて」

と話す学生が増えてきた。仕送りがなく、逆に実家に送金していたような学生はあっという間に生活苦に陥った。彼らは週28時間のアルバイト代だけで暮らしていたのだ。そして東京の飲食店を支えてきた。ふだんから綱渡りだったのだろう。家賃が払えなくなり、やむなく友人の部屋に転がり込んで、「NG」である多人数同居をしているネパール人もいると聞いた。あるミャンマー人の学生たちは、夕食どきは誰かの家に集まって、みんなで自炊しているそうだ。そのほうが安上がりだからだ。

コンビニやスーパーマーケットは必須の社会インフラだから営業自粛の対象ではないけれど、そこで働くある中国人留学生は、

「感染の危険があるのでこわいですよね。でも働かないと生活できないから」

と言った。小売店ではビニールカーテンや手袋を導入し消毒を徹底するようになってきたが、それでもやっぱりこうした場所はコロナとの戦いの最前線だ。それを外国人留学生にずっと任せてきたのだということをいまさらながら思い知った。

外国人置き去りのコロナ支援策

経済が傾くだけではない。外国人コミュニティ特有の問題も大きくのしかかる。出入国ができないのだ。全世界で入国制限が敷かれ、グローバル社会は短期間のうちに動きを止めた。当然、新しい世代の留学生も入ってこられない。困るのは日本語学校や外国人も対象にした専門学校、それに不動産関連といった業界だろうか。常に新しく「よそもの」が流入してきて新陳代謝を繰り返してきた新大久保が、呼吸を止めてしまったようなものだ。

僕だって厳しい。全世界で出入国が止まり、とつぜんの「鎖国」に見舞われ、アジア諸国の取材ができない。旅行関連の仕事はほぼ全滅だ。先行きの見えない不安の中、国や都からぼちぼち出てきたコロナ救済案にでも頼ろうかと、あれこれ調べていたときのことだ。

「これ、日本人だけが対象なんですか?」

あるネパール人から聞かれた。収入の減った事業者を支援する持続化給付金や、東京都の自粛要請に従った飲食店などに支払われる感染拡大防止協力金など、さまざまな名目で緊急の給付や融資がはじまっていたが、そんなチラシの一枚を彼は見せてきた。外国人も救済対象になっているのかどうか、記載はない。

あらためて各公式サイトを当たってみた。しかしやはり、外国人も支援を受けられるのかどうか、まったく書かれていないのだ。もちろん英語など多言語での案内もない。そこで窓口に電話してみるが、係員がそもそも知らないのであった。それでも親切にあれこれ調べてくれた結果、だいたいどの支援策も外国人も対象になっていることがわかった。

ただし「融資」に関しては別で、これは在留資格が「永住者」や「日本人の配偶者等」に限られるものが一部であった。一般的に外国人は「留学」とか「技能実習」とか「経営・管理」などの在留資格を数年ごとに更新して日本に滞在している。こうして10年、20年と日本で暮らす人もたくさんいるのだが、それってつまり短期滞在を繰り返しているだけなのではないか、融資をしても果たして返済できるのか、すぐに帰国するのではないか……と判断され、対象外となることがあるようだ。ちょっと酷なように思った。海外移住といったって現地の永住権を取る人は世界のどこでもそう多くはないわけで、僕がタイに暮らしていたときも、新大久保に住む大多数の外国人も、就労用のビザ・在留資格を更新、延長して生活している。長年ずっと日本に納税している外国人だってたくさんいるのになあと思った。

ともあれ給付金に関しては外国人も対象になるようだった。揉(も)めに揉めた10万円の特別定額給付金も同様で、住民票があれば国籍にかかわらず支給されるという。ただ、手続きは基本的に日本語のみ。10万円の給付はともかく、持続化給付金や感染拡大防止協力金の申請作業は、日本人だってなかなかに手こずりそうなややこしさだ。これを外国人がこなすのは、日本語がよほど達者な人でも難しく、たいていはふだんから世話になっている行政書士や税理士などに頼んでいるようだった（特別定額給付金に関しては、後に多言語での書類作成ガイドができた）。

非常時だから仕方ない面はあるのだが、少子高齢化の穴埋め的に国策として外国人をどんどん入れて日本社会に組み込んできたのだから、もう少し気を使ってくれてもいいように思った。

それでも日本で暮らしたい、コロナに邪魔されたくはない

4月、5月と、コロナに翻弄(ほんろう)される日々が続いた。祭りやイベントが軒並み中止になり、おばちゃんは落胆していた。行政の対応にもなにやら腹を立てているようで、

〝コロすな　ロクでなし　ナめんなよ〟

とメールを送ってきて、ちょっと笑ってしまった。リアルで祭りができないならオン

ラインだと、たぶん日本のアラエイティでは先陣を切ってＺｏｏｍを導入し、コロナ絶滅を祈願してみんなで河内音頭を踊ったのだという。

そんなおばちゃんからの便りにほっとしつつも、僕はちょっと心配をしていた。もしかしたら、この街から外国人が消えてしまうのではないかと思っていたのだ。

こうした緊急時では母国のほうがなにかと安心だろう。飲食など大きな打撃を受けている人々は、日本でのビジネスに見切りをつけるかもしれない。それに、なにごともキッチリしていると信頼していたはずの日本が、思いのほかどたばたした国だと外国人たちは知った。案外「だらしない」のだと、ばれてしまったのだ。あるミャンマー人は「ちょっとがっかりした」とつぶやいた。別のベトナム人からは「ベトナムはコロナでひとりも死んでいない。ベトナムにできたことが、どうして日本はできないの？」と言われてしまった。

日本はもういいや、帰ろうと考える人が増えても、当然だと思ったのだ。しかし、

「帰ろうにも、帰れないです。飛行機が飛んでないから」

と笑いつつ、中国人の留学生は言う。

「せっかく日本に来たんです。勉強したいこともまだまだたくさんあるし、なにより日本で就職したい。コロナに邪魔されたくない。親はね、心配だから一度帰ってこいって言うけど、日本にとどまるつもりです」

そんな声が、僕が話を聞いた限りでは大勢を占めた。やすやすと人生プランを変える

わけにはいかないのだ。留学生だけではない。ネパールやベトナムやバングラデシュの商売人たちは、母国から家族を呼び寄せ、子供を日本の学校に通わせている。「自宅やマンション買っちゃった人だってたくさんいるしさ」と言う人もいて、そう簡単にハイ帰りますというものではない。そこが、東日本大震災とコロナ禍の違いだった。3・11では放射能を恐れ、命の危険を感じた外国人がいっせいに帰国した。店や自宅を放り出してしまった人もたくさんいたそうだ。いっとき、この街は寂れ、その空白が東南アジアや南アジアの人々を呼び込むきっかけにもなった。しかし今回はだいぶ違うようだった。コロナウイルスは人間社会の活動をしばし止めたが、グローバル社会を逆戻りさせるようものではないようにも感じた。

そして、新大久保では懸念されたようなパニックもなかった。

「この街でもし大災害が起きたら……」

それは「スタジオM」の小二田さんやおばちゃんの心配するところでもあったのだが、外国人たちはおおむね冷静だった。近所の日本のスーパーやドラッグストアでは買い占め騒ぎも起きたが、外国人相手のグロッサリーストアではそんなこともなく「米や豆や保存食品がよく売れたねえ」と聞くが、棚がからっぽになるような事態にはならなかった。

パニックというのはたいてい情報不足から発生するようにも思うが、外国人たちは日本語ばかりのコロナのニュースをある程度キャッチしていた。語学力のある人でも専門用語が連なるニュースや新聞の内容を把握するのはけっこう難易度が高いのだけど、日本語に長けた人がボランティアをかって出て、ニュースや支援策などを片っ端から翻訳、SNSに流すことも行っていた。それがどんどん共有されていく。新大久保にも「日本語の会話はできてもニュースまではちょっと」「ウェブのニュースも知らない漢字が交じっているとわからなくなる」「留学したばかりでサッパリ」という外国人も多いが、各国の成熟したコミュニティが助けになっていたようだ。

そしてまた、彼らはたくましくもあった。

エスニック系の飲食店が次々とテイクアウトに対応しだしたのだ。会食そのものが「クラスター」になるのではと恐れられ、また営業自粛の対象にもなり苦境に陥った飲食店だが、それなら持ち帰りすればいいのではと、ロックダウン下の各国では日本に先がけてテイクアウトがブームになっていた。そんなニュースをよく見ていた外国人たちは、日本人経営の飲食店よりもむしろ早くテイクアウトをはじめたのではないだろうか。

新大久保でもあっという間にテイクアウトが普及した。韓国はもちろん、ベトナム、インドネシア、チュニジア、ネパール、タイ、パキスタン……さまざまな国の店がお持ち帰り弁当を売りはじめ、新大久保は一躍、多国籍テイクアウト・グルメの街として注目された。そのうちの一軒、福建・台湾料理「興福楼」の陳増武さんは言う。

「みんながお店を閉めちゃったら、街が暗くなるでしょう」

お客が8割以上減り、一時的に閉めることも考えたが、踏みとどまることにした。全メニューがテイクアウトできるが、すごいことに火鍋まで持ち帰れるのだという。手づくりの水餃子や大根餅、ごま団子といった点心がやさしい味わいでおいしい。豆板醬だって自家製なのだ。

その味と、陳さんの人柄もあって日本人の常連も多い。来日25年、この街には2008年から店を構え、町会にも参加している。もう地域に溶け込んだ存在だ。だから緊急事態宣言が出た翌日には、近所の日本人が何人も、大丈夫かと様子を見に来てくれたのだという。

「3・11のときは大久保通りもぜんぶ店が閉まって、真っ暗になっちゃってね。せめてうちだけでもと、翌日から開けたんです」

まわりの日本人からは「陳さんなんで逃げないの、放射能はこわくないの。陳さんには逃げる故郷があるじゃない」と聞かれもした。

「でも、そう言ってくれる日本人がいるから、いつも来てくれるお客さんがいるから、店を続けることができたんです。だから帰らずに、みんなとがんばろうと思って。今回のコロナも同じ気持ちです」

外国人も日本人もなく、もうこの街で一蓮托生、ともに耐えるしかない。出入国が制限されているから帰るに帰れないという事情があるにせよ、コロナを機にちょっとした一体感も醸成されたように思った。

「マスクの街」と化した新大久保

「こういうときだから、なにか自分にできることを、と思って」

そう語るグロッサリーストアの店主の前には、マスクの箱が山積みになっていた。50個入りで2600円。平時であればかなり高いが、いまは世界的なマスク不足で仕入れ値が高騰しているという。加えて、日本への輸送費も考えるとどうしてもこの値段になってしまうそうだ。それでも、たくさんの日本人が開店前から行列をなした。テレビに影響されて殺到したのだ。

「新大久保の外国食材店にマスク発見！」

そんな調子で放映された番組があったらしい。どう見たって新大久保や南アジア系の食材に興味もなさそうな人々が並ぶ様子はなんだか奇妙だったが、これを見て商売になると思った外国人たちもいっせいに後を追った。それぞれの国のネットワークを通じて大量にマスクを仕入れて輸入し、店頭販売をはじめたのである。

この動きが韓流（はんりゅう）エリアにも拡大していく。観光客がほとんど消えて商売上がったりのアイドルグッズ屋や雑貨屋、化粧品店などが続々とマスクやら消毒用アルコールを売りはじめ、新大久保は突如としてマスクの街と化した。それをまたテレビが面白おかしく流す。

　これはちょっとまずいな、と思った。少し高いんじゃないの、と言いたくなるような値段をつけている店もたくさんあったからだ。彼らは、

「マスク不足の日本を助けたい。でも、利益も取るよ。商売人だからね」

と胸を張る。彼らの、日本社会の一助になればと思う言葉にたぶんウソはない。でも、その気持ちの上に、あまり遠慮することなく利益を積んで売りさばくスタイルに、日本人はなじみがない。無私や自己犠牲を貴ぶ日本人としては、「こんなときに商売かよ」と感じてしまうものだ。この空気感、呼吸をつかめない外国人もいる。

　案の定SNSでは、新大久保の臨時マスク屋はさんざん叩かれた。それでも、またひとつこの街は経験を積んだのではないだろうか。衝突や批判もコミュニケーションのうちだ。マスク騒動を通じて、日本人の意識を少しでもわかってくれればと思う。

第12章 この街の未来を担う子供たち

児童の6割が外国由来、大久保小学校

新大久保に、また新しい「よそもの」がやってきた。僕がタイに住んでいたときに勤めていた会社の上司が、いきなり引っ越してきたのであった。

「いろいろ考えるとさ、この街しかなかったんだよな」

久しぶりに会う松川（まつかわ）さんはそう言った。日本で暮らす親の介護のこともあり、長年住んだタイを引き払って日本に戻ってきたのだ。松川さんの奥さんはタイ人で、ハーフの子供がふたり。上の子はもう大きいのでタイにとどまったが、下の子のカイトくんはまだ小学生なので親についてきた。まず考えたのは、彼の教育、学校のことだった。

「カイトの日本語能力に不安があったから、日本の役所に相談してみたんだ。日本語の勉強もさせてくれて、外国人の受け入れに慣れていて、タイ人の多い学校。それに俺の新しい職場からも近くて……と考えると、大久保小学校なんだよ」

まず子供の学校を決め、歩いて通えるところに住むことにした。そこが新大久保だったのだ。こうして松川さんと僕はタイ時代からのふしぎな縁でまたご近所さんになったわけだ。

カイトくんが通いはじめた大久保小学校は僕の家からも近い。小泉八雲記念公園の目の前に建っている。今年で開校１４１年になるというから、明治初頭に近代的な学校制度がはじまってから間もなく開かれた歴史ある学校なんである。校章はつつじを象(かたど)っている。鉄炮(てっぽう)同心百人が手がけた、あのつつじだ。

「いま１５０人ほどの児童がいますが、うち日本人は4割くらい。両親ともに外国人だったり、ハーフなど外国由来の児童が6割ですね」

説明してくれるのは副校長の山下智美(やましたともみ)先生だ。日本のほか、中国、韓国、タイ、ミャンマー、ネパール、フィリピンなど、多国籍の子供が学ぶ。最も多いときでは14か国の子供がいたという。多国籍が混在する新宿区でも、とりわけ国際的な小学校なのだ。案内していただいた校長室の入口にも、日本語、韓国語、タイ語、中国語、英語で「校長室」と表記されていた。

外国人の子供がこれだけたくさん通っているのは、大久保1丁目2丁目という外国人住民の多い学区を持っているからなのだが、もうひとつ理由がある。日本語国際学級というクラスを設けているのだ。来日したばかりで日本に不慣れな子供たちに日本語の基礎を教えるもので、カイトくんもここに通っている。日本語のわかる子供たちが国語の授業をしているときに、学年ごとに数人ずつ、およそ30人ほどが国際学級で学ぶ。義務教育の中で、日本語に特化したクラスを設置しているのは非常に珍しい。しかも大久保小学校は、１９９０年にこのクラスをはじめている。すでに30年、外国人の子供に日本語を教えてきた実績がある。

「日本語国際学級があるからと、この街に引っ越してきて、この学校に通う児童もたくさんいるんです」とは、校長先生の山貝正海さん。子供の教育を考えて自治体などに相談し、大久保小学校を知り、地域に転入してくるのだ。松川さんはまさにこのパターンだろう。

加えて新宿区では、外国人の子供に対して、母語を話せる指導員による日本語サポート学習も行っている。カイトくんの場合は、タイ語のわかるラオス人の指導員がついて、生活に必要な日本語を徹底的に教えてくれたという。このあたり新宿区は外国人が多いだけあって手厚い。

それでもすぐに日本語を覚えられるわけではない。子供は飲み込みが早いとはいえ、どうしたってある程度の時間はかかる。国際学級から一般クラスに戻ると、先生の言っていることがなかなかわからない子だっている。

「そんなときは、同じ言葉を話せて、もう日本語もわかる子がさっと助けてあげるんです。先生の言葉を母国語に訳して、フォローする。この学校ではそういう姿を本当によく見ます」

山下先生はそう言う。訳してあげる子もきっと、日本に来たばかりの頃は「先輩」に助けられたのだろう。だから自分が日本語をわかるようになってからは、後輩の面倒を見る。そんなバトンが受け継がれているようにも思った。

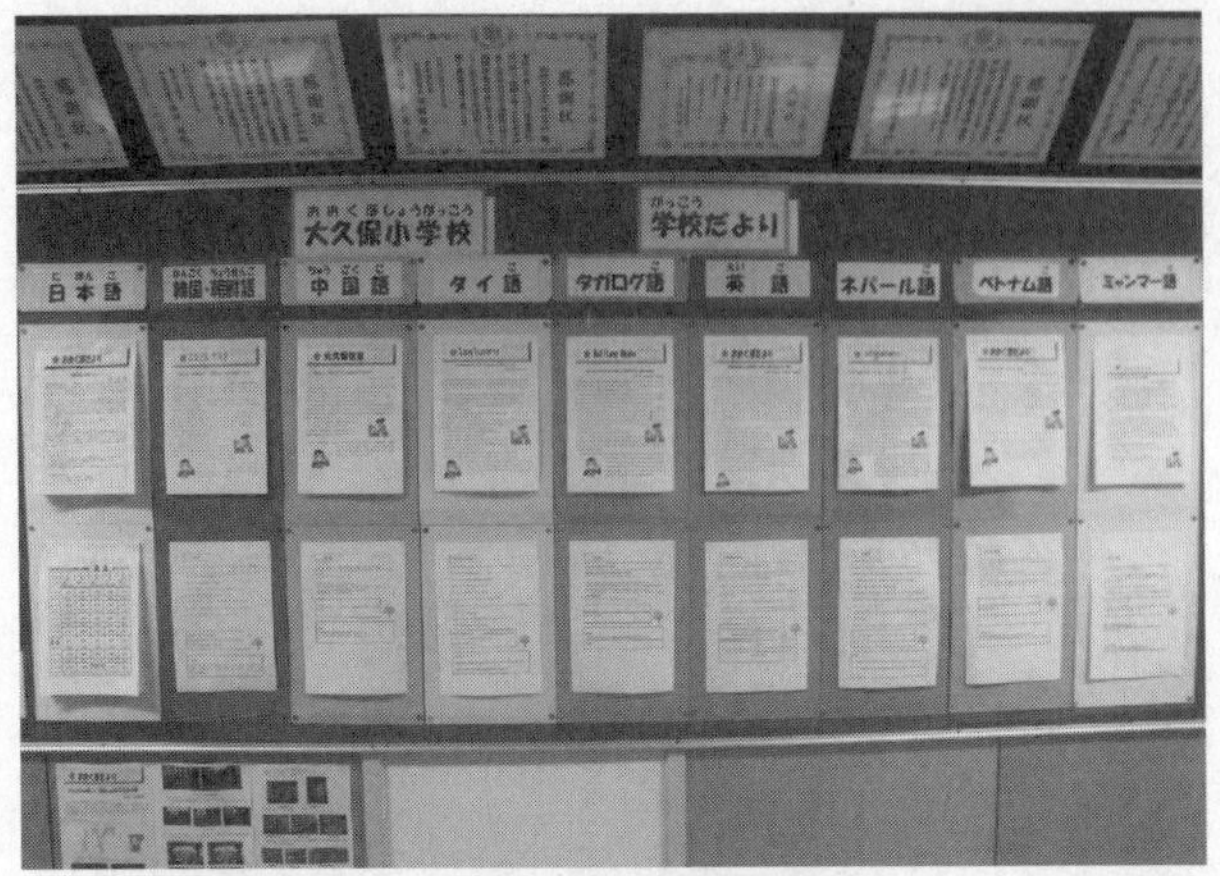

大久保小学校の学校だよりは日本語のほか８か国語でつくられる

都内でも非常に珍しい、日本語国際学級を持つ大久保小学校

こうして先生や友達に揉まれながら日本語力を伸ばし、5年生くらいで日本語国際学級を「卒業」し、国語の授業も一般クラスに戻っていく子が多いという。カイトくんも少しずつ学習を進め、いまは漢字に四苦八苦しているようだ。

日本でも稀に見る多国籍学校ならではの取り組みとは

子供だけでなく、保護者が日本語を理解できないこともある。両親ともに日本語がわかる家庭は少なく、この家はママに伝えたほうがいい、あの家はパパのほうが日本語が通じるなど、そのあたりは各担任がよく把握して対応しているのだそうだ。

そして学校からの通知はやさしく平易な日本語を使い、しかもすべてにルビを振る。これがいかにたいへんな作業か、原稿を書くことを仕事にしている僕にはようくわかる。こうしてルビを振れば、ひらがなだけの日本語になるわけで、それを声に出せばなんとか内容がわかるという親もいる。英語よりもむしろ、やさしい日本語のほうが通じやすいようだ。

ホームページや学校からのメールだってやはり「ふたつの日本語」併記なのである。同じ内容の日本人の保護者に向けたごく普通の日本語と、外国人対象のやさしい日本語だ。同じ内容、同じ意味でも、言い回しはだいぶ違う。例えば普通の日本語では「継続します」を、やさしい日本語では「つづけます」と表記する。「ご確認ください」は「かくにん して ください」だ。こうしてひとつひとつの言葉をシンプルにわかりやすく、ややこしい敬語も少なめにして、いわば「訳す」のだ。加えて、それでも日本語に不安がありそうな家庭には担任が電話をして確認をする。実にていねいなんである。

入学時、両親ともにまったく言葉が通じないときは、友達か誰か、少しでも日本語がわかる人を連れてきてくれるように頼む。そして学校について説明をし、多言語版「入学のしおり」を手渡すのだ。毎月の「学校だより」もやはり多言語で、日本語と英語のほか、韓国語、中国語、タイ語、タガログ語、ネパール語、ベトナム語、ミャンマー語でつくっている。これらの翻訳は新宿区から委託されているＮＰＯに依頼しているそうだ。毎日の連絡はどうしても翻訳作業が間に合わないので、先生方が「やさしい日本語」に訳していく。

そんな学校の対応、先生方の気持ちが伝わるのだろう。

「日本語がカタコトなのに、ＰＴＡの活動を手伝ってくれる保護者の方もいます。先生、私、時間あるから、なんて言ってくれて。保護者会に積極的に参加して、うまく溶け込んでる外国人の方もたくさんいますね」

と山下先生。ＰＴＡのほうでも日本人の保護者が気を使って、通知をやさしい日本語にするなど、協力してくれるのだそうだ。

しかしどうしても仕事が忙しく、あるいは言葉の壁を越えられず、親同士の交流も学校との関わりも持てないまま、時間が過ぎてしまう親もいるそうだ。とくに外国人の主婦は、家にこもりがちだ。言葉もまわりとのコミュニケーションも夫や子供にまかせきりで、わずかな同国人の友人とつきあうだけ。そんな母親が新大久保にも多い。

「いちばん身近な自分の母親が、ぜんぜん地域になじんでいないんじゃないか。そう感じた中国人の子がいたんです。その子は、自分たちの親を学校に連れてきて、会を開こうって提案してね」

愉快そうに山下先生が話す。母親は、言葉もわからないし知り合いもいないからとはじめはしぶったが、子供の説得に負けて学校に来てみた。すると思いがけずいろいろな人と話せて、知り合いもでき、楽しく過ごせたのだそうだ。誰よりも嬉しかったのは、会を催し、母親を連れてきた子供だろう。きっと誇らしかったと思うのだ。

みんな違っていて当たり前の学校

大久保小学校では、地域とのつながりも大切にしている。校章にもなっているつつじの栽培が代表的だろう。江戸の昔から続くつつじ文化を伝えていこうと、学校の敷地のあちこちでつつじを育てているのだ。

活動のきっかけとなったのは、地域と学校をつなぐスクールコーディネーターの存在だ。新宿区では小中学校に各ひとりいて、職場体験などの課外授業や、行事の支援などを幅広く行っている。

「学校から、なにか地域のことを学ぶいい題材はないかと聞かれて、大久保つつじを提案したんです」

と語るのは大久保小学校のスクールコーディネーター、守重有子（もりしげゆうこ）さん。それから学校ぐるみで大久保つつじの保全活動を進めるようになった。

いまでは、つつじの世話は6年生たちの仕事だ。みんなで水をやり、挿し木をしたり、病気や害虫の対策をし、観察日記をつける。歴史だって調べるし、絵本もつくった。どの国の子供も関係なく、遠い遠い昔に武士たちが育てたつつじを受け継いで、面倒を見ている。その作業を通じて、子供たちはきっと新大久保という街に思い入れを持ってくれるようにも思うのだ。

「いろいろな軋轢（あつれき）もあるでしょうが、それでも大久保小学校に通ったんだってことを、いい思い出にしてほしい。楽しかったって思ってほしい。それが、おおげさにいうなら国際交流につながるんじゃないかなって思うんです」

守重さんはしみじみと言う。

そんなつつじの栽培も、あらゆる行事もふだんの生活も、大久保小学校はすべて多民

族ごちゃ混ぜだ。だから、

「子供たちは、誰がナニ人であるとか、ナニ語を話すとか、あまり関係ないみたいなんですよね」と山下先生は語る。相手がどこの国の子だろうと仲良くもなるし、けんかもする。カイトくんは転校初日、まず在日韓国人の子と友達になったそうだ。クラスの誰もが違う顔つき、違う言葉だったりするので、「いろいろなやつがいて当たり前」だと子供ながらによく知っている。だから「あいつは人と違う」なんて理由でいじめたりはしない。みんな違うのだ。

松川さんもそこを強調していた。「外国人だから、日本語がよくわからないからといって、いじめられることがない。そう聞いたから大久保小学校に預けることにしたんだ」と言う。なにより同一性を重視する日本の社会とは少し異なる学校なのだ。

それに子供たちは「いろいろなやつ」の文化をお互いに、教師よりもよく知っていたりする。

「タイ人の子が本名とは違う名前で呼ばれているから、どういうことかと思ったんですよ。ほかの国の子も、担任まで、本名とは似ても似つかぬ名前でその子を呼ぶんです。ふしぎに思っていたんですが、タイはニックネームでお互いを呼び合うんですね。それでやっと納得したんですが、知らなかったのは私だけ。みんなタイの文化を理解してたんです」

あれはびっくりしたなあ、と山下先生は笑う。

こういう学校だから、たとえ国際情勢でなにか揉めごとがあっても、子供同士ではなにも起こることがない。日本は中国、韓国とたびたびいざこざを起こしてはいるが、それは校内にまったく影響がない。けんかやいじめも起きないし、親たちが子供を休ませるわけでもない。

「そこが新大久保のいいところかなって思いますよね」

山下先生と同じことを、街の日本人からも聞いたことがある。過去にヘイトスピーチが押し寄せたこともあるけれど、それは外からやってきたものであり、地域の中で政治的な対立はなかった。生活者同士のトラブルはあっても、政治とは無関係なのだ。

また高学年の社会科となれば、歴史についてセンシティブな内容も出てくる。どう教えたものか苦心するという。そんな授業を経ても、子供たちの間におかしな溝は生まれない。それが大久保小学校なのだ。

一方で、学力的にはなかなかたいへんなようだ。無理もない。日本語がまったくわからないところからスタートした子もたくさんいる。母語でない言葉で学習していくのは容易ではない。それでも、

「日本語国際学級を見ていても、どんどん吸収していく子もいます。日本語がちゃんと使えるようになったときの伸びしろを感じさせる子もいます。言葉はこれからでも、感性や色彩感覚が豊かで、音楽や図工で入賞する子も多いんです」

そう山下先生は力を込める。校歌はなかなか覚えられなくても、リズム感たっぷりに

踊ってみせる子。学芸会では、日本人だったらちょっと照れてしまうようなオーバーアクションで見事に演技する子。それを見た日本人の児童が刺激を受けて、自分を思いっきり出して表現してみる。単に学力だけでは測れないものを、誰もが持っている。

それに、大久保小学校の子供たちはコミュニケーション能力が非常に高いのだと、街を取材していてもたびたび聞いた。さっぱり言葉の通じないクラスメイトが、時期を問わず転入してくるのだ。あるいは自分がその立場だったかもしれない。だから、とにかく相手に気持ちを伝えようと、けんめいに考える。しぜんと、人の考えを汲んだり、思いやる力が育っていく。こんな環境で学んだ子供の中から、いつか大きな才能が世に出るかもしれない。

24時間保育園は、子供の3割が外国人

深夜。僕は今日も、早稲田にある事務所を出て、帰路を歩いていた。静まり返った戸山公園を抜け、走る車がほとんどなくなった明治通りを横断し、大久保2丁目の住宅街の中に入っていく。ときおり、駐車場や電柱の影に座り込んでいる外国人を見る。治安が悪いわけではない。みんなスマホを手に、誰かと楽しげに話しているだけなのだ。と

きどき、酔っぱらいたちともすれ違う。騒々しいその声は、日本語だったり、外国語だったり。いつも通りの、真夜中の新大久保だった。

自宅までもう少しという道すがら、大久保郵便局のそばだ。今夜も、煌々と灯っている明かりがあった。その玄関先から、眠っている子供を抱きかかえて母親が出てくる。むずかる子供を自転車の後部座席に座らせると、どこかへと走っていった。

ここは保育園なのだ。深夜だろうと休むことはない。24時間ずっと動き続ける、東京でただひとつの認可保育園、エイビイシイ保育園だ。この明かりを見ると、僕は少しほっとする。こんな時間でも起きて働いている仲間が、同じ街にいるのだと思える。

園長の片野清美さんは、故郷の福岡を出て新大久保にやってきた。一緒に九州から出てきたご主人が、以前暮らしたことのある街だったからだ。片野さんも、いまこの街を支える人々と同じように、やはり「よそもの」だったのだ。

1983年に保育園を開いてから、昼夜を問わず子供たちを受け入れ続けてきた。すぐそばには歌舞伎町があるから、いろいろと事情を抱えた母親も多い。外国人もたくさんいる。その昔は、オーバーステイや不法就労も珍しくはなかった。そんな人々の子供を預かることにはずいぶんと偏見もあったようだが、なにを言われても24時間保育を続けてきた。

「もう38年になるもんね」

懐かしそうに言う。いまではすっかり街のお母ちゃんだ。共住懇のおばちゃんの友人でもある。エイビイシイ保育園には90人ほど子供たちがいるが、そのうちおよそ30人が外国人だ。併設している学童クラブも24時間体制だが、こちらにも外国人の子供が10数人。この地域で働く外国人の親にとっては、欠かせない存在だ。

「ここは、外国人にとっては安心できる街だからね」

韓国の子供がいちばん多いそうだ。中国、ミャンマー、タイなど、さまざまな国の子供たちがここで日々を過ごし、親の帰りを待つ。

「いまは昔と違って、夫婦で商売やってる外国人が多いですかね。両親共働きで、レストランとか美容院なんかを経営していて。この街で店を持ってる人もたくさんいます。きちっとした人ばかりですよ」

80年代、90年代は脛に傷持つような外国人もいたが、時代は変わる。新大久保でもいまは、不法滞在や不法就労なんて人はずいぶんと減っている。それだけ日本が外国人に対して入国のハードルを下げてきたということでもある。まっとうに在留資格を持って日本で働き、子供を育てる親たちがエイビイシイ保育園のドアを叩く。

「とくに韓国の人たちには口コミで知られているようで、よく見学にも来ますよ」

外国人だからといって、とくに気を使うようなことはあまりない。大久保小学校と同じように通知にはルビを振ったりしているが、配慮といえばそのくらいだ。

「そこまでなにか特別なことは考えないねえ、うちは。お父さんかお母さん、どっちかが日本語わかるしね。子供たちにはみんな日本語で接してますよ」

どの国の子供だろうとあまり関係なく面倒をみて、ともに行事を過ごす。ちなみに食事はすべて有機食材を使っていて、提携している農園に子供たちと遊びに行くこともあるそうだ。

「外国人のお母さんは、みんな気がやさしいよね。とくにタイやミャンマーの人は、あれは仏さまの国だからかね。この前は中国の方が双子ちゃんを預けに来たけど、お母さんはまあ朗らかでね。夫婦共働きで夜遅くなるんだけど、いつも夜中に迎えに来て、一緒に帰ってくよ」

片野さんはそんなことを問わず語りに話す。無認可保育園（児童福祉法による認可と補助を受けていない無認可保育園は一般的で、都道府県からの認可は受けている）だったころから、外国人の親子を受け入れ続けてきた。苦労をして認可保育園となってからも、その姿勢は変わっていない。

「子供はみんな、幸せになる義務があるでしょう。国籍がなんだって、親が夜働いとったって、昼働いとったって、みんな幸せにならんといかん」

多様な生き方や仕事の仕方があってもいい。ここはそんな人々の子育てをバックアップする存在なのだ。日本人の親を見ても、普通の会社勤めの人もいれば、医者やマスコミ関係者、飲食などのサービス業、病院関係者などさまざまな人がいる。エイビイシイ保育園があるからと、新大久保に越してくる家庭もある。そのあたりも大久保小学校と同じだ。子育て、教育といった面での、地域の大切なインフラなのだ。

子供たちは街に愛着を持ってくれるだろうか

片野さん自身も、新大久保の住民だ。

「認可保育園にするときにね。区との約束で、なにかあったらすぐに飛んでこられる場所に住んでくださいって言われて」

と冗談交じりに笑う。やはり僕のご近所さんだ。

「住みやすい街だよね。そう思わん？」

どうだろうか、と考えた。僕にとっては、いろいろな人がいて、次々に変化が起きて、楽しい街だ。昔暮らした東南アジアの匂いが濃くて、落ち着く街でもある。それに徒歩圏内になんでもあって便利だ。そう感じている住民は、日本人外国人を問わずたくさんいるだろう。

でも「ちょっと待ってよ」と言いたい、聞いてほしい、古くからの住民や商店主もまたおおぜいいるのだ。その意見の違いをどう埋めていくのかが、過去20年、いやそれ以上にわたって街の大きなテーマだった。

軋轢（あつれき）の中で、共存を目指す人たちは「まず顔を合わせよう、お互い知るところからはじめてみよう」と呼びかけあって、いまも話し合いを続けている。外国人たちは自分たちが暮らしやすいようにインフラを整え、日本の習慣を学ぼうとし、トラブルはずいぶんと減った。しかしまた、外国人の増加をよく思わない人たちもいる。その思いを抱えて街を出ていった人も、年老いていった人もいる。

そうした年月を繰り返し、対立と妥協と融和を重ねてきた新大久保の街は、どこか歪(いびつ)かもしれないけれど、それでも前を向いてなんとか歩き出そうとしている群生体のようだ。まだまだばらばらな感じはあるのだけれど、ある方向を目指そうと歩調を合わせつつあるようにも見える。街にその指向性を与えたのは、日本人と外国人の接点で生きるさまざまな人たちだ。

片野さんもそのひとりだろう。ご主人とふたりではじめたエイビイシイ保育園も、学童クラブや児童発達支援の教室も開き、いまではおおぜいのスタッフを抱えるまでになった。

「もう70歳になるけど、現場は好きですよ。気が若いのはね、子供たちにパワーをもらってるからだね」

その子供たちが、これからの新大久保を支えていく。この園を出て、学童を出て、大きくなった外国人の子供を街で見かけることもあるそうだ。大久保小学校に入学していく子も多いだろう。大久保図書館にも通っているかもしれない。街にたくさんある専門学校に進学したり、なにか商売をはじめたりする卒園生だっているはずだ。

エイビイシイ保育園の玄関のそばには、笹飾りがあった。七夕かあ。コロナ禍でどたばたしているうちに、季節はずいぶんと早く移り過ぎていったようにも思う。色とりどりの短冊には、〝いつも元気にしていくように〟〝お姫さまになれますように〟〝新型コロナウイルスがなくなるように〟〝毎日元気で楽しい気持ちでいてほしい〟〝ディズニーランドに行きたい〟……。

そんな願いが、日本語で書かれている。添えられた名前を見てみると、日本人、韓国人、タイ人、ミャンマー人らしきものなどが混在し、賑やかだ。日本語のややあやしいものもあるけれど、きっと一生懸命に書いたのだ。ひとつの笹飾りに、たくさんの国の子供が願いを込めて短冊を吊るす。それは新大久保という街そのもののようにも思えた。

この街で生まれ育ち、あるいは引っ越してきた子供たちは、どう成長していくのだろう。いろいろな顔立ちや肌の色をした人がごっちゃに肩寄せあい、日本の言葉とルールの中で暮らす、新大久保。ここを故郷だと思ってくれるだろうか。マッラさんのように「ジモト」だと胸を張ってくれるだろうか。国や民族や宗教を問わず、街に愛着を持ってくれる新しい世代が出てきたならば、大人たちが四苦八苦してきた共生への道筋が見えてくるのかもしれない。

僕も地元に住む人間のひとりとして、街がどこへ流れていくのか、追い続けていこうと思う。

終わりに　この街はどこへ流れていくのか

いったい、いつコロナ禍は収まるのだろう。いまや世界のどこでもそうであるように、新大久保も前の見えない、霧に覆われたような日々が続いている。

それでも季節は巡り、移り変わっていく。

長い梅雨が明けたとたん、東京は一転して猛暑となった。ミャンマー人やバングラデシュ人も音を上げる蒸し暑さの中、外国人も日本人も、誰もがマスク姿で街を歩いている。

ずっと改良を続けていた新大久保の駅舎は新しくなり、少しだけ広くなった。これで駅頭の大混雑もちょっとは改善されるかな、と思ったのだけど、コロナのために街を訪れるお客はずいぶんと減ってしまっている。イケメン通りのそばの西大久保公園も同様だ。工事が終わり、せっかくトイレがきれいになったのに、使う人は少ない。韓流エリアに賑わいが戻るのは、いつのことになるのだろうか。

それでも、人は進まなくてはならない。

ベトナムのドゥックさんは、今度はベトナム料理のレストランを開いた。住宅展示場の近くだ。その開店祝いに大きな花輪を送っていたトゥイさんは、どうにかこうにか「ベトナム・アオザイ」を維持している。夜のお店はクラスターになると問題視されている真っ最中だから、お客は少なくたいへんだと思うが、とりあえずは元気だ。

ヒンドゥー廟のナンディさんとミトラさんは、引き続き新しい物件を探しながら、毎週月曜日の集会を続けている。台湾の媽祖廟は改装して、さらになんだか豪華絢爛な感じになった。ルーテル教会の牧師カフェは閉まったままだが、関野牧師は厳しい入国制限の中なんとか渡米し、ミネアポリスからゴッドブレスを発信し続けている。

『ネパリ・サマチャー』のティラク・マッラさんは、在日ネパール人と日本人のジャーナリストを集めて、なにかできないかと模索をはじめた。なぜだか僕も呼ばれ、ときどきオンラインでミーティングを行っている。

共住懇のおばちゃんは今日も新大久保を歩いている。年齢が年齢なので心配なのだが、

「あたしはどうもコロナから嫌われている」

と言ってのけ、僕の事務所にもときどき顔を出す。先日はおばちゃんのウワサをどこからか聞きつけた大学生が「多文化共生の街をテーマに卒論を書きたい」と訪ねてきたそうだ。

「案内で一緒に街を歩いたんだけどさ、途中から雷雨。やっぱり雨女だね」

とメールが送られてきた。

誰もがコロナに耐えながら、前を向こうとしている。

とはいえ飲食店をはじめとして自粛生活のダメージは大きく、韓流エリアでも売りに出ている店がいくつもあると聞く。本書では紹介しなかったが、僕もときどき食事に行っていたチュニジアのレストランも休業してしまった。

街のあちこちにある日本語学校や専門学校は、存続の危機を迎えている。世界中の出入国制限が長引いているため、新規の留学生がまったく入ってこないまま、すでに半年がたった。そして卒業生はコロナ不況を受けて就職先がない。

この状態で出入国が緩和されたときに、果たしてどうなるか。いったん帰国しようという外国人が増えるかもしれない。踏みとどまろう、日本でがんばろうと決めている人たちがいまのところ多いようにも見えるけれど、それも限界がある。東日本大震災の後は韓国人と中国人が大きく減ったが、今後コロナでも同じような現象が起きる可能性はある。

それでも、この街に根づいたたくさんの外国人がいる。彼らのホームはもう新大久保なのだ。誰もが日本人と同じように、コロナに悩みながらもここで暮らしている。相変わらずこの街が、日本で最もたくさんの民族を呑み込んだ多国籍タウンであることは変わらない。だからこれからも、いろいろと問題は出てくるだろう。

「生きてきた環境も文化も、ぜんぜん違うんだからさ。一緒にやっていくのはたいへんだよ」

と「新宿八百屋」の荒巻さんはつぶやいた。そして、

「でもね、わかりあえる部分はたくさんあると思うんだ。歩み寄れる。日本人も外国人も、お互いいなきゃ困るんだ。そういう街なんだからさ、両方が努力していかないとね」

そうも言うのだ。

これから新大久保はどこへ流れていくのか。それはわからないけれど、この街には文化のせめぎあう接点でお互いを理解しようと努力してきた人たちがおおぜいいる。だから少しずついい方向に向かっていくだろうし、そう願っている。案外、「日本の多文化共生のモデルタウン」なんて呼ばれる日が来るかもしれない。

この本を書くにあたって、実にたくさんの人々にお話を聞かせていただきました。皆さんの人生に触れ、街との関わりを知ることで、僕は自分なりの「新大久保像」をつくりあげていくことができたと思っています。本当にありがとうございました。

2020年8月吉日

室橋　裕和

文庫書き下ろし

単行本刊行から3年、ますますカオス化が進む街を歩く

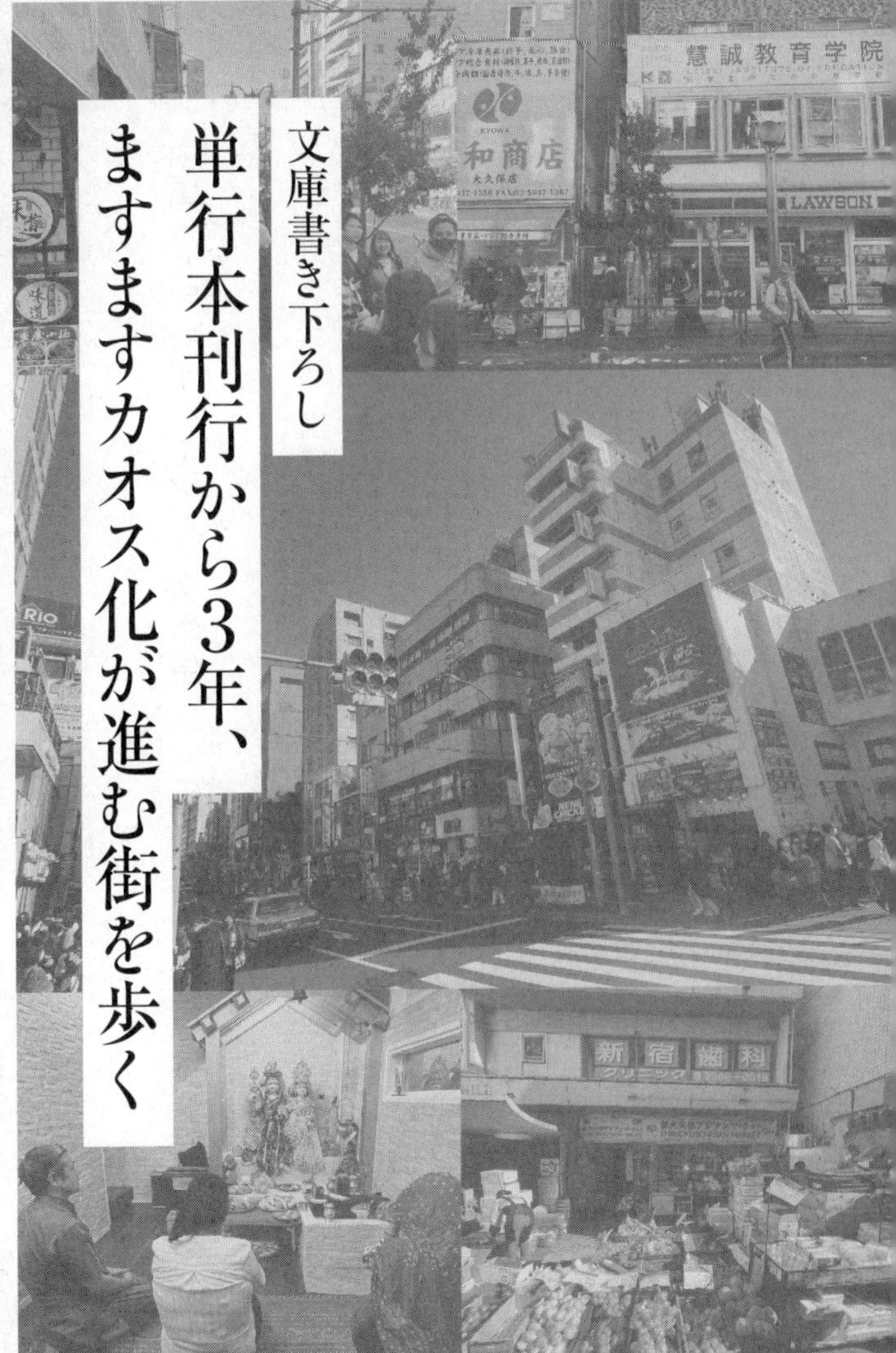

中国人と同棲(どうせい)するインド人留学生

2022年の暮れ、僕は住み慣れた大久保2丁目の部屋を引き払った。そこから西にほんの数百メートルの場所に引っ越したのである。最寄り駅は新大久保駅から大久保駅になった。つまりは引き続きこの地域の住民なわけだが、転居した理由はいくつかある。まず元来、飽きっぽいのである。タイに住んでいるときから数年に一度は引っ越しをしており、新大久保でも「ぼちぼち違う景色が見たいなあ……」と切実に思ってしまったのだ。で、あるならやっぱり新大久保駅の西側に行きたい。本書でさんざん書いてきた通り、新大久保駅を中心に大久保2丁目を含む東側はコリアンタウン、西側はアジア混在エリアとざっくり文化が分かれるのだが、若い頃から慣れ親しんできた東南アジア・南アジアの空気感に満ちた西側のほうが、僕にとってはより居心地がいいのだ。

そしてコロナ禍が明け、コリアンタウンは大混雑になっていた。週末になると歩道は観光客で満員電車のようになり、まともに歩けないんである。オーバーツーリズムの様相を呈していた。やってくる人のほぼすべてが日本人の若い女性で、いまや流行発信地となったこの街で、おじさんとしてはやや肩身が狭い。

そんなこんなで引っ越してみたらお隣さんがネパール人のご夫婦で、ときどき挨拶を交わしながら新生活を楽しんでいるのだが、新大久保にもすっかり活気が戻ってきたなあと感じる。出入国が正常化し、若い留学生たちがまた再び行き来するようになったことが大きいだろう。この街に「らしさ」を与えているのはやはり日本語学校だと実感するが、とりわけ目立つのは中国人だ。

「当校にはいま522人の学生がいますが、そのうち336人が中国人ですね」

そう教えてくれたのは、ユニタス日本語学校東京校の教務副主任、加須屋希さん。

「コロナ後も問い合わせが多くなっています」

すっかり発展を遂げた中国の人々は、留学するなら欧米で、日本を選ばなくなっているのでは……というイメージもあったが、そうでもないのだ。むしろ経済力のアップに従い、競争もまた厳しくなったからこそ、日本に留学する若者が増えているのだそうだ。

いったい、どういうことなのだろうか。

「みんな日本語学校を出て、それから大学院への進学を目指しているんです」

中国で就職活動をするとき、履歴書に『海外の大学院卒業』と書いてあると、それだけで給料が20万円は違うのだという。この額は国立大学や名門大学だとさらに上がる。逆に言うと、国内の平凡な学歴ではいい給料の仕事にありつけないということでもある。シビアな競争社会なのだ。加えて、親の教育方針から日本を選んだという留学生もたくさんいるのだとか。

「留学するなら欧米じゃなくて、安全な日本に行きなさいって親に勧められて来た子も多いですね。それに、もし院に行けなかったら帰ってきて結婚しなさい、なんて言われてる話もよく聞きます」

けっこうなプレッシャーなのだ。だから中国人留学生は日本語学校で言葉を学びながら、別の場所でも勉強する。新大久保から高田馬場にかけて、中国人専門の塾や予備校がたくさんある。そこでは大学あるいは大学院受験のためのノウハウを教えている。学校の掛け持ちなのだ。だからとうていアルバイトをする時間もなく、そもそも親にそれなりの経済力があるし円安だから仕送りだけで十分な生活ができるため、勉強に専念してひたすらに大学院を目指す。

この手の塾や予備校がコロナを挟んでずいぶんと増えたなあ、と街を歩いていても実感する。イスラム横丁には予備校が運営する中国人留学生向けの書店まであるほどだ。

そしていわゆる「ガチ中華」の店もまた目立つようになった。新大久保駅から小滝橋通りの間、ハラルショップが点在していた合間に、ぜんぜん読めない漢字の店が次々とオープンした。四川(しせん)の串焼(くしや)き、激辛湖南(こなん)料理、東北(とうほく)料理……入店すると問答無用の中国語で出迎えられ、タッチパネルかQRコード経由のメニューからの注文となる。中国人留学生たちの息抜きの場だ。さらに上野(うえの)・アメ横(よこ)から中華食材店「京和(きょうわ)商店」「海羽(ハイユー)」が大久保通りに進出し、ネパール人やバングラデシュ人を驚かせ、界隈(かいわい)のカオス度はさらに増した。

こうして時代が移り変わっても「興福楼」の陳増武さんは今日も鍋を振るう。ガチというより町中華で、やってくるのは留学生ではなく近隣の日本人だ。2023年の8月には、久しぶりに復活した皆中稲荷神社の盆踊りにも屋台を出していて、点心やピーナッツジュースが好評のようだった。この街で店を開いた2008年からずっと、町会のひとりとして神社の祭りに参加を続けているのだ。日本人が運営する伝統的な祭りに加わるのは苦労もあったと思うが、いちばん最初に出店したときの思い出話を教えてくれた。

「祭りの最後に後片付けをしていたら、聞こえてきたんですよ。ステージで締めの挨拶をしている人たちがね、『今日は興福楼の陳さんも来てくれて、本当にがんばってくれました。ありがとう』って。それを聞いたとき涙が出そうになってね。街の仲間として認めてもらえたって」

陳さんのように日本社会に溶け込んでいく人もいれば、なかば就職活動の一環として新大久保で学ぶ人も増加しており、同じ中国人でも多様化が進んでいるようだ。

そして日本語学校はますます多国籍化していく。ユニタス日本語学校東京校では20か国ほどの留学生が学ぶ。加須屋さんが言う。

「欧米からは日本の文化が好きで来ている子が多いですね。卒業後はアニメやゲームなどの専門学校や会社に進んでいきます。ベトナムは中国に似てきていて、バリバリ勉強しています。塾こそないですが、オンラインでも日本語を独習して、将来は日本で就職か、あるいはなにか店を持ちたいって子が目立つかな」

そしてじわじわと数を増しているのがインド人だという。すでにインドで学歴やキャリアを積んできた人が、日本でIT関連などの企業に就職することを目標にやってくる。

そんなひとりがシュリニワサン・カヴィサー・ワンシダレンさん、通称レンさんだ。南部チェンナイから来た24歳は、来日まだ1年に満たないとは思えない達者な日本語を、ゆっくり訥々と話す。

「とにかく、日本に住みたかったんです。どう説明すればいいかわからないけど、この国が合ってる、呼ばれてるって思いました」

なんともふしぎなことを言うレンさんは高校のときに見たアニメがきっかけで日本に興味を持ち、大学2年から日本語を勉強するようになった。するとさらに、日本のことを知りたくなる。そしてとうとう「どうあっても日本に行こうと、決意を固めたんです」と、この街にやってきたのだが、まず住み始めたのが学校のそばにある多国籍シェアハウスだったというから面白い。新大久保にはそんな物件も点在している。

「ほとんどが留学生です。インドネシア、スペイン、デンマーク、アイスランド、イタリア、フランス……12か国の人がいました。韓国人の観光客も泊まってましたし、遊びに来る日本人の学生もいました」

彼らと共同生活を送りながら日本語を学び、新大久保で日々を過ごすうちに、レンさんは気づいたそうだ。

「はじめは、韓国の街だと思ったんです。韓国の店がたくさんあって、イケメンを追う女子高生がいて。でもそれは、外面だけです」

住んでみると、いろんな文化があることがわかった。レストランや食材はハラルやベトナム料理や中華などさまざまだし、レンさんは一番街のインド食材店「アンビカショップ」を見て驚いたのだそうだ。

「小さい頃に見たインドのお菓子がたくさんあって、びっくりしました。たくさん買ってしまった」

「アンビカショップ」もまたコロナ禍の荒波の最中に新大久保に進出した店だ。蔵前店、西葛西店に次いで3店目だが、小売りだけでなく他社やレストランへの販売も手がける。アンビカブランドのスパイスはいまや日本全国のエスニック食材店で見るといっても過言ではないほどのシェアを誇る。新大久保でのインドの存在感を強めた店といえるだろう。

こうした店だけでなく、なによりもこの街で働き、生きる人の多様さが、レンさんの印象に残った。

「『いきなり！ステーキ』に行ったら中国人が働いてる。『すき家』ではベトナム人がアルバイトしてる。コンビニではレジにインド人がいました。ここは、なんでもある街です。誰でもいる街です。いまでは自分も、その新大久保の一部になった気がしています」

そう話すレンさんは、シェアハウスを出て暮らすようになった。学校の同級生の中国人とつきあうようになり、彼女の家に転がり込んだのだ。ふたりが生活するマンションもやっぱり新大久保にあって、ベランダから大久保通りを眺める時間がレンさんは好きなのだという。中印カップルというのも珍しいように思うが、彼女とこの街で過ごすうちにレンさんの中で変わってきたことがある。

「日本に来たばかりの頃は、私はインドの〝源〟から遠いような気がしていました。インド人だという気持ちがあまりなくて、ただの〝人〟だと思っていたんです。でも彼女に伝えたくて、いまインドの文化を改めて勉強しています。新大久保には、私の中のインドの〝源〟を忘れさせないものが、たくさんあるんです」

独特の言い回しだが、伝わってくるように思った。レンさんは故郷から遠く離れたこの街で、彼女と向き合いながら自らのアイデンティティを再確認しているのだろう。

ところでふたりは、いつもなにを食べているのかが気になったので聞いてみれば、カレーだったり中国料理だったり、いろいろなんだとか。インタビュー時は小滝橋通りに南インド料理店「ムット」ができた直後だったので、南部出身のレンさんにお勧めしておいた。彼女のほうはどうやら近隣のガチ中華の店の宅配を頼むことが多いようだ。

「いつも、絶対に中国人しか聞いたこともないような料理を注文するんです。だから私も、まったく知らなかったことを楽しめるようになりました」

知らないことに出会える。それが新大久保のいちばんいいところだ。この街で人生の大切な数年間を過ごす留学生たちにとって、糧になる出会いがたくさんあればと思った。

ついに自分たちの場所を手に入れたシヴァ寺院

新大久保との「縁」を頼ってやってきた留学生もいる。バングラデシュ人のサイモム・モハンマド・アブ・サファエットさんは、高校を出てすぐ若干19歳のときに来日した。それから1年半、レンさんと同じくユニタス日本語学校東京校に通っているが、本当はドイツに行きたかったのだとか。

「でも、両親が日本以外はダメだって。おじさんのいる日本にしなさいって」

「おじさん？」

「はい、大久保通りの、『カマルのステーキ』ってお店です」

「え、行ったことある！」

ステーキやハンバーグを出す洋食店で、ウリは確かハラミステーキだ。経営はバングラデシュ人だと聞いてはいたが、サファエットさんはあの店の社長の甥っ子なんだとか。

「いま考えると、おじさんのいる日本でよかった。まだ言葉がわからなくてたいへんだったとき、学校の手続きとかアパートの契約とかおじさんが助けてくれました」

ところがおじさんは甥が心配なあまり、サファエットさんのアルバイトの面接にまでついてくるのであった。そしてサファエットさんに投げかけられた面接官からの質問を、ぜんぶ自分で答えてしまう。だからなのか、ぜんぜんバイトに受からない。

そこでサファエットさんは自立すべくあれこれ調べるうちに、ハローワークでは英語での通訳サポートがあることを知った。通常、日本語学校には飲食やコンビニなど企業のほうから募集が来て、アルバイトをしたい留学生たちが登録し、マッチングするのだそうだ。ところがサファエットさんはハローワークに通い、自分で回転寿司の仕事を見つけてきたというから、なかなかのバイタリティなのだ。それも新規開店のオープニングスタッフだったそうだ。

「ほかにはベトナム人の留学生が多くて、あとはマレーシア人とか。はじめはお互いあまり日本語がわからなかったけど、いまではいろんな話ができるようになってきました」

仕事帰りに日本人の店長と多国籍なアルバイトたちで、韓国のお店に食事に行ったりもするそうだ。学校では、入学後いちばん最初に声をかけてくれたフィリピン人と仲が良く、まだ日本語がわからないとき大久保通りの焼き鳥屋に飲みに行って、ふたりしてメニューがぜんぜん読めなくて……そんな笑い話を聞いていると、留学生たちにとってここは青春の街なんだなあとあらためて思う。学んで、遊んで、働いて。

ユニタス日本語学校で青春を送るレンさん（左）とサファエットさん（右）

その若さがうらやましくなってくるが、サファエットさんはもうすぐ新大久保を離れなくてはならない。大学進学が決まったのだ。キャンパスははるか宇都宮（うつのみや）で、ちょっと不安そうではある。

いまは新大久保のアパートで同じバングラデシュ人とルームシェアをしているそうだ。この街の賃貸物件は狭くて古いところが多い割に、高い。新宿至近で地価そのものが高いからだ。留学生はたいてい誰かと同居か、来日直後のレンさんのようにシェアハウスを選ぶ。サファエットさんの場合はおじさんの後輩と一緒に住んでいるそうだ。

「大久保通りのハラルショップで働いている人ですよ、『グリーンバングラ・ハラルフード』って店で」

そう言われて、僕も加須屋さんもレン

さんも「あー！」と声を合わせる。僕も引っ越す前によく行った。ハラル食材だけでなく街のニーズを読んでベトナムなど東南アジアモノもそろえているし、最近は軒先で果物なんかも売るようになって日本人のおじさんがのぞき込んでいたりもする。そうか、あの店か。同じバングラデシュ人同士、やはりつながっているんだな……と実感するが、この数年の新大久保の変化といえばバングラデシュ勢の躍進だ。

象徴的であるのはバングラデシュの家庭料理を提供する「サルシーナハラルフーズ」の人気だろう。もともとハラルショップと、明治通りにインド料理店を持っていたバングラデシュ人モーリック・バキィビラさんが２０２１年に開いた食堂だ。国魚イリシュなど魚をコメとともによく食べ、マスタードオイルを多用した料理は珍しく、バングラデシュ人よりもむしろ日本人の「異国飯」ファンが通う。

それに大久保通りでは２０２３年10月、新しいハラル＆エスニック食材店「ＭＩＣスーパー」がオープンしたが、ここもバングラデシュ人の経営だ。そして僕にとって、新大久保のバングラデシュ人といえば、やっぱりナンディ・クマルさんなのである。本書でたびたび登場した「ヒンドゥー廟（びょう）」の代表者だ。

この3年間で、ヒンドゥー廟ほど大きく変化を遂げた場所はないだろう。まず、あの小さく狭く、水道すらなかった場所を引き払い、北新宿のマンションの一室にどうにか移転できたのだ。20畳くらいだろうか、広々としたワンフロアの物件だ。そこを足がかりにナンディさんは寄付を募り、また自ら出資をして、大久保2丁目に土地を取得。大

シヴァ寺院のナンディさんは僕が親しくさせてもらっているご近所さんのひとりだ

がかりな工事をして、地上3階・地下1階の立派な新築物件を建てちゃったんである。地下室は楽器を鳴らすなど音楽が必要な儀式に使う。近所に迷惑がかからないようにとの配慮だ。シヴァ神の像も、ようやく落ち着く場所に安置されたという感じの顔つきに見えてくる。やっぱり月曜やお祭りになるとヒンドゥー教徒が出入りする。皆さんに倣い、僕も以降は「シヴァ寺院」と呼ぶことにしよう。

「費用は800人くらいがドネーション（寄付）してくれたんです」

とナンディさんは言うが、最初はたいへんだったようだ。お寺に来るのはほとんどがネパール人とインド人で、バングラデシュ人であるナンディさんが信用されるまでにはずいぶんと時間がかかったそうだ。ナンディさんはバングラデシュに10％ほどしかいないヒンドゥー教徒のひとりで、同じ宗教でも国が違うと温度差があるものなのだろうか（ちなみに「サルシーナハラルフーズ」の人々はバングラデシュの主流派であるイスラム教徒だ）。

ナンディさんは当初「金儲け（かねもう）のために寄付を集めているのでは」なんて思われたこともあったそうだ。それでもめげずに「ヒンドゥー教徒が集まれる場所をつくりたい、地域の日本人とも交流できる場所にしたい」と活動を続け、私財を投じ、やがてネパール人やインド人の信頼を勝ち得て、念願の「自分たちの寺」を手に入れたのだ。2023年5月のことだった。あの小さな場所で大の男たちが肩を寄せ合っていた頃から知っているので本当に感慨深い。よくここまで大きくなったと思う。

「神さまのおかげですかね」

そう話すナンディさんだが、ここからが始まりなのだ。やりたいことはいろいろある。お寺を母体にしてスカラーシップ（奨学金）を創設して留学生の受け皿になりたい、日本に住み始めたばかりの外国人に向けて「ごみの出し方教室」を開きたい……。

「なによりね、地域の日本人とつながりたいんですよ。住んでいるのは赤羽（あかばね）ですが、町内会にも入ってます。私が集まりに出られないときは妻が行くようにしてます。この前は町内会のハロウィンに協力しましたが、そういうことを新大久保でもやりたいんです！」

生真面目なんである。そこが日本人とウマが合う。もちろん外国人の苦労もよく知っている。こういう人が両者の間に立ってくれれば、理解しあえることも増えるのではないかと切に思う。

「ヒンドゥー教のお祭りだって外国人だけでやってたら面白くないですよ。私は日本のお祭りと一緒にやりたい。カルチャー・エクスチェンジです。お互いにどういう文化なのか教え合う場所をつくりたい」

外国人に物件を貸す、老舗のお茶室

ナンディさんの熱意によってシヴァ寺院に集まる人はじわじわと増えている。ヒンドゥー教徒も、そうでない人も、僕のようにご近所づきあい的に顔を出す日本人もいる。

そのひとりが益田佳代子(ますだかよこ)さんだ。

益田さんはなんと、昭和5年創業という歴史あるお茶室「茶和益田屋(ちゃわますだや)」を運営されている。それも百人町のど真ん中にあるのだ。すぐそばにはバングラデシュ・ウズベク＆ウイグル・韓国・ネパールのレストランが同居するビルがあり、ネパール人の子供が通う「エベレスト・インターナショナル・スクール」のプレスクールやら、サリーショップやらが並ぶ路地に、「和」の空間があることを知る人はどれだけいるだろうか。

お茶室にお邪魔すると、畳の香りに心が落ち着く。障子から差し込む日差しの中、わびた佇まいを楽しみながらお抹茶をいただく。チャイじゃないんである。多国籍タウン新大久保にとって「日本」も重要なピースであることをいまさらながら思い出す。

「もともと、うちは花卉の店だったんです。中野坂上で商売をしていたんですが、祖母の代に大久保に移ってきて」

花卉とは、切り花や苗、鉢植えなど観賞用の花のこと。藁で包まれた花卉を、近くの花市場に納品していたのだそうだ。そばには、いまも続くお花の教室があるが、こちらは関東大震災の後に当地へと移転してきたという。どうして花に関する商いがこの街に集まってきたのかといえば、

「ここは〝山の手〟だったからって聞いています」

と益田さんは言う。山の手といえば高台にある住宅地のことで、江戸時代から武家屋敷や寺院が並ぶ場所だった。新大久保にもまた鉄炮組百人隊の屋敷が連なっていたが、その流れを汲み、戦前は軍の将校の住宅地でもあったそうだ。これも8章で述べたが、近隣に軍関連の施設が多かったためだ。さらに大正時代から文化人が屋敷を構えるなど、この界隈は昭和初期、ちょっとした高級住宅街でもあったのだ。だからこそ、お花やお茶を嗜む人が多かった。これまで知らなかった新大久保の一面だった。単行本ではまだまだ掘り下げが不十分だったと感じる機会も、この3年ではたびたびあった。お茶とお花がさかんな「和」の街でもあったのだ。

そんな需要があったから益田さんの祖父母もこの地を選び、花卉にはじまり茶事のお店を営むようになっていった。その香りは戦争を挟んでもなお残り、益田さんが子供時代を過ごした1960年代の新大久保は、日本文化の街だったという。

「大久保通りはごく普通の商店街で、下駄や草履を売る履物の店、書道の店、呉服屋が並んでいて。路地に入ると日本家屋も多くてね」

それが80年代以降、急速に変わっていく。1990年前後には、職安通りに増えつつあった韓国の食堂でオモニ（お母ちゃん）のつくる料理をよく食べに行ったと語る益田さんだが、1992年に「茶和益田屋」の路地にも多国籍化の波が押し寄せる。

「タイとか台湾とか、アジアのいろんな屋台がごちゃごちゃに集まったような、『百人町屋台村』っていうのができたんです」

当時の記録や益田さんのお話から想像するに、かなり雑多でカオスな、まさしくアジアの夜市のような空間だったようだ。歌舞伎町で働くアジア系の外国人や、怪しげな空気に惹（ひ）かれた日本人、それにガラの悪い連中もたむろしていたようだが、益田さんはどこかで飲んだ帰りの深夜、「百人町屋台村」に立ち寄って酸辣湯（サンラータン）を食べて帰るのが常だったという。外国人の増加に複雑な思いを抱く日本人も多い中、益田さんは異文化を楽しめる人であったのだ。

だから、所有するビルのひとつを管理する不動産屋から「ネパール人の店子はどうでしょうか」と聞かれたときも抵抗なく受け入れた。こうしてオープンしたのがネパール料理店「ロイヤルガーデン」だ。大箱の店なので、よくパーティーが開かれることでも界隈では有名だ。ちゃんとステージまで用意されているし、プロジェクターで映像も出せる。誕生日や子供の出産、日本での就職、結婚記念日……人生の節目節目をド派手なパーティーで祝うのだ。新大久保でネパール人コミュニティが拡大するにつれ、こうした店が増えてきた。それに付随して、着飾るためのサリーやアクセサリーの店、ネパール人経営の美容室なんかも出てきている。

ダサインやティハールといったネパールのお祭りともなれば、艶（あで）やかに着飾ったネパールの女性たちが大久保通りを闊歩（かっぽ）するようにもなったが「ロイヤルガーデン」はそんなコミュニティを支える店のひとつなのだ……が、益田さんにとっては大家と店子の関係で、なかなかに苦労もあったそうだ。

「やっぱりごみと騒音です」

事業ごみをきちんと処理しない、大きな音楽をかけて扉を開けっぱなしで営業して苦情が殺到する……そのたびに益田さんは注意をした。何度も何度も、根気強く。心がけたのは、何日か経ってから言うのではなく、問題が起きたらすぐにその場で言うこと。そして怒るのではなく、話し合うこと。わからないことがあるなら相談するように、と言い続けた。するとだんだん、問題は減っていった。いつの間にか防音設備もついた。

「貸す以上は、面倒臭がってちゃいけないと思うんです」

益田さんが力説する。外国人に物件を貸すことで生計を立てている日本人が多いのも新大久保の特徴だ。その大半の人が、大なり小なりなんらかのトラブルを体験している。

「大家の中には、外国人とは書面で契約を取り交わすだけで、守れなかったらハイ出て行って、なんて人もいますが、それじゃ共存できないですよね。同じ人間なんだし、せっかくお互いこの街にいるんなら、仲良くやりたいなって思うんですよ」

益田さんがそう考えるようになったのは、母・晴代（はるよ）さんの影響が大きい。益田さんを含めて4人の子供を苦労しながら育てた晴代さんは、それなら彼（か）のブッダの母・摩耶（まや）夫人はどんな子育てをしたのかと足跡を訪ねに何度もネパールを旅したそうだ。現地の孤児院の支援もしている。実は『ブッダの母、摩耶夫人　愛で育む子育てのすすめ』（講談社）という本も書いている。しぜんと益田さんもネパールに通うようになって、やがて地元ではネパール人を店子に持ち、さらにいまではネパール人もよく足を運ぶシヴァ寺院の常連でもある。

「ご縁なのかなと思います」

いまでは物件を手放し「ロイヤルガーデン」とは大家と店子の関係ではなくなったが、益田さんにとってなじみのご近所さんのひとつだ。

ベトナムガールズバーのトゥイさんはいまどこに？

益田さんのような地域の日本人とのつながりもあって、新大久保のネパール人はどんどんと増えている。コミュニティの中心人物のひとりであるティラク・マッラさんには、いまに至るまで僕は本当にお世話になっている。在日ネパール人社会を取材するにあたっていろいろな人を紹介してくれたり、現地取材のアドバイスをしてくれたり。一緒にAbemaTVにも出た。多国籍タウン新大久保の現状というテーマでお話ししたのだが、ふたりして控室で「緊張しちゃうよね、どうしよう」なんて話したのもいい思い出だ。マッラさんの発行するネパール語新聞『ネパリ・サマチャー』は2024年に25周年を迎える。「記念になにかやりたいんですよ」といつも話しているので、協力できればと思っている。ちなみに編集部の隣にはネパール料理店「ハムロ・カジャ・ガル」をオープンさせたが、マッラさんたちスタッフのほとんど社員食堂のようになっている。モモやダルバートを食べに、僕もときどき行く。

こうして見ると、単行本の初版が刊行された2020年9月から、この街もここに生きる人も、だいぶ変わった。

ルーテル教会の関野和寛牧師はコロナ禍の真っ只中に渡米し、ミネアポリスのアボット・ノースウェスタン病院で「チャプレン」になった。これは病院聖職者という職業で、重篤な患者が臨終する間際に立ち会い、祈り、本人と家族とを支える。きわめて重い仕事だと思う。アメリカでは広く普及した存在だというが、関野さんが勤めたのは、次々と人が死んでいくコロナ病棟だった。あの当時まるで戦場のようだった病院のありさまを覚えている人もいるだろう。関野さんはその中で、コロナに感染し亡くなっていく人に寄り添い看取る、壮絶な日々を過ごしていた。

そのことを関野さんのSNSで知った僕は、こういう仕事にしかも異国で従事している日本人がいることを伝えたいと、Ｙａｈｏｏ！ニュースで記事を書いた。時差のある中、疲れ果てている関野さんに何度も何度もオンラインでインタビューし、同僚のチャプレンたちにも話を聞かせていただきつくった記事は、見事にバズった。チャプレンという存在が少しでも認知されたなら良かったと思う。関野さんはその後に帰国し、いまは日本でチャプレンとしての活動を行っている。

「おかやま」のミャンマー人タン・ダー・リンさんは、「リトル・ヤンゴン」高田馬場にミャンマー居酒屋「Ba Ba Feel 焼鴨」を開き、こっちも大好評になっている。ウリは焼き鴨だ。カラオケルーム（防音トビラつき）まであって、ミャンマー人の若者が故郷の歌を絶叫していたりする。僕もたまに顔を出すのだが、民主化運動をしているミャンマー人や日本人の支援者、それにミャンマー情勢を追っている記者とよく会う。順調に民主化が進んでいたかに見えるミャンマーだが、2021年2月に軍部が強引に政権を奪ってから、暗い時代になってしまった。民主主義を求める国民は弾圧され、将来に希望を持てない若者たちがどんどん国を出ている。その一部は日本にも留学生や技能実習生、あるいは難民として入ってくる。彼らは高田馬場や新大久保にも暮らす。国際情勢の影響を受ける街であることを改めて実感している。

「おかやま」のほうは2023年10月に開店10周年を迎えた。お祝いに行くとタン・ダー・リンさんはダンバウ（スパイス炊き込みごはん）を振る舞ってくれた。

「お店を開いた頃は長女が生まれたばっかりで、赤ん坊を抱きながら仕事して、ほんとたいへんでいつも涙、涙でね」

なんて思い出話をする。国は深刻な状況だが、少なくとも日本での商売はどうにかやれているようだ。

東京ベトナム協会を運営する朴相範さんは協働組合を立ち上げ、ベトナム人を中心に技能実習生や特定技能の外国人受け入れを進めている。いまはベトナムの武術ボビナムにハマッているようだ。

ベトナムといえば「エッグコーヒー」は集まってくる若者たちがあまりに騒々しいと近隣からの苦情を受け、閉店してしまった。オーナーのズオン・アン・ドゥックさんは気落ちしていたようだが、新しくベトナム料理店「みちゃん」をオープンするなどこの街であれこれと商売を展開させている。

東京媽祖廟は敷地を拡大し、さらに立派になった。そのすぐそばにある「スタジオM」の小二田茂幸さんも元気で、2022年9月のセプテンバーコンサートでは僕もちょっとしたトークライブをさせていただいた。大久保駅前の「サライ・ケバブ」は店名が「エフェリフ・ケバブ」と変わったが、トルコ人の兄ちゃんは相変わらず陽気で、「多国籍行列」もいつも通りだ。

一方でイスラム横丁の象徴でもあった「ナスコ」は2023年5月に火災を起こし、あのバーベキューチキンもなくなってしまった。現在は路地の奥にある店舗だけが営業している。その前の「新宿八百屋」は2023年9月から24時間営業を休止してしまった。人手不足なのだという。

「みんなからブーブー言われてる。またもとのように24時間やれればいいんだけど」

スタッフの方はそう話す。それでも、この店は僕の貴重なライフラインだ。

そしてもしかしたら読者の方が最も気になっているかもしれないベトナム人のトゥイさんは、行方がわからない。コロナ禍でガールズバーを閉めたり開けたりしていたのだが、いつの間にかビル外壁の看板を残し店はなくなっていた。最後に話したのはいつだったろうか。今日もどうせ閉まってるだろう、と思って階段を上ってみると、たまたまなにかの用事で来ていた彼女とばったり会った。長いこと開けてないんだろうな、という様子の暗い店内で少し言葉を交わしたが、つきあっていたベトナム人の男が悪いやつで……なんて沈んだ話をした。

「でも、いまは日本人のカレシがいてね。日本食つくってあげたくて、料理教室に通っているんだ！」

そう明るい顔に戻ったのだが、よくよく聞いてみると歌舞伎町で声をかけてきた男だという。もしかしてホストではないかとも思ったのだが、あまり口出しするのもな、とはっきり確かめることもしないまま、僕は店を出た。それっきりだ。LINEも何度か送ったが既読にはならない。しかし、あれだけタフでエネルギッシュな彼女のことだ。どこかできっと、元気にやっているのだろうと思う。

人は流れ、街は変わる。

そして新大久保はますますその混沌を深めているように思う。住むだけでなく、学ぶ、働く、あるいは祈る、遊ぶ場として、雑多な外国人が集まる街という性格をさらに強めている。レストランや食材店がわかりやすいアイコンだが、もはや何か国の店があるのかわからないほどだ。2021年8月にはパキスタン人のミアン・ラムザン・シディークさんがイスラム横丁にハラルショップ「ナショナルマート」を開いたが、そのときにこんなことを言っていた。

「こういう店をつくることで、どんな商品が売れるのかリサーチしたいんです」

シディークさんはレストランのほか貿易も手がけるが、食材店で得られたデータを輸出入のほうにも生かしていくのだという。いわばマーケティングを兼ねての出店なのだ。ほかの食材店も「アンビカショップ」もだが、実は卸業でもあるところがけっこう多い。

売り上げの主力はむしろネット通販だったりする。

そしてお客のほうも買い物だけでなく市場調査の外国人も交じっている。たとえば大阪とか福岡とか、地方で食材店を開こうという人が、まず新大久保に来て売れ筋とか価格帯なんかをチェックしていくのだそうだ。見本市のような場所になっているのである。この街を「市場」と評する外国人もいるくらいだ。

そして外国人が集まる街という特性を狙って、ビジネスを始める外国人もまた多い。ここまで述べてきたような食やファッション、教育関連だけでなく、僕の知る限りでも人材会社、不動産、通訳・翻訳、ＩＴ、デザイン、スマホ屋などの小さなオフィスが、雑居ビルの中に密集している。知人のネパール人は送金会社を新しく出店したいと言っていた。新大久保をビジネスチャンスの街として捉える人がどんどんやってくる。彼らがコロナ禍で空いた店舗を埋めていく。いままでは外国人には貸さないという方針だったビルオーナーも、日本人の借り手が不況と高齢化で少なくなる現状を見て、そうも言っていられなくなったのだ。コロナを機に、この街には明らかに外国人の小さな会社が増えた。加えて行政書士や税理士など、外国人と関わる商売をする日本人の事務所も多くなった。レゲエ行政書士・古市展宏さんも忙しい日々を送っている。

もはや新大久保は、街そのものが磁力を発しているとさえ感じる。

独自の磁力に引き寄せられ、国を問わず人が集まってくる。そしてなにかを始め、活気を生む。

だが、招かざる人々もまたやってくるようになった。たとえば2020年頃には、ネパール人の不良どもが「東京ブラザーズ」を名乗り、新大久保のあるレストランをヤサにして対立するネパール人グループとケンカを繰り広げた。彼らの中には日本でインドカレー屋の経営者やコックとして働く親を持つ2世が含まれていたといわれる。言葉の壁やアイデンティティに悩んで荒れたとも聞くが、かといって暴れていい理由にはならない。メンバーはコシを上げた警察に片っ端から捕まり、大半が帰国して、チームは自然消滅したのだとさまざまなネパール人から聞いた。

また2023年の夏のことだ。大久保駅の前で、車高を低く改造したアルファードが停まっているのが見えた。後部座席のドアを開け放ち、段ボールに桃を満載して売っている。ポップのように添えられているのは、ベトナム語の殴り書き。ダボついたヤンキーファッションのベトナム人の若者ふたりが店番のように立っていたので話しかけてみたが、日本語がわからないのかそうでないのか僕のことは相手にしてくれない。ベトナム人らしき人が通りかかると、なにやら声をかけ、桃を売りつけているようだった。彼らはすぐに走り去ってしまったのでどういった人々なのかはわからないが、日本各地の農村で起きている果物の大量盗難という事件がどうしたって頭をよぎる。

混沌の度合いが増すにつれ、街はどこか危うい空気も孕(はら)みつつあるように感じるのだ。そこを行政はどう捉えているのだろうか。

新宿区長・吉住健一さん直撃インタビュー

「新大久保を含む新宿はいま130か国の人が住んでいるんです」

歌舞伎町に立つ新宿区役所の3階・区長室で、吉住さんはそう教えてくれた。物静かな紳士といった様子の51歳は現在3期目だ。巨大歓楽街を抱える大都市の首長というのはたいへんなご苦労がありそうだが、そうと感じさせない飄々（ひょうひょう）さもどこか漂わせつつ、新大久保の多国籍化について話す。

「秩序が保たれていればいいと思うんです。でも、言葉がわからないとか、接点がないからといって外国人の社会に関心を持たないままでいるうちに、なにか歪（ひず）みがたまっていたとか、犯罪の温床になっていたとか、そういうことがあってはいけないですよね」

幸い、新宿区における外国人の刑法犯認知件数は増えていないそうだ。居住する外国人も仕事や学校や遊びで訪れる外国人も急増している中、前述のような問題はありつつも犯罪率が上昇しているわけではないというのはホッとする。それに、民族間の争いのようなものもないという。

ほかになにか、区役所に外国人絡みの苦情が寄せられているのではと心配になってしまうが、それも減ってきているという。「ごみと騒音」が2大トラブルであることは本書でもさんざん触れてきたが、住民は慣れてきているのではと吉住さんは言う。また、区ではかつて住民の声を受けてごみの不法投棄の調査をしたことがあるのだという。

「大久保小学校のそばで24時間1か月の監視をしたところ、不法投棄をする人の半分は日本人でした」

ごみに関しては外国人だけの問題ではないようだ。いつの間にか地域全体がズボラになっちゃってるのだろうか。だとしたら住民の僕自身も自省しなくてはならない。

今後、大きな課題となってくるのは外国人の子供の教育だろう。さまざまな理由で母国から親に連れられてきた子、日本で生まれた子が、言葉の問題を抱えて学校についていけず社会になじめず、ドロップアウトしていくケースが出てきている。「東京ブラザーズ」もその一例かもしれない。

「とにかく言葉や学問を身につけるチャンスを与えるしかないですよね。新宿区には外国人も含めた子供たちの居場所づくりをしているNPOがありますが、そこでは区からの委託として外国人の生徒や児童に補習授業もしているんです。それに、やはり区の委託で、外国人が高校受験の指導を受けられる塾もあります。けっこう合格率がいいって聞いていますよ」

ただ、親のほうに熱意がないことがある。子供に勉強させる意義を感じない外国人もいる。塾や日本語教室にしたって、子供を行かせるメリットがわからないと言う親もいるそうだ。これは本書だけでなく、さまざまな外国人コミュニティの取材で見聞きしてきたことだ。親本人も母国で教育を受けずに育ち、日本語力も高くなく、それでも就ける仕事で働いているというケースが多いように思う。身体を張って生きてきたというプライドがあるかもしれないが、その子供たちにはしっかり言葉の芯を身につけてもらわないと、道に迷ってしまう。それが社会不安にもつながりかねない。だから、まずはこの親世代へのエンパワーメントから始める必要があると僕は感じている。

そのほかの問題としては、外国人の社会保険の滞納者の多さなどがあるという。

「このあたりを改善して、秩序を保つための努力をしていきたいですね」

そして今後は、外国人のライフスタイルに合わせて受け入れ方を変えていくことも考えているそうだ。

「1、2年で帰る人と、長期で暮らしたい人、定住したい人。それぞれに提供するサービス、いわばメニューを用意して、子供とずっとここで生活したいなら言語や学問を身につけるこんなメニューがありますよ、とか。こんな将来を考えているなら、いまからこういうメニューを選んだらどうですか、とか」

日本全国で外国人が急増している時代だ。しかしどの自治体も対応に苦慮している。外国人をどう受け入れるのか、ノウハウがないのだ。そこで新宿区のように外国人とのつきあいが長い地域がお手本のようになれたら、住民としても嬉しい。

新大久保出身の区長と、街を歩く

「さあて、帰りますか」

ほとんど職員のいなくなった夜、僕は吉住区長と区役所を出た。若い子たちのたまり場になっている「トー横」、立ちんぼが急増している大久保公園、そしてホストたむろすラブホ街と、いわくつきの界隈をおじさんふたりで歩き、職安通りを越えたら新大久保だ。僕もよく歩くルートなのだが、吉住さんは界隈にやたら詳しいのである。

「ここ、いま騒音の苦情があるんですよね」「あのビル、知人がオーナーなんですが、ベトナム人やネパール人も入居してて」「あそこは最近、お客が少なくなって閉めちゃった」

首長がそこまで把握しているのかと驚いたが、それもそのはず吉住さんは生まれも育ちも新大久保。大久保2丁目のご出身なのである。

「伊藤さん（島村印店）は小学校の先輩ですよ」

区役所の近辺で飲んだ帰りは、こうしてパトロールがてら地元を歩いて回るのが常なのだとか。僕からすれば地域の大先輩の吉住さんに昔話を聞かせてもらった。

「1980年代ですが、小学校のときは40人クラスが3つだったんですが、クラスにひとりかふたり、台湾人や韓国人がいるくらいでしたね」

吉住さんも、僕が取材した大久保小学校の出身だ。外国由来の児童が6割といういまとは大きく異なる。商店街もやはり寿司屋や豆腐屋やお茶屋が並ぶ、ふつうの日本の街だったそうだ。それが20年ほどで東南アジアや韓国の店が急増し、トラブルが続発するようになる。2000年代に入ってからは韓流ブームが巻き起こったことで住宅街の中に次々と飲み屋やレストランが開き、住民のストレスは積もっていった。そんな真っ最中の2003年に、吉住さんは新宿区議会議員に初当選し、政治の世界に入るのだ。

「そのときに議員として打ち出したライフワーク、フレーズが〝多国籍化された街に秩序を取り戻す〟だったんです。住民の立場から、無秩序な多文化共生はよろしくないと、待ったをかけるような立ち場でね」

折りしも新宿区では増加しつつある外国人との共存に取り組みはじめたときで、議会では吉住さんに「差別だ！」「そんなにイヤなら引っ越しちまえ」なんてヤジも飛んだという。

しかし吉住さん自身、外国人の友人もいるし地域にはもうたくさんの外国人が住んでいるのだ。だから争うのではなく、あくまで秩序ある状態を目指して話し合うこと。騒音や路上駐輪で問題になった韓国系の教会との交渉役に立ったこともあるそうだ。だんだんと、日本人の住民と外国人コミュニティとの調整役のようになっていく。吉住さんはそうして新人議員時代を過ごした。吉住さんは地元住民としても政治家としても、新大久保の多国籍化とつきあい続けてきたのだ。

軋轢の時代が通り過ぎたいま、街の日本人はいろんな意味で外国人の存在に慣れ、新大久保はさらに民族混在が進む。そして新大久保商店街にも外国人が加入するようになり、やがて4か国会議（インターナショナル事業者交流会）も開かれるようになった。

「でも、後継者がどこもいないんですよね」

新大久保も日本人の高齢化が目立つ。商店街も新しい世代がいない。商店街に加わった韓国の人たちも当初は盛り上がっていたが、やはり引退の時期を迎えつつある。この先どうなるだろうか。そんなことも話し合いながら、僕たちは大久保通りを歩いた。

第2回の新大久保フェスはあるのか？

「苦しんでますよ、商店街は」

武田一義さんは言う。新大久保商店街振興組合の事務局長にして、4か国会議のリーダーのひとりだ。新大久保商店街はおもに新大久保駅の東側、コリアンタウンとなった地域をカバーしている。コロナ後の大混雑を見ても、さぞ景気がいいんじゃないかと思うが、実際そうでもないのだという。

「お客さんが多いのは土日だけでしょう。それに、若い人はカフェとコスメばかりでね」

いまの韓流ブームの主役は中高生だ。使えるお金はそんなにない。だから新大久保に来ても、街を歩いて写真を撮って帰っていくだけの子もいるし、リーズナブルなコスメを買って終わりという子もいる。観光地価格になってしまったレストランに入っても、たくさん注文できるわけではない。はっきり言えば、客単価がきわめて低いのだ。

それにいま流行っているメニューはやたらとチーズを多用していて、けっこう重い。女子にとってはなおさらだ。2023年に入って大ヒットとなった10円パンだってモッツァレラチーズがたっぷり入っていて、なかなかにボリューミー。こういうものが多いから、すぐお腹いっぱいになってしまい、つまりあれこれ食べ歩きしにくい（ちなみに10円パンは10円で売っているわけではない。10円玉の形をしたでっかいパンである。韓国の10ウォンパンがルーツだとか。僕もはじめは価格が10円だと思いこんでいた）。

要するに見た目の賑わいほど、街にお金は落ちていないのだ。かつてのチーズタッカルビみたいなキラーコンテンツができないものかと、みんな頭を悩ませているそうだ。

そして4か国会議もまた停滞気味だ。コロナ禍のダメージはやはり大きかった。2回目の新大久保フェスは中止になってしまったし、人と人が会う機会が狭められてしまったから、新しいこともできないまま3年が流れた。その間に、当初は会議に意欲的だった外国人たちの気持ちも冷めつつある。

「ベトナム人もネパール人も、動きが鈍くなってきちゃってね。会議に出ない人も増えた。韓国人はまじめに考えてくれる人もいるけど、みんな商売が忙しくて」

とくに東南アジアや南アジアの人たちは、具体的にどんなメリットがあるのかを行動基準にするところがある。この国には稼ぎに来たのだという意識が強い。

「もっと彼らのビジネスに直結することをやらないと、興味を持ってもらえないのかもしれない」

武田さんはそう呟く。参加者がお互いに店を行き来しようと呼びかけ続けているが、それもさっぱりだという。それでは、武田さんにはじめて取材をさせてもらったときに伺った4か国会議の目的……商店街の繁盛につなげることと、地域の人たちに「この街で良かった」と思ってもらえるような活動をすること。このふたつはどうだろうか。

「前進してないよね。ぜんぜん足りない。繁盛もしていないし、申し訳ないなと思う」

加えて、外国人のお店は観光客だけでなく地元の日本人ともっとつながってほしいのだと武田さんは言う。なんといってもここは商店街なのだ。かつては豆腐屋や履物屋やお茶屋が並んでいて、地元の人たちで賑わっていたのだ。それが外国のレストランやカフェに変わったとしても、近所の人たちも気軽に入れる雰囲気であってほしい。

「でも、地元の日本人はそういう店に行かないんです。だから、機会をつくりたい」

そのためにも、2024年こそは第2回の新大久保フェスを開催する予定だ。どうにからうまくいってほしいし、僕も地域住民として協力しようと思うが、商店街の中のテンションは下がっているのだそうだ。そこには吉住さんの言うように高齢化の問題がある。

「日本人も外国人も、若い人がいないんです」

商店街の主たちは年老い、後継ぎがいない。武田さんだって若くてオシャレなおじさんという感じだが、72歳なのである。そしてほかの年配の日本人の大半は、新しいことにトライしようという感じでもない。ダイバーシティ商店街と脚光を浴びることもあるが、これが新大久保の現実でもある。

それでも、街のために外国人とのつきあいは必要だと武田さんは考えている。なんといっても住民の35％を占めるまでになったのだ。その誰もが、日本人も外国人も、一歩踏み出すことをしてこなかった。武田さんはそう言う。

「それぞれ違うところに飛び込んでいくことをしてこなかった。受け身で待っていただけでね。でも、思い切って踏み込んでみて話せば、お互いにわかるんですよ」

そんな人たちが、国を問わずとくに若い世代にどんどん出てきてほしいと思う。そういえば区長の吉住さんからはこんなことを聞いた。

「年末、百人町では拍子木を打ってパトロールするんですよ。火の用心って言いながら。私も参加してたんですが、外国人から尋ねられたんです。なにをしてるんですかって」

パキスタンから来た男性で、留学生だった。説明をすると「国に帰ったら、日本にはこういう住民組織があるって伝えたい」なんて楽しそうに言っていたそうだ。興味を持つ若者もいるのだ。彼のような人に面白がって商店街でも町内会でも入ってきてもらい、ひっかき回してもらったらいいのに、なんてことも思うのだ。

帰りたくても帰れない、外国人高齢者たち

高齢化しているのは日本人だけではない。新大久保の多民族化の下地をつくった韓国人たちも、いま老いに直面している。この街にコリアンタウンが形成されつつあった黎明期、80年代あたりにやってきた人たちが、70代、80代を迎えている。90代という人もいる。

「みんな家族を置いて出稼ぎに来たんですよ。食堂の厨房で働いていた人が多いですね。あっという間に30年、40年が経っちゃって、気がついたら歳を取って、身体を壊して、ひとりになって……」

そんな独居老人が実は新大久保にはたくさん暮らしているのだと、金栄子さんは言う。在日韓国人福祉会の代表として、韓国人の高齢者の生活サポートを行っている。

「働きっぱなしで日本語があまりわからないまま、ここまで来てしまったんです。カタコトの会話はできても、役所からの通知が読めない、介護保険も知らないし福祉制度も

わからない。年金がない人も多いです」

だから生活保護で細々と暮らす。4畳半一間トイレ共同のような物件に住んでいる人もいるそうだ。新大久保ではいまにも倒壊しそうな古びたアパートをちらほらと見かけるが、ああいうところなのだろうか。

それに認知症の人も出てきている。近隣とトラブルになってアパートの更新ができず、金さんが保証人になって別の物件に住まわせたりもしている。それなりに日本語の会話はできていたはずなのに、認知症が進むうちに韓国語とちゃんぽんになり、意思の疎通ができなくなってしまう。こうなると日本の介護施設に入るのも難しくなる。

聞いているだけで気が重くなってくるが、こうしたお年寄りの居場所を金さんはつくっている。ルーテル教会から入った路地にある福祉会の施設では、毎週金曜日にお年寄りが集まり、料理と食事を楽しむというので、僕もお邪魔させてもらった。

お昼前に伺うと、おばあちゃんたちですでに大賑わいなのであった。女性が10人ほど、男性が3人。ハングルが飛び交うが、僕が挨拶をするとみんな日本語で返してくれる。思いのほかお達者だが、一見そうとわからないけれど認知症を患っている人もいるのだと金さんが教えてくれる。

12月はみんなでキムチを漬けようとか、今後の活動の説明があった後に、あらかじめ作ってあった料理がふるまわれる。イカと豚肉のプルコギ、大根のナムル、キムチ、トトリムク（どんぐりの豆腐）……。これがなんとも美味いのだ。とくにプルコギは甘辛の豚肉と海鮮の風味がすごくよく合っている。飯が進む。さすがはもともと食堂で腕を振るっていたというオモニたちだ。そこらのレストランよりだんぜんいける。

もりもり食べていたら、オモニがドンブリを持ってばんばんプルコギを追加してくる。「ごはんおかわりは？」「キムチもっと食べなさい」。オモニたちに世話を焼かれ、親戚のおばあちゃんの家に遊びに来た気持ちになってくる。この腕前をなにかに活かせないか、料理教室とか食堂とか、地域と関わりつつオモニの居場所をつくれないだろうかと も、金さんたちは考えている。

ちなみにいま新大久保の韓国レストランで、オモニが働く昔ながらの家庭料理の店はほとんどないのでは、という。代わりに厨房を支えていたのは留学生やワーキングホリデーのアルバイトだったが、彼らは韓国の経済発展と円安によって激減し、行き先を欧米に替えてしまった。そしてコロナ禍で留学生が入国できない時期が続いた。そのため韓国の店で働くネパール人が急増している。主婦のアルバイトもいれば、コックの分野で技能ビザを持っている人もいる。前職はたいていインドカレー屋だ。昼過ぎの休憩時には韓国人とネパール人が韓国料理のまかないを食べながら日本語で話しているような、これまた新大久保らしい光景が見られたりもする。韓流女子が映えるね美味しいねと言い合っている料理を、実はネパール人がつくっているのである。しかしインド・ネパール料理の専門家としてビザを取っている人が韓国料理の店で働くことは厳密には違法となる。その問題を、メニューにカレーを入れることでクリアしている店もある。

加えて、韓国語を学ぶために韓国のレストランやカフェでアルバイトする日本人の若い女性も増えている。だから経営が韓国人、厨房がネパール人、ホールが日本人というような、多民族混在の店もあるのが現在のコリアンタウン新大久保なのである。

本当の意味で、開けた街に

金さんが福祉会の活動を始めて８年、この場所にお年寄りの居場所を開いて３年。介護福祉士でもある金さんが運営する「そら訪問介護事業所」を母体にして、地域に住む50人ほどの韓国人高齢者をケアしているが、金曜日に来るのはいつも17人ほど。身体が不自由だったり病気などで動けない人もいるそうだ。

福祉会を軸にお年寄りたちも自分たちで助け合っていて、認知症の人をみんなでここまで連れてきたり、コロナのときはお粥(かゆ)をつくって感染した人の玄関にぶら下げたり、互いに行き来して健在を確かめあったりしている。韓国人同士で老々介護しているような一面もある。

また福祉会は韓国語フリーペーパー『ハント』にも広告を出している。それを見た高齢者が地方からはるばる訪ねてきたり、これからどうしようかと相談の電話がかかってきたりもするそうだ。

福祉会から歩いて1分でイケメン通りなのである。韓流のグッズやコスメに夢中な日本人女子は、すぐ隣にこういう世界があることを想像できるだろうか。

老人たちに「帰ればいい」と言うのは簡単だ。しかし韓国の社会は様変わりし、日本以上にIT化が進み、老人はついていけない。韓国の介護保険もない。現地にいる子供たちや親戚にもそれぞれの生活があり、引き取るのは難しい。あるいはお年寄り本人が、家族の負担になりたくないと連絡しないこともある。そもそも認知症を患った人もいるのだ。

「国に帰るなら60代までですかね。それ以上になると無理かなって思う。だから、帰りたいと思っているなら、帰れるうちに帰ったほうがいいですよってアドバイスしてるんです」

外国で働き、生きてきた人たちが年を経て、その先どうするのか。僕が暮らしていたタイでも、日本人の独居老人が増えている。日本人の孤独死も出ている。帰るタイミングを逸し、母国にはもう生活の基盤がなく家族の縁も薄く、異国で老いていく。僕も10年を過ごしたタイを引き払うのは大きな決断だった。日本でまた一からやり直せるのか。仕事はどうしようか。悩みに悩んだものだ。

金さん自身も日本に来て23年、53歳を迎えたが、この先に帰国するかどうかは「真剣に考えたけれど、まだわからないですね」と言う。

在日韓国人福祉会を運営する金榮子さん（左）

「私も当事者のひとり。それに、これは韓国人だけの問題じゃないですよね。新大久保だけでもいろんな外国人がいます。困っている外国人高齢者を助けるための基盤づくりをしたいんです」

新大久保は良くも悪くも外国人とのつきあいの中で歴史を重ねてきた。だから外国人の高齢化というのは避けられない問題だ。韓国人に次いでいろいろな国の人たちがこれから老いていく。日本社会も腰が曲がっていく状況で、どうすればいいのだろう。きっとしんどいこともたくさんあるだろうが、それでも金さんのような人たちもまた集まってくるのが新大久保だ。在日韓国人福祉会の相談員、土田愛美さんはソウル生まれのソウル育ちだが、新大久保は「第二の故郷かな」と話す。

「18歳のときにこの街に来て、ここでいろいろな人たちと出会って、私の子供もこの街で育っているんです。自分が生まれた場所じゃないけれど、ふるさとのような」

そう感じてくれる人もいるし、新しい世代も増えてきている。そんな若い人たちがもっと街に関わってきてほしいと、住民としても思う。そのためには武田さんの言うように「お互い一歩、踏み出すこと」が大切なのだろう。

現状、新大久保に生きるたくさんの民族集団は、あまり接点もなく、かといって深刻な対立もなく、吉住区長の言うような秩序がなんとなく保たれている。しかし今後、街の発する磁力に惹(ひ)かれてさらにさまざまな人が流入してきたら、いったいどうなるのか。災害が起きたら助け合えるのだろうか。いまより先を見据えて「一歩踏み出した関係」を築いておかなければと感じる。

単行本の刊行から3年、変わったことといえば僕自身の環境が大きく変わった。外国人コミュニティの専門家として扱われるようになり、メディアに出演したり大学や自治体などで講演する機会がやたらと増えた。この国に増え続ける外国人とどう向き合っていけばいいのか、誰もが模索しているからこそこういう需要があるのかなと感じる。そんな仕事や取材で日本各地を飛び回り、新大久保に帰ってきて、新宿八百屋の明かりを見るとホッとする。バングラデシュ人がやっている小さな店の軒先でチャイを飲むと気持ちが落ち着く。僕にとっても新大久保は、もう帰るべきホームだ。

よく「いつまで暮らすんですか」と聞かれる。本を一冊書いたのだから、もう新大久

シヴァ寺院で開かれたヒンドゥー教のお祭りをのぞきに来たおばちゃん

保の取材は切り上げて、別の街に行くんですかと。あるいはまたタイに帰るのかと。先のことはわからない。でも、取材を通じてたくさんの地元の人と知り合った。その人たちとよく街ですれ違う。お互い挨拶を交わし、ちょっとした世間話をする。連絡をもらって遊びに行ったりする。相談ごとを持ちかけられることもある。みんなに声をかけてもらうたびに「離れがたいな」と思うのだ。僕はいまはじめて、ちゃんとご近所づきあいをしているのかもしれない。

だから地域のためになにかしなければ、という気持ちも大きくなってきている。まずできることは、僕が出入りしているさまざまなコミュニティをつなげることだろうか。そう思って、武田さんにナンディさんを紹介した。この先、4か国会議が5か国会議になったら面白いな、と思っている。

そして取材の中で知り合ったひとりである関根美子さん、おばちゃんは、元気に新大久保を歩いている。よくスタジオMに顔を出し、僕のところにも連絡をよこして史滷くんと3人で散歩したりもする。

「もう83だよ」

なんてボヤキながらも、いまだに印刷会社を営み、いろいろな本をつくっている。2024年は開業60周年なのだ。なにかお祝いをしなければならない。

そんなおばちゃんに、これから新大久保はどうなってほしいか尋ねてみた。「え〜」なんて言いつつ、言葉を探しながら、答えてくれた。

「本当の意味で、開けた街になってほしいよね」

僕もそう思う。

あるいは理想なのかもしれない。それでも住民としては、オープンマインドかつ秩序のある街であってほしい。

この多民族タウンはどこへ流れていくのか、もう少し暮らしながら見続けていこうと思う。

2023年12月7日

室橋　裕和

参考文献

『オオクボ　都市の力』　稲葉佳子　学芸出版社
『「移民国家日本」と多文化共生論』　川村千鶴子編著　明石書店
『多文化コミュニケーション情報紙ＯＫＵＢＯ』　共住懇
『大久保老舗ものがたり』　共住懇
『「移民列島」ニッポン　多文化共生社会に生きる』　藤巻秀樹　藤原書店
『東京人』　２０１８年６月号
『すべての壁をぶっ壊せ！　Rock'n 牧師の丸ごと世界一周』　関野和寛　日本キリスト教団出版局
『神の祝福をあなたに。歌舞伎町の裏からゴッドブレス！』　関野和寛　日本キリスト教団出版局
『「ＡＢＣ」は眠らない街の保育園』　片野清美　広葉書林
『もっと遊べるしのくぼ　ぴあＭＯＯＫ』
『外国人と共生するニッポンへ』　後藤裕幸　カナリアコミュニケーションズ

本書は、二〇二〇年九月に辰巳出版より刊行された単行本を加筆修正のうえ、文庫書き下ろしの新章を加え、文庫化したものです。

目次扉写真／善本喜一郎
各章扉写真／著者
目次・章扉デザイン／原田郁麻
地図制作／周地社

ルポ新大久保
移民最前線都市を歩く
室橋裕和

令和6年 1月25日 初版発行

発行者●山下直久

発行●株式会社KADOKAWA
〒102-8177 東京都千代田区富士見2-13-3
電話 0570-002-301(ナビダイヤル)

角川文庫 23986

印刷所●株式会社暁印刷
製本所●本間製本株式会社

表紙画●和田三造

●お問い合わせ
https://www.kadokawa.co.jp/ (「お問い合わせ」へお進みください)
※内容によっては、お答えできない場合があります。
※サポートは日本国内のみとさせていただきます。
※Japanese text only

ISBN 978-4-04-114092-5 C0195

◇◇◇

角川文庫発刊に際して

角川源義

第二次世界大戦の敗北は、軍事力の敗北であった以上に、私たちの若い文化力の敗退であった。私たちの文化が戦争に対して如何に無力であり、単なるあだ花に過ぎなかったかを、私たちは身を以て体験し痛感した。西洋近代文化の摂取にとって、明治以後八十年の歳月は決して短かすぎたとは言えない。にもかかわらず、近代文化の伝統を確立し、自由な批判と柔軟な良識に富む文化層として自らを形成することに私たちは失敗して来た。そしてこれは、各層への文化の普及滲透を任務とする出版人の責任でもあった。

一九四五年以来、私たちは再び振出しに戻り、第一歩から踏み出すことを余儀なくされた。これは大きな不幸ではあるが、反面、これまでの混沌・未熟・歪曲の中にあった我が国の文化に秩序と確たる基礎を齎らすためには絶好の機会でもある。角川書店は、このような祖国の文化的危機にあたり、微力をも顧みず再建の礎石たるべき抱負と決意とをもって出発したが、ここに創立以来の念願を果すべく角川文庫を発刊する。これまで刊行されたあらゆる全集叢書文庫類の長所と短所とを検討し、古今東西の不朽の典籍を、良心的編集のもとに、廉価に、そして書架にふさわしい美本として、多くのひとびとに提供しようとする。しかし私たちは徒らに百科全書的な知識のジレッタントを作ることを目的とせず、あくまで祖国の文化に秩序と再建への道を示し、この文庫を角川書店の栄ある事業として、今後永久に継続発展せしめ、学芸と教養との殿堂として大成せんことを期したい。多くの読書子の愛情ある忠言と支持とによって、この希望と抱負とを完遂せしめられんことを願う。

一九四九年五月三日

角川文庫ベストセラー

最終増補版 餃子の王将社長射殺事件 一橋文哉

2013年12月19日早朝、王将フードサービスの社長・大東隆行氏が本社前で何者かに射殺された。3年近く経っても捕まらない実行犯とその黒幕を、関係者への極秘取材で追う。文庫化にあたり最終章を追加！

経済ヤクザ 一橋文哉

日本の経済はこうして動かされてきた。政界や一般企業に食い込み、地下経済を自在に操ってきた者たちの姿とは？　国際ハッカー集団「アノニマス」直撃取材など最新事情にも斬り込む「闇社会経済図鑑」！

世田谷一家殺人事件 韓国マフィアの暗殺者 一橋文哉

2000年12月31日、世田谷区上祖師谷の一家四人が無残な状態で発見された。現場に多数の痕跡を残しながら捕まらなかった犯人。その犯人を追い著者が向かった先とは？　真犯人がついに本書で明らかになる。

政界ヤクザ 一橋文哉

日本の戦後政治はフィクサーや右翼、総会屋など黒い人脈とのつながりの歴史でもある。つかず離れず彼らと関係をなし、ときに政治生命を断たれるにも関わらず続いた「裏社会との黒い蜜月」を明らかにする。

世界屠畜紀行 THE WORLD'S SLAUGHTERHOUSE TOUR 内澤旬子

「食べるために動物を殺すことを可哀相と思ったり、屠畜に従事する人を残酷と感じるのは、日本だけなの？」アメリカ、インド、エジプト、チェコ、モンゴル、バリ、韓国、東京、沖縄。世界の屠畜現場を徹底取材!!

角川文庫ベストセラー

飼い喰い
三匹の豚とわたし
内澤旬子

世界各地の屠畜現場を取材してきて抱いた、「肉になる前」が知りたいという欲望。廃屋を借りて豚小屋建設、受精から立ち会った三匹を育て、食べるまで。豚飼いを通じて大規模養豚、畜産の本質にまで迫る！

一投に賭ける
溝口和洋、最後の無頼派アスリート
上原善広

WGP（世界グランプリ）シリーズを日本人で初めて転戦した不世出のアスリート・溝口和洋。無頼伝説にも事欠かず、正にスターであったが絶頂期に姿を消し、伝説だけが残る。その男の真実が遂に明かされる！

聖（さとし）の青春
大崎善生

重い腎臓病を抱えつつ将棋界に入門、名人を目指し最高峰リーグ「A級」で奮闘のさなか生涯を終えた天才棋士、村山聖。名人への夢に手をかけ、果たせず倒れた〝怪童〟の人生を描く。第13回新潮学芸賞受賞。

いつかの夏
名古屋闇サイト殺人事件
大崎善生

「闇サイト」で集まった凶漢3人の犯行で命を落とした1人の女性がいた。彼女はなぜ殺されなくてはならなかったのか。そして何を遺したのか。被害者の生涯に寄り添いながら事件に迫る長編ノンフィクション。

昭和二十年夏、僕は兵士だった
梯久美子

俳人・金子兜太、考古学者・大塚初重、俳優・三國連太郎、漫画家・水木しげる、建築家・池田武邦。戦場で青春を送り、あの戦争を生き抜いてきた5人の著名人の苦悩と慟哭の記憶。

角川文庫ベストセラー

19歳
一家四人惨殺犯の告白
永瀬隼介

92年に千葉県で起きた身も凍る惨殺劇。虫をひねり潰すがごとく4人の命を奪った19歳の殺人者に下された死刑判決。生い立ちから最高裁判決までを執念で追い続けた迫真の事件ノンフィクション！

疑惑の真相
「昭和」8大事件を追う
永瀬隼介

三億円事件で誤認逮捕された男の悲劇、丸山ワクチンは何故認可されなかったのか。疑惑の和田臓器移植の新証言など、昭和の8つの未解決事件と封印された真相を炙り出す、衝撃のノンフィクション。

もの食う人びと
辺見庸

人は今、何をどう食べ、どれほど食えないのか。人々の苛烈な「食」への交わりを訴えた連載時から大反響を呼んだ劇的なルポルタージュ。文庫化に際し、新たに書き下ろし独白とカラー写真を収録。

「電池が切れるまで」の仲間たち
子ども病院物語
宮本雅史

「幸せ」と言って亡くなった真美ちゃん、「命」の詩を綴った由貴奈ちゃん、白血病を克服し、医師を目指す盛田君——。大反響の詩画集『電池が切れるまで』の子どもと家族、医師、教師たちの感動の実話！

歪んだ正義
特捜検察の語られざる真相
宮本雅史

ずさんな捜査、マスコミを利用した世論の形成、シナリオに沿った調書。「特捜検察」の驚くべき実態を、現職検事や検察内部への丹念な取材と、公判記録・当事者の日記等を駆使してえぐりだした問題作！

角川文庫ベストセラー

「A」
マスコミが報道しなかったオウムの素顔
森　達　也

メディアの垂れ流す情報に感覚が麻痺していく視聴者、モノカルチャーな正義感をふりかざすマスコミ……「オウム信者」というアウトサイダーの孤独を描き出した、時代に刻まれる傑作ドキュメンタリー。

職業欄はエスパー
森　達　也

スプーン曲げの清田益章、UFOの秋山眞人、ダウジングの堤裕司。一世を風靡した彼らの現在を、ドキュメンタリーにしようと思った森達也。彼らの力は現実なのか、それとも……超オカルトノンフィクション。

世界が完全に思考停止する前に
森　達　也

大義名分なき派兵、感情的な犯罪報道……あらゆる現実に葛藤し、煩悶し続ける、最もナイーブなドキュメンタリー作家が、「今」に危機感を持つ全ての日本人を納得させる、日常感覚評論集。

クォン・デ
――もう一人のラストエンペラー
森　達　也

満州国皇帝溥儀を担ぎ上げた大東亜共栄圏思想が残した、もう一つの昭和史ミステリ。最も人間の深淵を見つめ、描き上げるドキュメンタリー作家が取材9年、執筆2年をかけ、浮き彫りにしたものは？

それでもドキュメンタリーは嘘をつく
森　達　也

「わかりやすさ」に潜む嘘、ドキュメンタリーの加害性と鬼畜性、無邪気で善意に満ちた人々によるファシズム……善悪二元論に簡略化されがちな現代メディア社会の危うさを、映像制作者の視点で綴る。

角川文庫ベストセラー

スローカーブを、もう一球　山際淳司

ホームランを打ったことのない選手が、甲子園で打った16回目の一球。九回裏、最後の攻撃で江夏が投げた21球。スポーツの燦めく一瞬を切りとった8篇を収録。

和僑
農民、やくざ、風俗嬢。中国の夕闇に住む日本人　安田峰俊

「日本人であること」を過剰に意識してしまう場、"中国"。そこで暮らすことを選んだ日本人＝和僑。嫌われている国をわざわざ選んだ者達の目に映る、日本と中国とは――。異色の人物達を追った出色ルポ！

移民 棄民 遺民
国と国の境界線に立つ人々　安田峰俊

なぜ女子大生は「無国籍者」となったのか？　なぜ軍閥高官の孫は魔都の住人となったのか？　国民国家のエラーにされた人々の実態、そして彼らから見た移民大国・日本の姿。「境界の民」に迫る傑作ルポ!!

娼婦たちから見た日本
黄金町、渡鹿野島、沖縄、秋葉原、タイ、チリ　八木澤高明

沖縄、フィリピン、タイ。米軍基地の町でネオンに当たり続ける女たち。黄金町の盛衰を見た外国人娼婦。国策に翻弄されたからゆきさんとじゃぱゆきさん。世界最古の職業・娼婦たちは裏日本史の体現者である！

嘘つきアーニャの真っ赤な真実　米原万里

一九六〇年、プラハ。小学生のマリはソビエト学校で個性的な友だちに囲まれていた。三〇年後、激動の東欧で音信が途絶えた三人の親友を捜し当てたマリは――。第三三回大宅壮一ノンフィクション賞受賞作。

角川文庫ベストセラー

心臓に毛が生えている理由（わけ）　米原万里

ロシア語通訳として活躍しながら考えたこと。在プラハ・ソビエト学校時代に得たもの。日本人のアイデンティティや愛国心――。言葉や文化への洞察を、ユーモアの効いた歯切れ良い文章で綴る最後のエッセイ。

マイナス50℃の世界　米原万里

窓は三重構造、釣った魚は一〇秒でコチコチ。ロシア語通訳として真冬のシベリア取材に同行した著者は、鋭くユニークな視点で、様々なオドロキを発見していく。カラー写真も豊富に収載した幻の処女作。

女と男
～最新科学が解き明かす「性」の謎～　NHKスペシャル取材班

人間の基本中の基本である、「女と男」――。それは未知なる不思議に満ちた世界だった。女と男はどのように違い、なぜ惹かれあうのか？　女と男の不思議を紐解くサイエンスノンフィクション。

ヒューマン
なぜヒトは人間になれたのか　NHKスペシャル取材班

私たちは身体ばかりではなく「心」を進化させてきたのだ――。人類の起源を追い求め、約20万年のホモ・サピエンスの歴史を遡る。構想12年を経て映像化された壮大なドキュメンタリー番組が、待望の文庫化!!

人体 ミクロの大冒険
60兆の細胞が紡ぐ人生　NHKスペシャル取材班

人はどのような細胞の働きによって生かされ、そして、なぜ老い、死ぬのか。本書は私たちが個として生まれ、成長し、死ぬ仕組みを読み解こうという壮大な「旅」である。大反響を呼んだ番組を文庫化。